LES CLOCHE

ŒUVRES DE ARAGON

ARAGON

Les cloches de Bâle

DENOËL

A ELSA TRIOLET
SANS QUI JE ME SERAIS TU

PREMIÈRE PARTIE

DIANE

I

Cela ne fit rire personne quand Guy appela M. Romanet Papa. C'était avant le dîner, près des capucines,
autour de la petite table peinte où l'on voyait un
pêcheur de crevettes jouant aux billes avec un montreur
d'ours, qu'un artiste, Danois paraît-il (comme le chien
de la villa verte), avait décorée pour payer sa note ou
finir de payer sa note, c'est toujours ça. Pourtant tout
le monde avait ri quand le bébé des dames à carreaux
avait dit Papa au patron de l'hôtel, qui ressemblait au
montreur d'ours, seulement avec une moustache,
et des yeux tout à fait différents. Personne n'était
très sûr, il faut dire, de ne pas se fourvoyer un peu,
parlant avec son voisin. Cela prend toujours un
diable de temps en villégiature de savoir qui est qui,
et les messieurs surtout : au bord de la mer ils ne
sont pas si communs qu'à la ville, après, quand on
les rencontre.

Évidemment, si on avait pu dépenser sept ou

huit francs par jour dans un hôtel comme le *Parc*,
il n'y aurait pas eu à supporter la conversation d'une
Mme Lourde, qui cachait sûrement quelque chose
touchant le commerce qu'elle pouvait tenir à Elbeuf.
Diane, d'ailleurs, se refusait à croire ce qui se disait.
Mais enfin il fallait choisir : ou habiter au *Parc* seule
avec Guy, et alors comment aurait-elle expliqué
M. Romanet? Ou bien aux *Bains* avec son père et
sa mère, surtout que Robert, qui faisait son service
dans les hussards, le chéri, allait avoir sa permission,
et que tout de même elle n'allait pas laisser tomber
son frère qui aurait bien besoin de prendre des bains
de mer, avec tous ces clous qu'il avait eus.

"Trois francs par personne, pour ton père et
moi, c'est tout ce que nous pouvons rêver consacrer
à la pension. " Mme de Nettencourt soupirait et
Diane savait à quoi s'en tenir pour la suite : regrets
du temps qu'elle n'avait pas connu où son père et
sa mère faisaient les châtelains en Touraine, à Nettencourt, avec des hortensias à chaque fenêtre, et
Monseigneur avait sa chambre toujours prête, le
chic de ton père en habits de chasse! Et quand nous
arrivions quelque part personne qui ne se retournât.
Mme de Nettencourt insistait sur ce qu'on les prenait pour frère et sœur, tous deux grands, de la même
couleur. Diane se souvenait pourtant qu'il avait
fallu le cours des années pour que les cheveux de sa
mère se rapprochassent de la barbe de M. de Nettencourt. On ne pouvait plus arrêter la chère femme
arrivée sur le chapitre des usuriers. "Bon, trois
francs, dit Diane, et trois francs que je mettrai font
six. " On avait donc loué aux *Bains*.

Les dernières semaines de juillet étaient toujours odieuses parce que déjà Mme Walker était aux eaux, et Denise écrivait de Saint-Jean-de-Luz que Paris devait être intenable, et Mme de Nettencourt avait ses nerfs. Mais M. Romanet n'avait ses vacances au ministère qu'au premier août; on ne pouvait pas lui demander de payer pour les autres en étant à son bureau, d'où on voyait les arbres du boulevard Saint-Germain, mais enfin tout de même pas la mer. "Ah! cet argent, cet argent!" disait Mme de Net-tencourt; et elle fermait toutes les persiennes avant midi, de telle sorte que, quand M. Romanet arrivait avec des roses, on n'y voyait pas pour chercher le vase de cristal qui est juste ce qu'il aurait fallu.

Morneville sentait abominablement mauvais, mais à l'hôtel des Bains, une surprise. On mangeait par petites tables, on voisinait avec un colonel de cava-lerie, cela pouvait servir à Robert. Il est vrai que M. Romanet fit immédiatement une scène, et Diane avait toutes les peines du monde maintenant à ne pas rester seule avec le colonel, qui poussa la gros-sièreté jusqu'à offrir de sa pêche à la famille. "Moi, je le trouve charmant, cet officier, minauda Mme de Nettencourt, il ressemble un peu à Monseigneur. Tu ne trouves pas, Édouard? Diane, quand tu auras fini de me donner des coups de pied!" M. Romanet, très rouge, avait quitté la table en s'excusant, une arête. Diane l'aurait tuée, sa mère. Avec ça, toute la salle à manger qui les regardait.

Il y avait une quantité d'enfants à l'hôtel, et Diane habitait au rez-de-chaussée. Le fils Lourde qui avait bien treize ans raconta qu'il l'avait vue

toute nue (mon vieux, c'est du rupin!) comme elle
s'habillait pour le bain, parce qu'on n'avait pas besoin
de louer une cabine, trente ou quarante francs par
mois. Ce propos fit le tour de l'hôtel et il s'ensuivit
plusieurs scènes de ménage, à cause des nageurs qui
s'éloignaient avec Diane dans la mer, un vrai poisson!
ou de ceux qui lui avaient tendu son peignoir à la
sortie.

Guy était trop petit pour se faire des camarades.
On le plaignait que sa mère fût divorcée. A dix-neuf
ans! Mme de Nettencourt avait confié à une des
dames à carreaux que son ex-gendre était un homme
horrible, qui demandait, d'une jeune fille élevée
chrétiennement, des choses qu'elle ne pouvait aucunement lui accorder. Enfin tout ceci était du passé,
bien que le misérable fût d'une excellente famille,
noblesse d'Empire seulement, mais enfin.

On préférait penser généralement que Diane recevait de son ancien mari une pension qui expliquait
son linge.

Or il s'était trouvé qu'au *Parc,* un personnage
très important, sinon un supérieur de M. Romanet,
était venu retrouver sa femme, une Américaine, et
M. Romanet une ou deux fois alla dîner avec eux. Sa
serviette à sa place vide faisait parler tout l'hôtel,
et Mme Lourde trouva que vraiment ces gens du
Parc auraient dû inviter Diane! "Et M. et Mme de
Nettencourt?" demanda le colonel. Évidemment,
c'était trop.

Le colonel avait pris l'habitude de venir bavarder
avec M. et Mme de Nettencourt. A défaut de Diane,
Christiane, sa mère, pour la conversation, était encore

flatteuse. Et puis elle aussi sans doute pensait aux
intérêts de Robert. Elle avait dû regretter par-ci, par-
là qu'Édouard, son mari, ne fût pas dans l'armée.
On a des cartes pour le Concours Hippique. Enfin
n'y songeons plus. Edouard était surtout décoratif.
Quand les propos du colonel dépassaient un peu ce
que permet la bonne compagnie, les militaires en ont
tant vu, la barbe bien taillée, à laquelle l'âge laissait
juste la rousseur nécessaire, suivait le menton de
M. de Nettencourt comme si la toux allait le prendre.
Mais aussitôt le colonel généralisait. Tout restait
donc fort aristocratique.

C'est par le colonel Dorsch que l'hôtel apprit
l'existence du château de Nettencourt, des hortensias
sias et de la chambre de Monseigneur. C'est par lui
que la nouvelle des fiançailles de Diane avec M. Romanet se répandit de table en table, au grand soulagement de Mlles Vibert, de Pont-à-Mousson, et
du ménage Melazzi, dont la jeune fille devait venir
bientôt à Morneville. D'ailleurs, tout devint de
plus en plus correct, lorsqu'on sut que M. Romanet,
dont les fonctions au ministère de la Guerre étaient
excessivement importantes, attendait aussi sa fille.

"Quel âge peut-il bien avoir, M. Romanet?"
demandait au colonel l'aînée des demoiselles Vibert,
celle qui jouait du piano. "Heu, mademoiselle,
comment vous dire? Mme de Nettencourt lui donne
quarante-deux ans."

M. Peissonneau, le personnage important qui
résidait au *Parc*, vint saluer ces dames, un jour après
le bain. Un homme extrêmement bien, de l'avis
général. La rosette. Une moustache noire en brosse,

à peine teintée d'argent. On remarqua qu'il était
venu seul. Mme de Nettencourt expliqua au colonel
que Mme Peissonneau était souffrante ce jour-là.
Mlle Vibert cadette entendit tout à fait par hasard
une partie de la conversation lorsque M. Romanet
raccompagna M. Peissonneau jusqu'à la route. "Alors,
— disait M. Peissonneau — mon cher Romanet,
vous êtes tout à fait comme Viviani : il ne peut pas
souffrir la crème renversée. " Le mot fut rapporté
en hâte à Mme Bouju, la patronne de l'hôtel, et cela
lui fit supprimer ce soir-là son dessert.

Le colonel Dorsch était devenu tout à fait paternel
à l'égard de Diane. Vraiment il aurait fallu être un
monstre de jalousie pour en prendre ombrage. M. Romanet était un monstre de jalousie. Cela amena de
longues explications entre Diane et sa mère : "Puisque je te dis, maman, qu'il ne peut pas le voir en
peinture, ton colonel. — Ton colonel, d'abord je
t'ai dit cent fois de m'appeler Christiane, et non pas
maman, ce qui est ridicule devant le monde avec l'air
que j'ai... — Mais il n'y a personne. — Je sais ce que
je sais, il y aurait du monde que ce serait du pareil
au même. D'ailleurs, ce que je t'en dis c'est pour toi.
Ne va pas t'imaginer que j'aie peur que ça me vieillisse.
Vrai, il arrive un âge où c'en est même vexant de faire
jeune. Mais on le sait assez que je suis ta mère. Pas la
peine de le rappeler tout le temps. Maman par-ci,
maman par-là. Même que cela a quelque chose de
risqué ce rappel des choses de la nature. — Enfin,
Christiane, M. Romanet... — Quoi, qu'est-ce qu'il
vient encore faire là-dedans, M. Romanet? Et puis
tu te moques de moi, avec tes façons de m'appeler

Christiane hors de propos! Qu'est-ce que j'étais à
dire? Ah oui, si tu crois que ça fait comme il faut de
rappeler à tout bout de champ que tu as une mère!
Eh bien ça fait cocotte, voilà ce que ça fait! A t'entendre, on croirait extraordinaire d'avoir une mère.
C'est tout à fait commun. C'est très répandu. C'est
même vulgaire. — Mais, à la fin, maman, je te dis que
M. Romanet... — Ah vraiment, Diane, est-ce que tu
te paies ma bille? Je m'échine à te dire, à t'expliquer
comment quelqu'un dans notre situation doit s'exprimer et te voilà qui recommences à bêler : Maman,
maman! Un véritable mouton! Si nous vivions dans
un autre siècle, j'exigerais, tu m'entends bien? j'exigerais que tu me dises madame. Mais de nos jours cela
aurait l'air un peu prétentieux. Alors Christiane...

— Tout ça est très gentil, mais si tu continues à
amener le colonel Droche...

— Dorsch, si ça ne te fait rien, le colonel Dorsch.
Un nom alsacien.

— ... enfin, le colonel, pour prendre le café avec
nous, je vais avoir une histoire avec Maurice, et il
fera ses paquets et il s'en ira.

— Eh bien, il s'en ira, le beau malheur! Non,
mais, voyez-vous ça? Qu'il les fasse, ses paquets :
un homme de son âge, et il se permet encore d'être
jaloux!

— D'abord Maurice n'est pas si vieux que ça, et
puis c'est justement. Mais si Maurice s'en va...

— Je t'ai prié sur tous les tons de ne l'appeler que
M. Romanet tant que les choses n'ont pas un caractère
plus définitif...

— Bref, s'il s'en va, M. Romanet, ça leur donnera

un tour définitif, aux choses, et en attendant qui
paiera la note de l'hôtel, toi?

— Nous te donnons six francs par jour, ton père
et moi, et j'ignore comment tu t'arranges. Je n'ai
jamais rien compris aux affaires d'argent.

— Commode. Maintenant tu vas me faire le plaisir
de ne plus amener le colonel Droche...

— Dorsch.

— ... à notre table pour le café, parce que j'ai pas
envie de me fâcher à cause de toi avec M. Romanet
et que M. Romanet...

— M. Romanet! Oh! à la fin des fins, tu me fais
bouillir avec ton M. Romanet! Tu l'as tout le temps
à la bouche, ton M. Romanet! C'est d'une indécence!
Est-ce que tu n'as pas de sang dans les veines, qu'il
te fait marcher comme cela, ce monsieur? Non, mais
regarde un peu ton père : ah! il aurait fait beau voir
que ton père m'ait interdit d'offrir un canard à un
colonel! "

Le jour des trois ans de Guy, Mlle Judith Romanet
arriva à Morneville, et elle apportait pour le petit
un moka avec trois bougies et une inscription à la
crème : *Je suis un grand garçon.* Du coup elle gagna
le cœur de tout l'hôtel, qui en fit une figure romantique. Elle était habillée de noir, sûrement le deuil
de sa mère (on découvrit plus tard que M. Romanet
était divorcé), et les jupes peut-être un peu courtes
pour ses seize ans. Assez pâle avec ça, et plutôt forte.
Les demoiselles Vibert eurent vite fait d'observer
qu'elle regardait avec tristesse sa future belle-mère.

Quand on sut qu'elle préparait le prix de Rome
de sculpture, avec un père comme le sien, Judith

fut l'objet des attentions de toutes ces dames.
Mme Lourde elle-même voulut lui apprendre un motif
de crochet, très joli, pour faire des abat-jour.
Mme Melazzi, qui avait été à Florence en 1890 (n'allez
pas vous imaginer que je sois Italienne, Melazzi pourrait
faire croire, mais c'est simplement comme ça), coinça
Judith près des cabines et lui dit que sa fille qui allait
venir avait aussi des goûts artistiques, et serait très heureuse d'avoir une compagne de son âge. Elle était pour
l'instant en Angleterre, au pair, jusqu'au 15 août,
chez un pasteur. Elle faisait des progrès incroyables en
anglais, oui. Elle parlait à tous les policemen. Des gens
charmants, les policemen. Mais ça nous écarte de la
sculpture. Est-ce que vous aimez Rodin? Moi je
trouve que c'est une horreur.

Judith aimait Rodin.

" *Le Penseur?* Enfin, mon enfant, je ne voudrais
pas vous tenir des propos trop... lestes, mais entre
nous : est-ce qu'il n'a pas plutôt l'air de ... oui, ce
Penseur-là? Ah! parlez-moi d'Antonin Mercié! Non?
Vous ne trouvez pas ça splendide le *Quand même?*
l'Alsacienne des Tuileries? Du mouvement, de l'expression, du sentiment! Comme elle lui reprend son
fusil au mort! Et le mort? Mais il est vrai que vous
êtes trop jeune pour sentir ce qu'il y a d'émouvante
simplicité dans cette façon-là de mourir! Quand
même! "

Le père de Mme Melazzi avait été tué à Grave-
lotte. Et une cousine à elle avait dansé avec Antonin Mercié. Ou peut-être qu'elle n'avait pas précisément dansé. A une fête de charité. Mais qu'est-ce
que Mlle Judith lisait donc là? Mlle Judith lisait

de l'Oscar Wilde. Mme Melazzi hésita un peu. Oscar
Wilde... Elle n'était pas très sûre, mais ça ne devait
pas être une lecture pour les jeunes filles, cela.
Tout à coup, elle se souvint, Wilde, Wilde, ah!
parfaitement : Salomé, lord... voyons, comment
s'appelait-il ce lord-là? Eh bien, c'était du joli. Moi
qui croyais que ce serait une compagnie pour Marie-
Jeanne.

Mme Melazzi ne savait pas trop à quoi se résoudre.
Expliquer à Mlle Judith que de telles lectures ne
pouvaient que lui faire du mal, ou se taire et simplement veiller quand la petite serait là. Mais le coupable, en l'occurrence, n'était-ce pas ce père insou-
ciant, toujours à courtiser cette Mme Diane, qui
aurait pu être la sœur de son enfant? Et la mère de
Marie-Jeanne entreprit décidément de rendre service à la jeune fille si pâle, certainement minée par
le chagrin (elle était bouffie, de la mauvaise graisse).
"Vous me direz, chère mademoiselle Judith, que je
me mêle de ce qui ne me regarde pas. Mais voyez-
vous, je suis mère, et, pauvre enfant, je sais ce qui
vous manque. Je ne voudrais, bien entendu, aucunement, que vous déduisiez de mes paroles un blâme
de qui que ce soit, en quoi que ce soit. Vous êtes déjà
grande, et la vie (*soupir*) est telle qu'elle est. Il faut
supporter beaucoup, comprendre, surtout comprendre! et pardonner. Nous autres femmes, c'est
peut-être là ce qui fait notre grandeur, ou tout au
moins notre sagesse. Mais cependant exposées que
nous sommes à toutes sortes de dangers, dont le
moindre n'est pas l'opinion qu'on se fait trop vite
de nous, nous ne devons donner prise ni à la médi-

sance, ni à la sévérité. Or, une jeune fille, presque
une enfant, vous permettez? n'est-ce pas, je songe
à Marie-Jeanne, une enfant salir ses yeux et son
imagination avec de tels livres, des auteurs dont elle
n'oserait pas même prononcer devant quelqu'un le
nom synonyme de ... enfin d'un tas de choses...
— Oscar Wilde. "

Mme Melazzi, interloquée, regarda Judith. Celle-ci,
appuyée à une petite cabine chocolat, s'était remise
à lire. Mme Melazzi en eut la respiration coupée.
Ah par exemple! Et s'éloigna précipitamment, parce
qu'il y aurait eu trop à dire.

II

Le mariage de Diane de Nettencourt et de M. Romanet ne se fit pas cet automne, mais Diane et les
siens prirent un appartement à Passy avec une chambre
au sixième pour Robert tout juste libéré du service.
M. de Nettencourt faisait un petit tour à la Muette,
pour y acheter *Le Figaro*, vers les onze heures. C'était
là sa vie personnelle. A midi il était de retour et aidait
Christiane à mettre son corset. Parfois M. Romanet
venait déjeuner. Plus souvent Diane le prenait au
ministère.

Le plus clair de l'histoire fut que Diane donna une
motocyclette à son frère. Tout le portrait de son père,
Robert, bien qu'il ne portât que les moustaches.
Il mettait une cravate de cheval parce qu'il avait

encore des furoncles. "C'est très dur, la cavalerie ", disait Mme de Nettencourt.

Après cela les visites de M. Romanet s'espacèrent. Diane sortit très souvent. Elle était très préoccupée. Elle changea de parfum. Ça, quand elle changea de parfum, sa mère s'alarma. Elle le dit à son mari : " Édouard, chaque fois que j'ai changé de parfum, moi, tu le sais, c'était qu'il y avait quelque chose! " Édouard ne répondit absolument rien. Édouard ne répondait d'ailleurs jamais rien.

Où Diane avait-elle fait la connaissance de M. Gilson-Quesnel, le gros fabricant de sucre, c'est ce que Mme de Nettencourt ne put jamais se rappeler très bien, bien que Diane le lui eût dit trois ou quatre fois. M. Gilson-Quesnel n'avait que quarante ans; très ami avec tout le Gouvernement, il ne demandait qu'à faire entrer Robert dans une administration, bien que d'une façon ou d'une autre ça ne s'arrangeât pas très bien, Robert préférant aller grimper la côte de Picardie en moto; enfin, M. Gilson-Quesnel donnait à Guy des jouets mécaniques, des merveilles. Et un jour que Mme de Nettencourt s'embarrassait dans le nom double de ce charmant hôte, qui ne venait jamais chez eux sans violettes ou sans muguet suivant les saisons, celui-ci lui dit jovialement : " Appelez-moi mon gendre, et n'en parlons plus! " Par la suite on tint pour entendu que Paul (M. Gilson-Quesnel) était fiancé à Diane, et on n'en parla plus.

Tout de même un jour, Mme de Nettencourt trouva l'occasion d'interroger sa fille sur M. Romanet. Une occasion double : il y avait eu un changement

de ministère et le prix de Rome de sculpture avait
été donné à un jeune homme de grand avenir, qui
était le neveu de quelqu'un. M. Romanet, selon
Diane, était d'une jalousie excessive : "Il ne comprenait pas ce que sont les besoins d'une femme de
mon âge. A part quoi, il n'avait pas le sentiment de
la famille.

— Ah! ça, interrompit Christiane, je l'avais toujours dit. "

Paul présentait de nombreux amis à Diane. Il
l'emmenait même à des dîners d'affaires, chez Larue,
au café de Paris. "Vous êtes, disait-il, chère amie, la
fleur qui égaie ces dîners d'hommes où tout, sans
cela, tourne à la gauloiserie quand ce n'est pas à
l'ennui le plus mortel.

— La gauloiserie, dit M. de Nettencourt, est parfois, elle aussi, ennuyeuse.

— Oh vous! " s'exclama Christiane.

C'était dans le salon des Nettencourt, et il y avait
au mur trois photographies encadrées du château
familial.

"Diane, chère madame, continua M. Gilson-Quesnel en se tournant vers la mère, met dans ces réunions
l'esprit féminin dont nous ne saurions nous passer.

— Hum! dit assez grossièrement Robert, Diane
parle si peu!

— Même quand elle se tait, répliqua avec un air
sévère le galant industriel, elle a l'irrésistible esprit
de son sourire qui éclaire toutes les conversations,
jusqu'aux plus fastidieuses. "

Précisément, Diane souriait, de trois quarts.

Diane était exactement l'idéal des premières pages

de magazine. Très grande, très blonde, les yeux noirs, la peau blanche, une beauté. Mais M. Gilson-Quesnel était marié.

Quand Mme de Nettencourt s'en aperçut, une amie lui en ayant fait l'observation, une Mme Miellet qui avait quelque chose à faire avec les Miellet de Versailles, dont le cousin était premier président à la Cour, ce fut une jolie sérénade. Justement Diane avait une nouvelle fourrure, un petit collet de vison, et elle était fatiguée, la migraine. Tout d'un coup, elle coupa toute cette histoire avec six mots :

" Je-couche-avec-qui-je-veux! "

Le lendemain, M. de Nettencourt, au café, posa sur le bord de la table son exemplaire du *Figaro*, replié soigneusement, et dit avec une grande dignité : " Moi aussi, je préfère me hâter d'en rire, plutôt que d'avoir à en pleurer! "

Cette phrase, évidemment méditée toute la nuit, déchaîna Robert. " Édouard, tu as de mauvaises lectures! " Mais M. de Nettencourt ne l'entendait pas de cette oreille. " Oui, d'en pleurer! " ajouta-t-il, et se tut. Tout le monde attendait. Le chef de famille abîma un instant son visage dans ses mains aristocratiques. Robert regarda avec envie la chevalière au doigt de son père, qui lui faisait compter les années. Diane était plus ennuyée qu'intriguée. Elle avait assisté à d'autres scènes de ce genre.

Enfin le gentilhomme releva la tête et dit : " Envoyez cet enfant jouer dans une autre pièce. " Un silence. " Pauvre innocent! " Mais Guy ne voulait rien entendre, il venait d'installer son chemin de fer entre les pieds de la table. Il cria, trépigna. Robert

lui donna un sucre, l'appela mon mignon, puis le
saisit par la ceinture et l'emporta gigotant au salon
où on entendit peu après un bruit discret de porcelaine brisée.

Mais il était bien question de cela. Mme de Nettencourt avait pris la parole : " Ton père veut dire, ma
chère Diane, que, bien que nous soyons des gens
d'une autre époque, comme tu nous le fais assez
fréquemment sentir, il est des choses qu'un Nettencourt ne saurait supporter, et *ne supportera pas*. Ah
mais! " Robert avait la bouche ouverte.

" Oui, poursuivait Christiane, nous avons accepté
de couvrir l'une après l'autre chacune de tes folies.
Oui, nous avons fermé les yeux sur tes sorties. Oui,
nous avons reçu tes amis ici, oui. Mais ton père
(Ton père!) ne supportera pas que tu me parles *d'une
certaine façon!*

— Expliquez-vous, ricana Robert, parce que je
voudrais bien savoir ce qu'un Nettencourt ne peut
pas supporter.

— Tais-toi, mon fils. C'est ton père qui parle. "
Et Mme de Nettencourt le désignait du geste. " C'est
une affaire entre ton père et Diane, et personne,
m'entends-tu bien? personne ne peut y intervenir!

— Ça va durer longtemps? dit Diane.

— Tu ne vas tout de même pas couper la parole
à ton père? "

Bref, il ressortait de l'affaire que M. et Mme de
Nettencourt entendaient déménager, mais que leurs
revenus ne leur permettaient pas de payer le loyer
du petit appartement qu'ils avaient visité quelques
jours auparavant. Pour quinze cents francs par an

qu'elle leur donnerait, leur fille pouvait se débarrasser d'eux.

" Je ne les ai pas, mais je vous prie de croire que je vais en dire un mot à...

— Cela, interrompit dignement M. de Nettencourt, est ton affaire. Je ne me mêle pas, ni ta mère non plus, de tes conversations. "

Il reprit son *Figaro* et sortit de la pièce avec majesté.

" Eh bien, et moi ? interrogea Robert.

— Toi, tu as ta chambre ici ", répondit sa sœur en haussant les épaules. Mme de Nettencourt était déjà dans le petit salon, à écrire des lettres pour prévenir ses amis du changement d'adresse.

Ils se félicitèrent d'ailleurs de ce bouleversement de leurs habitudes quand M. Gilson-Quesnel partit pour l'Italie avec Diane. " Nous n'aurions pas pu l'ignorer, dit Christiane à son fils, si nous avions été là. "

Cela ne l'empêchait pas de montrer à ses amies les cartes postales de Pise, de Vicence, de Vérone, de Venise, où régulièrement à côté de Diane signait *très respectueusement* M. Gilson-Quesnel. " Noblesse républicaine, souriait Mme de Nettencourt, mais enfin. "

Retour d'Italie, Diane avait un diamant au doigt, mais il ne fut plus question de M. Gilson-Quesnel. Quelque part, près d'Arezzo, à moins que ce ne fût à Paris, avant le départ, à un des dîners d'affaires du gros industriel, Diane avait fait la connaissance de M. Georges Brunel, un homme assez commun, petit, brun, méridional, mais sympathique. Un de ces hommes qui conquièrent immédiatement la confiance

en se faisant pardonner leur excès de familiarité.
A moins que ce ne soit l'inverse.

Mme de Nettencourt commença d'expliquer à ses
amies que M. Brunel était un self-made-man, il faisait des affaires, il avait eu des débuts très durs, il
était colossalement, mais alors colossalement riche.
Naturellement à condition de continuer à travailler.
S'il s'arrêtait demain, il n'aurait plus rien. C'était
une sorte de forçat du travail. En Amérique, il y
avait des exemples, en Amérique seulement.

M. Brunel était d'une extrême jovialité. Il aimait
la famille, lui, ce n'était pas comme d'autres. Les
Nettencourt reparurent chez leur fille où ils avaient
cessé d'aller. Il y eut des dîners, on jouait au poker
le soir. Robert perdait assez lourdement. M. Brunel
lui tirait les oreilles en riant et l'emmenait sur le
balcon fumer un cigare. Après ça, Robert venait
reperdre de plus belle.

M. Brunel et Mme de Nettencourt s'appelèrent
très vite Georges et Christiane. Georges donc, la
taquinait très fort, disant qu'il ne savait pas qui choisir
d'elle ou de sa fille, que ah! ah! Diane n'était pas
mal, mais Christiane a plus de chien. M. de Nettencourt s'assombrissait un peu pour la forme, et Christiane criait avec le sommet de sa voix que vraiment,
vraiment, après vingt-quatre ans de mariage c'était
la première fois qu'elle voyait Édouard jaloux!

Diane et Georges disparurent trois semaines, et à
leur retour, Mme de Nettencourt annonça que le
mariage avait eu lieu en Irlande. Pourquoi en Irlande?
Elle l'expliquait assez confusément, que les lois
irlandaises permettaient de faire cela beaucoup plus

vite, qu'en France il y avait des obstacles. Enfin
ce point d'histoire resta toujours assez obscur semble-
t-il. Mais les Brunel prirent un immense appartement avec atelier dans le quartier de la Porte Maillot,
au-dessus du chemin de fer, tout près de la maison
de M. Raymond Poincaré avec lequel Georges avait
eu un entretien à son retour d'Irlande, pour des questions qui mettaient en jeu les intérêts de la France,
assura Christiane au colonel Dorsch qui était venu la
voir dans l'ancien appartement de Diane, repris par
les Nettencourt.

Quand Brunel eut racheté, pour un morceau de
pain, le château de Nettencourt, Christiane fit de
grands discours sur la démocratie. Georges était la
crème des gendres. Il avait toujours sur lui des havanes
pour Édouard. Il était du cercle de la rue Volney,
et achetait de temps en temps des tableaux de genre,
avec des femmes nues dans des paysages. Il fréquentait
le monde militaire et il trouvait le gouvernement
trop doux dans la question du Maroc.

Guy avait cinq ans l'été que la guerre fut si proche
que Georges rentra précipitamment d'Aix-les-Bains
à Paris, parce qu'il devait, disait-il, se mettre à la
disposition du gouvernement. Guy s'entendait très
bien avec son *père*. Il était habillé en satin blanc et
noir avec un béret de marin anglais : *H. M. S. Victoria*. On lui faisait apprendre le violon, et il récitait
des poésies. "Ce sera un prodige", disait Diane.
"Comme son père", disait Georges en clignant de
l'œil.

Le colonel Dorsch était devenu un familier du
jeune ménage. Il se rencontra chez les Brunel avec

Wisner, le fabricant d'autos. Wisner se toqua du colonel Dorsch, il s'en toqua véritablement. C'était juste au moment qu'il fut nommé général de brigade. Mme de Nettencourt ne se tenait plus de joie. Elle ne parlait que du général. On ne voyait plus que le général.

Wisner donna un grand déjeuner chez Foyot où il invita Diane et Georges, et le général et un officier américain, le colonel Morris. Le colonel et le général parlèrent ensemble pendant presque tout le temps. M. Wisner s'occupait surtout de Diane.

Puis le général Dorsch, à une fête de charité au ministère, fit obtenir un comptoir à Mme Brunel, la belle Mme Brunel. On disait même, à l'État-Major, que le général ah! ah! Le général se fâchait quand ça lui revenait aux oreilles : " Vous plaisantez, je suis un ami de sa mère, Mme de Nettencourt, un très beau château en Touraine! "

C'est la voiture de Mme Brunel qui eut le prix à la bataille des fleurs de Cannes cette année-là. Le général Dorsch fut photographié à côté d'elle aux Drags, et la photo fut reproduite dans *Femina* à côté de celle de Maurice Barrès parlant à une princesse de la maison de Belgique.

Il était question que Robert entrât dans les ambassades.

Les Brunel déménagèrent rue d'Offémont, où ils eurent un petit hôtel avec valet de pied, et une voiture au mois. La vaisselle de toilette de Diane, étant en or, était exposée dans le hall. On suppose que Diane devait se laver dans la porcelaine de son cabinet de toilette.

Il y avait une profusion extraordinaire d'objets d'église précieux dispersés dans la maison. Le chiffre des plus grandes maisons de France se retrouvait sur de nombreux objets usuels; brusquement les Brunel se servaient d'un nouveau service de table de quelques centaines de pièces. Des chasubles venaient s'affaler sur l'un des trois pianos.

Quant à Georges et Diane, c'était le couple le mieux uni qui se pût voir. Guy commençait à jouer une petite sonate sur son violon. Et généraux, chefs de services aux ministères, députés, diplomates, banquiers, brasseurs d'affaires, écoutaient dans le ravissement, le soir après dîner, le crincrin pas trop laborieux du jeune Mozart, comme on l'appelait dans l'intimité. On applaudissait.

Diane savait alors venir poser sur la tête du gosse une main maternelle qui faisait au bout de son bras nu un geste à peine étudié. "Il faut aller se coucher, mon enfant." Avec le petit prodige et le violon, la mère, ainsi debout, était irrésistible. Le peintre Roll fit son portrait qui fut exposé aux Artistes Français.

Mme de Nettencourt était devenue d'un roux éclatant. Elle disait que Georges devrait être ministre, que c'était bien ennuyeux qu'il faille d'abord se faire élire député; d'ailleurs rien ne s'oppose à ce qu'on soit ministre sans être député. Georges serait le premier, voilà tout, à rompre une tradition stupide. Est-ce que Richelieu avait été député d'abord? Non. Eh bien, il avait magnifiquement fait les affaires de la France, et à Nettencourt où il avait passé une nuit, il y avait une plaque dans la chambre qui était justement celle qu'on réservait à Monseigneur.

Au fait on ne la réservait plus à Monseigneur, parce que les amis politiques de Georges n'auraient pas compris. Il faut marcher avec son temps.

Diane soupirait que merci! elle n'y tenait pas à ce que Georges soit dans le gouvernement. Déjà, comme cela, il était bien assez pris. On voulait sa mort. Il venait de lui donner un collier d'émeraudes. Dieu sait ce que cela lui avait coûté de veilles, à ce fou! Elle seule pouvait dire combien il travaillait, son Georges. D'ailleurs, pour mener le train qu'ils menaient. Et dont elle se serait vraiment passé comme de rien faire.

" Eh bien, pas moi! " disait fièrement Mme de Nettencourt.

III

Robert était finalement entré dans les affaires de son beau-frère. Mme de Nettencourt ne tarissait pas là-dessus : " Cela le change tellement, il travaille. Entre nous, je n'en suis pas fâchée. Aujourd'hui un jeune homme doit gagner son pain. Édouard qui n'a jamais rien fait de sa vie... Mais aussi nous sommes à une tout autre époque, et puis quand nous nous sommes rencontrés, il y avait Nettencourt où Édouard devait tenir son rang, les chiens, les chevaux, nos relations. Enfin j'avais une certaine dot. Oh! rien de princier. Mais tout de même

de quoi vivre quelques années. Puis il y a eu les usuriers... "

Le général Dorsch connaissait déjà l'histoire.
Mais lui aussi était fort aise que Robert travaillât :
un garçon qui aurait fait un si beau cavalier. " Oui,
reprenait Christiane, Robert était en train, tout doucement, de devenir un parasite. Certes Georges
est très généreux, mais enfin c'est pour Diane qu'il
le fait, n'est-ce pas ? Remarquez que Nettencourt,
c'est à elle qu'il l'a donné. Oh! pour nous c'est tout
comme. L'hôtel de la rue d'Offémont également.
Ah! vous ne saviez pas, général? Il vient de le lui
acheter. Et même on peut dire que pour quelqu'un
qui ne doit son éducation qu'à lui-même, car entre
nous Georges est d'une extraction tout à fait infé-
rieure, c'est extraordinaire la galanterie de mon gendre.
Bien entendu, Diane y est pour beaucoup. Une nature
d'élite. Vous savez comme elle parle peu. Mais d'un
rien, d'un sourire, quand il ne se conduit pas tout à
fait comme il faut, elle le remet dans la voie, et comme
il est intelligent... Naturellement c'est la délicatesse
naturelle qui se fait jour en lui. Tout, il lui donne
tout, à Diane. Ainsi l'autre jour, comme on apporte
des fleurs, il lui a apporté à dîner, on était au dessert
il n'a pas d'heures, Georges, avec ses affaires, tout
un paquet de Suez. Coucou! "

Le général Dorsch s'étonna : " Coucou?

— Oui, c'est un peu vulgaire. Mais que voulez-vous,
dix Suez valent bien une vulgarité! Georges était
arrivé à pas de loup derrière Diane, et il lui a mis
les Suez comme un bandeau sur les yeux. Vous avez
sûrement été à Suez, général? "

Le général avait été à Suez. Ah! les Anglais avaient été plus malins que nous avec le Panama! Non, Mme de Nettencourt n'avait pas connu les de Lesseps. Elle les avait vus quelquefois au Bois de Boulogne, tous à cheval, en redingote, derrière leur père. Le perceur d'isthmes était une grande figure, une grande figure, et il n'avait certainement jamais rien compris à ce qui se trafiquait autour de lui. Mais c'étaient des Suez que Georges avait donnés à Diane, des Suez qui ne devaient rien à personne. Ce Georges, un cœur d'or, c'est le mot.

"Au fait, Diane a dû renvoyer la nurse. Oui. On l'a trouvée avec le valet de pied dans la chambre de Georges. "

Diane en fait avait été outrée, elle en avait eu presque une crise de nerfs. Dans sa maison. Robert avait essayé de plaider la cause de l'Anglaise. Tout de même, qu'est-ce qu'on voulait qu'elle fasse, la nurse? Qu'elle se lie avec des hommes dans la rue et qu'elle aille dans un hôtel meublé? Diane avait fait une scène épouvantable à son frère. Qu'est-ce que c'était que ce langage à présent? Elle n'avait qu'à s'arranger, cette fille, pendant qu'elle était à son service. D'abord qu'on n'en sache rien. Quand on touche l'argent des autres, eh bien, il y a des choses dont on se passe. On avait gardé le valet de pied après lui avoir bien lavé la tête. D'ailleurs Guy était trop grand pour avoir une nurse. "Et puis, s'était écriée Diane, je ne veux pas que mon home soit un boxon! " En relatant la scène à ses amis, Christiane disait : *une maison de mauvaise vie.*

Maintenant Robert et Georges étaient inséparables. On les voyait ensemble aux courses, chez Maxim's. Robert avait des gilets qui faisaient époque. Il conduisait à Longchamp. Il fut reçu avenue du Bois chez les Castellane, à cause d'une Américaine qu'il amena dîner chez sa sœur, et qui l'appelait *le vicomte*. Georges s'étonna un peu d'abord, puis cela lui plut. Et Robert devint vicomte. Par suite, comme une promotion rétroactive, on se mit en parlant d'Édouard à dire *le comte de Nettencourt*, et Christiane fit discrètement ajouter sur la plaque de ses cartes de visite une petite couronne comtale. Sans le titre, elle disait que c'était du chiqué.

Guy eut pour institutrice une dame qui avait eu des revers. Veuve d'officier, parente d'un ministre du Second Empire, Mme de Lérins. Elle le menait au Parc Monceau, et lui faisait répéter son violon. Il savait tout juste lire et écrire, mais on lui avait appris les stances de la brise, dans les *Bouffons* de Miguel Zamacoïs et la Sérénade du *Passant*. Mme de Lérins n'aimait pas Coppée. Elle le trouvait plat.

M. de Lérins avait eu toutes les vertus. Officier de la coloniale, il était mort relativement jeune, mais beaucoup plus âgé que sa veuve. De sa jeunesse non plus que de son mariage il ne passait pas grand-chose dans les interminables récits que celle-ci faisait à son élève. Sa vie semblait avoir commencé avec le veuvage. C'est vers le temps de l'Exposition de 89 que Mme de Lérins, non pas tellement pour le rapport que par horreur de la solitude, s'était mise à louer une ou deux chambres de son appartement. Elle avait quelques meubles et quelques sous, des porcelaines rapportées par le feu capitaine de Lérins des Indes françaises, c'est-à-dire de Pondichéry, et des grenats qui lui venaient de sa mère.

Guy ne s'y retrouvait guère dans les nombreuses histoires d'héritages qui l'avaient brouillée avec ses sœurs, ses cousins. Enfin elle disait pis que pendre de la famille, bien que ce soit fort triste d'être réduite à manger le pain des autres et de ne plus avoir affaire qu'à des étrangers.

C'est alors qu'apparaissaient M. et Mme de Münchbourg. Ce couple, Guy que n'aurait-il pas donné pour en voir une photographie! Couple mystérieux comme le corsage de Mme de Lérins, rayé magenta et jaune. Mme de Lérins avait une espèce de laideur bourbonienne, qu'elle commentait en assurant que quand elle était jeune elle ressemblait à Marie-Antoinette. Guy ne doutait pas un instant que les Münchbourg eussent été de ces criminels qui prennent rang dans les causes célèbres, et que pour cette fois seuls l'aveuglement de la police, et l'appui d'un sénateur impie qui avait fait jeter des religieuses hors de France, pouvaient avoir sauvés du banc d'infamie.

Ce que M. et Mme de Münchbourg avaient au juste fait à Mme de Lérins était assez difficilement compréhensible. Il est certain que, locataires de la chambre rose, si agréable, ils avaient escroqué l'amitié de Mme de Lérins qui consolait Mme de Münchbourg quand M. de Münchbourg allait courir. Car il courait. Puis ils n'avaient plus payé leur loyer. Enfin M. de Münchbourg avait aidé Mme de Lérins dans ses placements. Aidé dans ses placements, ha, ha, ha! Mme de Lérins se levait et marchait dans la chambre d'étude, plus Marie-Antoinette que jamais.

Et le plus horrible dans l'affaire, cela avait été l'attitude de Mme de Münchbourg. Lui, un monte-en-l'air, rien de plus. Mais elle! Je ne dirai pas ce que c'était.

Il y avait aussi une malle que les Münchbourg avaient eu le toupet de venir réclamer par la suite. La Münchbourg avait parlé d'envoyer chercher l'huissier. Un comble!

Aussi Mme de Lérins, tant pis pour ce qu'on dirait! avait-elle loué ensuite à un officier, M. de Fleury. Très bien, M. de Fleury, très distingué. Lieutenant. Un bel avenir. Ah! plus de femmes, non plus de femmes! Ce sont des chipies. Parlez-moi des hommes.

Ici nouveau mystère. Mme de Lérins avait beaucoup pleuré. M. de Fleury lui devait de l'argent. Il avait reçu chez elle des gens qu'il n'aurait pas dû y recevoir. Probablement des bandits, pensait Guy. Enfin il fallait trancher le mot, ce lieutenant n'était qu'un simple souteneur. Guy ne savait pas ce que cela voulait dire au juste, mais il s'imaginait.

"Quand je pense comme il parlait de son métier! Le drapeau par-ci, et la France par-là! Il disait qu'il regrettait de n'avoir pas vécu sous l'Empire, le premier. Ah là là! La canaille, la canaille!"

Et l'avoué s'était sûrement entendu avec M. de Münchbourg quand elle l'avait poursuivi en justice. Sans parler du krach de l'Union qui lui avait enlevé tout ce qui lui restait d'économies. Elle avait dû vendre la plupart de ses meubles, et se placer comme dame de compagnie.

Diane surprit un jour Mme de Lérins qui faisait marcher le guignol pour Guy sidéré, les yeux hors de la tête. Quand elle entra, Guignol tenait la tête

de Guignolet sous son bras, tandis que Rosalie applaudissait, et le rossait sur un libretto singulier : " Ah!
cochon de Münchbourg! Je vais t'apprendre moi
à détrousser les veuves! Et ta catin, je la ferai enfermer
à Saint-Lazare! A Saint-Lazare! " Au comble de
l'excitation, Guy criait de sa place : " A Saint-Lazare! "
en battant des mains, comme devant une scène maintes
fois représentée. Diane n'osa pas faire d'observations
à Mme de Lérins, parce que celle-ci passait pour assez
méchante langue, et qu'elle n'avait pas envie d'être
l'héroïne de la pièce de guignol que Mme de Lérins
irait jouer ailleurs. Elle ne comprit rien à ce que Guy
interrogé lui raconta tout animé, de M. de Fleury
et du krach de l'Union.

Il y avait aussi de longs récits sur le mauvais caractère de Mme Trücker, chez qui Mme de Lérins avait
été dame de compagnie, qu'elle avait quittée dix fois,
pour dix fois revenir; et comme la fille de Mme Trücker habitait à Odessa, et les cartes postales de Russie
qu'elle envoyait, et le petit porte-monnaie en cuir de
Russie qu'elle avait donné à Mme de Lérins à son
dernier voyage. Guy exigeait de voir le porte-monnaie.
Il adorait l'odeur du cuir de Russie.

Par ailleurs il y avait le petit Paul. Le petit Paul
était le fils de M. du Val d'Amboise, et M. du Val
d'Amboise était le fils de Mme Sporghi. C'est chez
Mme Sporghi que Mme de Lérins avait été à la fois
comme dame de compagnie et comme institutrice
du petit Paul. Guy aurait tellement aimé connaître
ce petit Paul, qui avait une jolie écriture, qui était si
intelligent, qui avait des jouets électriques. Et puis
Mme Sporghi avait fait entrer Mme de Lérins chez

Mme de Verseilles, la femme du célèbre de Verseilles, qui était la maîtresse de M. du Val d'Amboise. Naturellement il ne fallait pas le dire, mais Geneviève, la fille de Mme de Verseilles, la plus jeune de ses enfants, était la fille de M. du Val d'Amboise. Un homme si charmant, si distingué, M. du Val d'Amboise! Très riche. Le métier diplomatique l'éloignait généralement de Mme de Verseilles. Mme de Verseilles, sans bien entendu dire directement les choses, racontait à Mme de Lérins quel être d'exception, quel gentilhomme, mais alors là au plein sens du terme, quel gentilhomme était M. du Val d'Amboise. C'était lui qui payait tout ce qui avait trait à Geneviève. Geneviève ne se doutait de rien.

Mme de Lérins n'aimait pas les Angliches. Il arrivait que dans les pièces de guignol qu'elle improvisait pour Guy, M. de Fleury ou M. de Münchbourg espionnât pour le compte de la perfide Albion. Fachoda avait bien montré du reste ce que c'était que ces gens-là. Guy aurait aimé avoir des détails sur Fachoda, mais quand Mme de Lérins avait dit que c'était en Afrique, et que le capitaine Marchand avait été sublime, elle était au bout de son rouleau, et Guy chiffrait. Une espèce de vague idée s'établit dans sa tête que cela avait quelque chose à voir avec le krach de l'Union. Le soir il s'endormait en pensant au petit Paul, à Geneviève, et à comme c'était triste que Mme de Verseilles soit séparée de M. du Val d'Amboise.

Il y avait tout le temps de nouvelles figures qui venaient à la maison. Guy aimait rester dans un coin du grand hall, quand il y avait du monde, et regarder les inconnus. Il y avait toutes sortes de gens.

Même un Chinois, un jour. Pas habillé en Chinois. En smoking : c'était à dîner.

Dans la journée, Georges recevait des amis à lui, ou des gens pour ses affaires. Il s'enfermait avec eux dans son bureau. Robert y était parfois. On entendait souvent à travers la porte un bruit confus de disputes, des voix colères, menaçantes, et le rire de Georges généralement. C'est que c'étaient des affaires graves, les affaires de Georges.

Une fois, Guy avait vu sortir du bureau une espèce de grand vieillard qui était absolument blême, et qui criait : " Mais c'est une indignité, c'est une indignité ! " Georges très respectueusement le poussait vers la porte en disant : " Pas si haut, monsieur le ministre, pas si haut, on pourrait vous entendre ! "

Ce que Guy aimait le mieux, c'était quand son grand-père venait le chercher pour aller au Bois. Édouard n'adressait pas la parole à son petit-fils pendant des heures. Alors, Guy était libre pour penser à tout, à Fachoda, aux émeraudes de sa mère, à M. de Fleury faisant la cour à Mme de Lérins. Ça c'était drôle. Jamais Guy n'aurait imaginé de faire la cour à Mme de Lérins. " Dis, grand-père, comment est-ce qu'elle était Marie-Antoinette ? "

Édouard, comte de Nettencourt par la grâce de Mrs. Page, réfléchit un instant dans sa belle barbe de châtelain, puis répondit avec une simplicité féodale : " Plutôt moche. "

IV

Le fabricant d'autos Wisner, le grand Wisner qui avait transformé l'industrie automobile française, le gagnant de toutes les courses continentales, avait commencé lui-même comme coureur. Il en avait gardé des idées avancées, et on avait beaucoup discuté, beaucoup blâmé son geste lorsqu'au lendemain d'un discours de Jaurès il lui avait envoyé sa carte avec ses félicitations. " Je suis au fond un socialiste, disait-il au général Dorsch, à quoi donc est l'ouverture? Un socialiste réaliste. Aux deux paires? Vous ouvrez? Cela me met parfois dans des situations singulières. Je double. Mais j'ose dire que mes intérêts ne me font jamais oublier l'intérêt de tous. Comme cela. Alors on abat? Identifier son intérêt avec celui de tous, voilà qui permet de rester longtemps, dans les limites de la plus stricte équité. Moi c'est un brelan d'as, mon général, avec tous mes regrets. "

Presque tous les soirs rue d'Offémont, Wisner, Dorsch, Robert, deux ou trois journalistes, Mrs. Page, un cousin des Nettencourt, Émile Bruyère qui avait une assez haute position au ministère des Colonies, plusieurs ménages d'officiers, une princesse grecque, se rencontraient pour le poker. " Mais c'est un tripot chez les Brunel! " avait dit un jour la femme d'un lieutenant au général Dorsch. " Chère petite dame, si vous aviez vu comment le maître de maison sait

perdre, vous ne diriez plus cela! " Il est de fait que
Georges *savait* perdre aussi. Diane, elle, gagnait régulièrement contre Wisner.

" Si vous avez des amis qui aiment le Mumm,
confia un jour Brunel au général, amenez-les demain.
Je vais en recevoir dix caisses, mais alors! " Ce petit
discours s'achevait par le geste familier au cinéma
pour désigner les jolies femmes : les doigts joints,
une main faisait le tour du visage de l'acteur pour
venir s'ouvrir sous un baiser des lèvres.

" Bien, dit Dorsch, j'amènerai Sabran. "

Le capitaine Jacques de Sabran trouva le Mumm
si bien à son goût qu'on le revit tous les soirs chez
les Brunel. Quand ce fut la fête de Saint-Cyr où il
avait un frère, le capitaine donna des invitations aux
Brunel.

Diane à Saint-Cyr vint dans une toilette qui fit
scandale. C'était le commencement des robes col-
lantes. On lui voyait tout comme si elle sortait
du bain. Le lieutenant de Sabran, que son frère
présentait à la belle Mme Brunel, en fut manifestement ébloui. Il manqua se casser le cou en passant
devant elle, debout sur deux chevaux, pendant les
numéros de haute école, parce qu'il lui fit le salut
militaire.

Cependant le lieutenant ne devint pas comme son
frère un habitué des pokers de la rue d'Offémont.
Il avait une liaison, paraît-il, avec une actrice très
connue.

On commençait beaucoup à parler du mariage de
Mrs. Page et de Robert : une très grosse affaire. Mrs Page
n'était pas seulement la veuve du Page de Chicago,

elle était la fille de Mac Hendrik, qui venait de fonder un consortium des transports. Évidemment le mariage n'était pas tout à fait dans le sac. Enfin Mrs. Page avait l'air très éprise.

" Alors, chère madame, disait Christiane à Mme Blin, la femme du bijoutier de la rue de la Paix qu'elle avait rencontrée l'été précédent à Uriage, vous n'avez jamais eu la curiosité d'accompagner M. Blin aux États-Unis, lors d'un de ses voyages d'affaires?

— Non. Cela ne s'est pas trouvé.

— Comme c'est dommage! Comme c'est véritablement dommage! Ce n'est pas que j'aie très spécialement l'envie d'aller en Amérique. Non. Je suis beaucoup plus attirée par la Palestine. Les Lieux Saints. Mais enfin, si une occasion se présentait... Oh! je dis cela tout à fait en l'air, je n'ai pas le moindre projet, mais enfin si une occasion se présentait, je n'en ferais pas fi!

— Si je ne craignais pas d'être indiscrète... "

Mme Blin s'était arrêtée pour regarder ses bagues.

" ... Je vous demanderais, oh! naturellement, sans insister, si le bruit qui court concernant le vicomte...

— Robert?

— ... Monsieur votre fils, a quelque fondement?

— Un bruit? Robert? Mais, vous me prenez au dépourvu, chère madame Blin, j'ignore absolument ce qui se dit. Il y a tant de commérages à Paris.

— Oui, des commérages. Je le crois aussi. Cependant on dit avec persistance que le vicomte serait engagé à Mrs. Page...

— Première nouvelle. Mais qu'est-ce qui vous

fait dire? Ah! parce que je parlais de voyage en Amérique. Mais voyons, c'était tout à fait en l'air, tout à fait en l'air.

— Oui, je me disais bien. Le vicomte a bien vingt ans de moins que Mrs. Page. Une de nos clientes, d'ailleurs. "

Mme de Lérins, elle, était indignée. Elle parlait sans arrêt à Guy des différences d'âge entre conjoints. Sans doute le capitaine de Lérins était-il de beaucoup son aîné. Mais cela, c'était une autre paire de manches. C'était vraiment une pitié qu'un bel homme comme Robert aille comme cela, pour de l'argent. Car enfin c'était pour de l'argent. Non, non, inutile d'essayer de prétendre que c'était une inclination irrésistible. Qu'est-ce qu'on avait à dire que cette Mrs. Page était intelligente? Elle était bête comme une oie. Ça devait être l'exemple de Boni de Castellane qui lui avait tourné la tête, à Robert. Ah! quand on pense aux femmes qui ne trouvent pas à se marier, et qui pourtant... Remarque, mon petit Guy, que je ne dis pas cela pour moi, j'ai passé l'âge, si, si, tu ne peux pas te rendre compte, mais j'ai passé l'âge. C'est vrai que quand Pierre est mort, j'étais dans tout mon épanouissement. Enfin Robert, qu'est-ce qu'on peut attendre de lui après tout? Comment a-t-il toujours vécu? Aux crochets de ta mère, ou de M. Brunel. C'est un cynique. Un Alphonse, tiens, un véritable Alphonse.

Guy n'était pas très content de Mme de Lérins : pourquoi affubler Robert de ce prénom ridicule? On avait voulu lui apprendre de l'Alphonse Daudet (un chef-d'œuvre! *Le sous-préfet aux champs!*) et il n'avait jamais pu retenir la leçon, il n'avait aucune mémoire pour la prose.

Mrs. Page s'entendait très bien avec Diane. Elle lui avait donné des dentelles, des kilomètres de dentelles. Diane s'était fait faire des déshabillés avec ces dentelles, et elle ne recevait plus guère dans la journée qu'en valenciennes. Comme à la maison elle ne portait pas de corset, Mme Blin avait un peu pincé les lèvres en racontant à M. Blin de quoi cela avait l'air. Mais M. Blin, pourtant si occupé, s'était là-dessus arrangé la fois suivante pour venir chercher Mme Blin après le thé, rue d'Offémont.

"Est-ce que M. Brunel n'est pas un peu jaloux de Mme Brunel?" demandait dans un coin Mme Blin à Christiane, tandis que M. Blin racontait avec détails à Diane comment il s'était rendu à Chicago avec une rivière de diamants pour M. Mac Hendrik, le père de Mrs. Page, et comment sur le bateau, on avait pénétré dans sa cabine, et dérobé l'écrin qui ne contenait qu'une copie du joyau, tandis que la véritable rivière était dans son mouchoir, là, dans mon pantalon.

"Tout au contraire, chère Madame, c'est ma pauvre petite Diane qui se ronge à cause de mon gendre. C'est extraordinaire, parce qu'enfin à les voir, je ne veux pas dire de mal du physique de Georges, si vif, et Diane est ma fille... Elle est folle de son mari. C'est même déraisonnable. Les autres hommes n'existent plus pour elle. Et il lui donne des soucis. Elle s'en fait. Avec toutes ces actrices qu'il a à voir dans son métier. Il reste dehors très tard parfois. Oh! les actrices? Diane ne peut pas entendre parler des actrices.

— Mais est-ce que M. Brunel ne voit pas d'objection aux... robes d'intérieur de Mme Brunel?

— Lui? C'est son goût. Et Diane, dont ce n'est pas du tout le genre, s'est fait faire tout ce linge avec de vieilles valenciennes que nous avions dans la famille uniquement pour rivaliser avec les actrices, pour le retenir. "

Rentrés chez eux, les Blin ont échangé leurs impressions. Qu'est-ce qu'elle voulait dire, la mère, avec ces actrices qu'il devait voir dans son métier? " Moi, je suis sûr, dit M. Blin, qu'il fait la traite des blanches. Quant à Diane, c'est un beau morceau, mais on doit savoir ce que ça vous coûte. " Mme Blin lui fit observer qu'il lui avait parlé avec trop d'animation. " Cela se voyait, mon ami, cela se voyait! " C'est M. Blin qui fit une scène.

A la générale de la nouvelle pièce de Bernstein, Wisner était dans la loge des Brunel, avec Robert et Mrs. Page. A l'entracte, Mrs. Page sortit de son sac en perles une lettre qu'elle tendit à Diane qui la lut, s'exclama : Quelle horreur! et la donna à Georges. Georges eut son bon rire, et demanda à Mrs. Page si elle l'avait montrée à Robert. " J'ai juste fait ", dit Mrs. Page. " Alors, reprit Georges, il n'y a plus qu'à la passer à Wisner. "

Diane avait eu un geste instinctif pour arrêter la lettre, mais elle était déjà aux mains du fabricant d'autos. Celui-ci hésita, interrogea des yeux Mrs. Page. Mrs. Page acquiesça. La lettre disait :

" Vieille idiote, tu es sur le point de faire une bêtise dont tu te mordras les doigts. Si tu épouses le sire Robert de Nettencourt, qui n'est pas plus

vicomte que moi, tu seras cocue dès la nuit de noces.
Il a une petite amie à laquelle il porte les restants
des gâteaux qu'on mange chez son beau-frère, une
Mlle Lulu. Si tu crois un instant qu'il t'épouse pour
tes beaux yeux, tu es plus bête que nature. Robert
ne te prend que pour ton sac. C'est un peu dur à
avaler, ma vieille, mais il faudra te faire à cette idée.
C'est l'exemple de Boni de Castellane qui lui a tourné
la tête. Est-ce que tu crois qu'il n'y a pas assez comme
ça en France de femmes intelligentes, et jolies, et
fines pour faire le bonheur d'un homme comme
ton Robert? Va, tu n'as pas à le regretter : c'est un
propre à rien, un Alphonse, il a toujours vécu aux
crochets de sa sœur, une catin, ou de son beau-frère,
un Gobseck. Crois-moi, tu feras mieux de prendre
tes cliques et tes claques, et de filer à Chicago sans
demander ton reste.

 " Quelqu'un qui a pitié, et que tout cela écœure. "

Wisner, pendant un petit instant, resta là, stupé-
fait, le billet à la main. A la fin il exprima sa pensée :
" Eh bien, dit-il, c'est tassé.

— Une horreur, gémissait Diane.

— Moi je trouve ça extrêmement comique, naturellement ", dit Georges. Mais Robert était un peu
nerveux : " C'est à Nelly qu'il faudrait demander
ce qu'elle en pense, il me semble...

— Je trouve cela très français, très intéressant,
et je vais envoyer à mon père pour ses collections
historiques. Darling Robert, il y a quelqu'un qui
nous salue. "

Les têtes se tournèrent. Robert, visiblement pré-
occupé, dit très haut : " Je me demande qui ça peut

être... " Georges se méprit : " C'est le petit Sabran,
avec son amie, Marthe S..., du Palais-Royal. "

Diane, extrêmement intéressée, regarda l'actrice.
Une jolie fille. Wisner, égrillard, s'écria : " Elle ne
doit pas être mal du tout dans un lit... au premier
acte ! "

V

Guy jouait *La Prière* de la Tosca sur son violon.
Il avait neuf ans, mais on ne le mettait pas à l'école.
Mme de Lérins suffisait, et Diane trouvait que c'était
inutile de l'envoyer à l'école où on apprend aux
enfants des *leçons de choses* et des mathématiques,
absolument inutiles pour un artiste. Car Guy serait
un artiste. C'était un enfant assez joli, très gras avec
les yeux noirs de sa mère, et les cheveux blonds.
Ses joues rondes un peu molles, où la couleur se
tenait toute aux pommettes, avait l'air faite du por-
ridge qu'on lui donnait le matin. Il sentait la con-
fiture d'oranges. Il était généralement habillé avec
de petits trois-pièces, la veste droite et le pantalon
pris sous le genou, en velours noir ou marine, le gilet
de satin blanc. Un Van Dyck, disait Mme de Nettencourt. Les cheveux coupés aux enfants d'Édouard.

Il sortait encore tous les jours avec Mme de Lérins,
mais on n'allait plus au Parc Monceau, où il y avait
trop de bonnes, et de mioches. Naturellement le
secret de leurs promenades restait entre Mme de

Lérins et Guy. Courses dans les grands magasins, où il y a tant à regarder. Mme de Lérins essayait des chapeaux. Des petits, des grands. Des toques de violettes, des chapeaux bergère. "Regarde, Guy, ce qu'on fait maintenant. Moi je trouve ça absolument ridicule. On se demande où ces mijaurées ont la tête de nos jours...

— Celui-ci va très bien à madame, disait la vendeuse.

— C'eſt vrai, tiens. Mais non, je n'oserais pas sortir avec ça dans la rue.

— Vous savez, madame, on s'habitue. Et quand c'eſt vraiment seyant... "

Ce qui était extrêmement commode à cette époque-là, c'eſt qu'on pouvait se faire envoyer tout ce qu'on voulait chez soi, et garder sans payer. Mme de Lérins se faisait envoyer des quantités extraordinaires de choses. Au bout de huit jours, elle rendait au magasin. C'était devenu un sport, et Guy, un peu honteux d'abord, maintenant jouait aussi à choisir. "Dites, madame, si vous vous faisiez envoyer cette carabine?

— Une carabine! Tu n'es pas fou? "

Elle ne voulut jamais, non plus, essayer devant Guy des robes décolletées comme il l'en priait. Par contre, elle marchandait des perles rue de la Paix contre toute vraisemblance, au grand ennui du bijoutier, qui se tenait très près des écrins, et répondait sèchement, déjà sur le point de tout remettre en place.

Ce n'eſt que parce que Mlle Thénart, son professeur de violon, ayant déménagé, était venue habiter rue de Courcelles, très près des Brunel, qu'on per-

mettait à Guy d'aller tout seul jusque-là; et on l'avait
prévenu qu'on téléphonerait à Mlle Thénart, et
Mlle Thénart téléphonait quand il partait, de sorte
qu'il ne pouvait pas s'attarder en route.

Diane n'avait pas si peur des voitures que des
connaissances que son fils pourrait faire dans la
rue. Déjà elle avait fait mille recommandations à
Mme de Lérins, à propos du Parc Monceau. On ne
sait jamais avec qui un enfant se lie. Des enfants
tout à fait vulgaires, et puis le petit aurait brusquement dit des gros mots. Sans parler de ce qu'ils auraient
pu lui apprendre. Mme de Lérins opinait du bonnet.
Elle était d'avis qu'on ne devait mettre sous les yeux
des enfants que des exemples qu'ils pouvaient suivre.

En fait Guy n'avait aucun ami. Il passait l'été à
Nettencourt, où on lui interdisait de jouer avec les
petits paysans. Quand sa grand-mère allait aux eaux,
elle le laissait sous la garde de Mme de Lérins qu'on
invitait pour vingt et un jours, le temps de la cure.
Quant aux Brunel, ils étaient trop contents d'avoir
leurs coudées franches à Deauville ou à Paris-Plage.
"Georges, disait Diane, a besoin de ses vacances.
Je ne veux pas lui imposer le petit pendant l'été.
C'est vrai que Georges a fini par croire que c'est son
propre fils. Il est étonnant avec Guy. "

On invitait bien de temps en temps Guy à des
fêtes d'enfants chez des amis de Georges. Mais d'une
façon ou d'une autre, cela ne semblait pas s'arranger.
Les autres enfants intimidaient Guy. "Il n'est pas
liant ", expliquait sa grand-mère. Tous les ans on
rendait en bloc les invitations à la Noël. On avait
un sapin gigantesque dans le hall, tout éclairé à l'élec-

tricité, et il y avait une fête de grandes personnes, en
même temps que d'enfants. Les messieurs et les dames
se mettaient des coiffures en papier, faisaient claquer
des pétards, dansaient le cotillon à travers toute la
maison, et Georges s'habillait en Père Noël, et il y
avait des militaires en carton-pâte dans l'arbre et
d'autres vivants dans les escaliers. Quand on passait
sous la boule de gui dans l'entrée, on s'embrassait.
Le général Dorsch ne manquait jamais ce jour-là.
Diane riait très fort, et M. Wisner n'avait pas l'air
de s'amuser du tout.

Le reste du temps, Guy était très solitaire. Sa
mère lui parlait généralement en anglais, mais il
oubliait un peu cette langue depuis le départ de
la nurse. Alors on ne lui donnait guère à lire que des
livres en anglais, qui plaisaient à Diane : *Alice au
Pays des Merveilles* avec les illustrations de Rack-
ham; *Le Livre de la Jungle*, et *Tarzan*. Le général
Dorsch, lui, manifestait sa pensée intime sur ce chapitre en faisant cadeau à Guy, pour chaque premier
de l'an, d'un livre du capitaine Danrit : *La Guerre
fatale, Les Évadés de l'Air*, etc.

Un jour que Guy sortait de chez Mlle Thénart,
sur la rue de Courcelles, il vit venir de loin un petit
garçon, à peu près de son âge, un enfant du peuple,
qui poussait devant lui une de ces grandes corbeilles
à pain dans lesquelles les boulangers font leurs livrai-
sons. Vide, la corbeille. Le petit la poussait assez vite
devant lui. Guy, tout à fait vicieusement, ne se dérangea pas ou se dérangea un peu de façon à ce que la
corbeille vînt le heurter. L'autre petit, surpris, l'avait
lâchée, et dut courir après, parce que, lancée, la cor-

beille allait dinguer de côté. Guy continuait son chemin tout à fait ingénument, quand il sentit que le
gamin venait derrière lui. Il pressa le pas instinctivement, pas assez cependant pour éviter un grand coup
de pied dans le derrière : " Je t'en foutrai, moi, des
mômes comme ça! Tu pouvais pas te ranger, eh,
singe savant? Non mais, regardez-moi comme c'est
fringué! "

Guy était habillé en Van Dyck. C'était son premier
coup de pied dans le cul; il venait de faire connaissance avec le prolétariat.

Il ne demanda pas son reste.

***

Il ne s'en fallait que de trois morts que le comte
d'Évreux fût roi de France. Or il y avait, disait-on,
beaucoup de tuberculose dans la famille royale.
Ce n'est pas que Mme de Nettencourt souhaitât
la mort des altesses, non. Mais le duc d'Orléans,
tenez, au fond cela n'aurait pas fait grand changement s'il était mort, il régnait depuis si longtemps.
Et si vous appelez ça régner! Philippe VIII ne semblait bon qu'à manger des toasts en Angleterre. Il y
avait cependant des occasions de se montrer énergique.

" Moi, ce que j'en dis, chère Pauline, ce n'est pas
que je sois vraiment royaliste. Je ne saurais avoir
une position aussi... enfin aussi extrême, et qui me
séparerait de mes enfants. Car vous savez, Diane
est devenue tout à fait libérale, républicaine depuis
son mariage, et Georges, après tout, c'est un peu
mon fils... Non. Mais d'autre part comment oublier

tout à fait mes origines? Je suis une Sassenange
de Béarn, ainsi. Alors je m'intéresse, non pas poli-
tiquement, mais humainement aux d'Orléans. Ils
représentent tout un passé...

— ... qui n'a pas grand-chance de revenir sans
un joli chambard, siffla Mme Blin.

— ...que je ne souhaite pas, mon Dieu! Nous
vivons bien comme nous vivons, ne parlons pas de
catastrophe! Donc, si Philippe VIII venait à mourir,
cela animerait simplement un peu l'histoire. Rien
d'ennuyeux comme ces époques où on ne change
jamais de rois. Ça me fait l'effet de vivre avec une
chemise d'un mois. Non, je n'aime pas les longs
règnes. C'est commode, vous savez, de pouvoir dire,
comme faisaient nos grands-pères : *Quand nous avons
déménagé sous Louis-Philippe*, ou *c'est sous Charles X
que la petite est née*. Au lieu de compter par années,
de quoi est-ce que ça à l'air? Un vrai livre de cuisine,
notre vie. Et vous ne pouvez pas dire *sous
Félix Faure, sous Loubet!* De quoi est-ce que ça à
l'air? "

Mme Blin trouvait qu'on s'égarait. Pourquoi
Mme de Nettencourt s'intéressait-elle tant au comte
d'Évreux et à ses droits à la couronne? Elle ne le
lui envoya pas demander.

" C'est une association d'idées, parce que nous
parlions de Guy. Et Guy s'est fait des petits amis
chez sa maîtresse de violon. Les Scriabine, Antoine
et Dmitri Scriabine. Non, je ne crois pas qu'ils soient
parents du musicien, mais leur mère est Cubaine.
Une femme, pas du tout le genre de Diane, mais
tout de même une beauté. Aristocratie espagnole

transplantée dans le Nouveau Monde. Ma chère, il ne faudrait pas la montrer à M. Blin!

— Vous croyez? Mais le comte d'Évreux!

— Mme Lopez est divorcée... non, séparée... parce qu'elle est croyante... de M. Scriabine. Celui-ci vient de temps à autre prendre les enfants pour les mener à l'Odéon...

— Le comte d'Évreux, Christiane?

— J'y arrive, ne me bousculez pas, Pauline. Il y a dans la vie de Mme Lopez, qui a un splendide hôtel particulier à Neuilly, une grande affection, un sentiment qui n'est pas d'hier. L'amitié du comte d'Évreux ne peut qu'honorer quelqu'un. Sans doute Diane ne laisserait-elle pas aller son fils dans une maison qui aurait quelque chose d'irrégulier. Mais ici la qualité de Son Altesse change tout, bien entendu. Le comte ne peut pas épouser Mme Lopez à cause de ses devoirs, mais enfin nous aurions bien fréquenté Mme de Maintenon! Alors. D'ailleurs, l'exceptionnel de sa position force Mme Lopez à une rigueur de conduite que vous chercheriez bien vainement dans le monde bourgeois. "

Ici, Mme de Nettencourt soupira. Elle parla des chasses du comte d'Évreux. En Indo-Chine, au Canada, il s'était conduit en véritable paladin. Il était photographié avec les monceaux de bêtes sauvages qu'il avait abattues. Il avait des propriétés partout où il avait passé. Et Mme Lopez aussi d'ailleurs. Mme Blin tout de même jugeait très sévèrement les femmes qui se faisaient entretenir : et les princes n'étaient pas une excuse.

Donc Guy était allé à Neuilly, dans le parc, voir

les frères Scriabine. Mme de Lérins l'avait accompagné à pied, parce qu'il faut bien se dégourdir. On avait passé par les Ternes où Mme Trücker habitait, et Mme de Lérins devait déposer un paquet chez Mme Trücker. Guy était très content parce qu'on allait passer par le ballon des Ternes, et il aimait ce ballon, c'était un monument pas comme les autres.

Sur le boulevard Inkermann, il y avait des gosses qui patinaient à roulettes, avec un seul patin au pied, prêtant le second de la paire à un camarade qui n'en avait pas. Cela faisait un bruit boiteux qui éveillait en Guy une certaine rancœur contre sa mère, qui ne voulait pas lui payer de patins à roulettes de peur qu'il ne se cassât les jambes.

Guy pensait que s'il avait eu des patins, lui, il aurait gardé les deux pour aller plus vite. Mme de Lérins avait acheté une obligation à lots de la Ville de Paris, et elle ne savait pas à cause de cela comment elle bouclerait son terme, mais si elle gagnait le lot d'un million... Guy trouvait à part lui absolument injuste que Mme de Lérins gagnât le lot d'un million : elle était vieille et laide, et qu'est-ce qu'elle avait besoin d'argent? "Ce qui serait vexant, disait-elle, ce serait de ne gagner qu'un lot de cinquante mille francs!"

Tout d'un coup une espèce de bolide traversa l'avenue, on était au coin de l'avenue du Château; venant de Paris, une auto découverte avec plusieurs hommes, et par-derrière, pas très loin, il arrivait d'autres voitures comme pour une course. Une voiture de laitier qui débouchait sur l'avenue du Château força les poursuivants à ralentir. Le cheval se cabrait, caracolait devant les autos; pendant ce temps les premiers coureurs avaient disparu. Impossible de savoir de quel côté ils avaient tourné.

Les passagers de la voiture qui était en tête, une Wisner, s'agitaient désespérément, et injuriaient le laitier. " Imbécile, c'était l'auto grise! "

Mme de Lérins, quand elle entendit cela, souffla à Guy : "Courons! " et partit vers le boulevard Bineau en relevant ses jupes. Elle ne s'arrêta qu'à la porte de Mme Lopez. Guy n'y comprenait rien, mais il avait couru comme si ça avait été la règle du jeu. Chez Mme Lopez, il eut la clef du mystère. C'étaient Bonnot et ses amis qu'on avait vus passer! On l'avait échappé belle. Comment, cela Guy ne le comprenait guère. Mais en tout cas, c'était une histoire à raconter. La preuve, qu'on avait donné du banyuls à Mme de Lérins pour se remettre de ses émotions.

VI

Le général Dorsch avait été envoyé dans une garnison à huit heures de Paris pour y faire fonction de divisionnaire, et on ne le voyait plus guère que deux ou trois soirs par mois rue d'Offémont. Il envoyait des colis de fruits de la région, profitant des voyages à Paris de ses subalternes, et des ordonnances apparaissaient le matin avec des couffins de paille à la porte de service.

Mrs. Page était en Amérique et Robert se montrait assez sombre, bien qu'il fût de toutes les fêtes

de bienfaisance et qu'on commençât de dire qu'il
pourrait bien un jour devenir une sorte d'André de
Fouquières. Cela ne plaisait pas à Mme de Nettencourt qui répondait que Robert ne serait jamais un
amuseur.

Les sorties de Georges s'étant faites plus fré-
quentes, le poker avait, avec tout cela, assez ralenti.
C'est-à-dire qu'on jouait toujours très tard, après
le théâtre, et quand Georges rentrait, eh bien, il rentrait. Il arrivait au milieu des joueurs, mettait un
baiser sur l'épaule nue de Diane et se frottait les
mains : "Alors, on fait un petit pott?" On se serrait
pour lui laisser une place, et le jeu s'animait.

De plus, il s'était établi, on ne sait comment, dans
un coin du hall sur une table de jeu florentine, que
Mme de Nettencourt affirmait contre tout le monde
être l'œuvre de Benvenuto Cellini (voyons, Christiane,
ça n'a pas l'ombre de vraisemblance!), une petite
partie dont les membres variaient, mais où l'on retrouvait toujours M. Blin, qui délaissait le poker pour le
bridge aux enchères, alors une nouveauté, et qu'on
jouait au franc le point, ce qui grimpe. M. Blin était
imbattable.

"J'avais d'abord cru, disait-il à sa femme qui
ne jouait pas, et qui trouvait fort mauvaises ces nouvelles habitudes de son mari, que Brunel était un
marchand de chair humaine. Eh bien, je me trom-
pais : c'est un bon vivant, et voilà tout. Quand on
se trompe, il faut bien le reconnaître.

— Vous pourriez, mon ami, rendre justice à M. Brunel sans être tous les soirs fourré chez sa femme.

— Ah! voilà où le bât te blesse! Pauvre minette!"

Il y avait des soirs où Georges, bien qu'on traînât le jeu fort avant dans la nuit, n'apparaissait pas au poker. Le lendemain il disait incidemment qu'en réalité il était rentré de bonne heure, en catimini, par la porte de service, et qu'il avait été se pagnotter sans rien dire à personne. "Et quand Diane est montée, je lui ai fait : hou!" Diane ne riait pas trop, et priait Georges de ne pas donner de détails.

Diane avait pris en affection Marguerite de Sabran, la femme du capitaine, récemment mariée. Marguerite était une parfaite tête de linotte, mais assez jolie, pas trop. A peine sortie de chez sa mère, quelque part dans le Midi, elle avait bien assez de peine à dissimuler son accent en parlant pointu : aussi n'était-elle pas du tout mauvaise langue, et c'était un repos pour Diane. Elles allaient ensemble chez Rumpelmayer, au Mirabeau. Jacques de Sabran était à l'état-major, mais il pouvait incessamment être envoyé au diable. Marguerite disait qu'elle ne pourrait jamais se passer de Paris.

Parfois Wisner venait les retrouver, et on allait au Bois, à Armenonville ou à la Cascade, ou suivant la saison, plus loin, au Pavillon Bleu ou à la Belle Cycliste. Wisner avait une Mercédès, une merveille. On trouvait cela très bizarre à lui, mais il disait qu'au moins, celle-là, on ne pouvait pas l'accuser de ne pas l'avoir payée.

"La Mercédès, faisait observer Jacques à sa femme, cela vaut dans les cent billets. Et on dit que c'est le Kaiser qui la lui a donnée. D'ailleurs, je n'en crois rien. Enfin, tout de même, je n'aime pas beaucoup ce Wisner. Il a des idées socialistes.

— Il est très gentil, je t'assure, protestait Marguerite. Il est parfait pour Diane.

— On le dit aussi.

— Oh! tout de suite. Et puis qu'est-ce qui me l'a fait connaître, Diane? C'est toi. "

Personne ne comprenait pourquoi les Brunel s'obstinaient à ne pas avoir de voiture à eux, avec le train qu'ils menaient. Ils louaient une limousine au mois, et naturellement ces autos de louage ne sont pas du dernier modèle. Diane disait qu'elle préférait les voitures un peu anciennes, parce qu'elle détestait la vitesse. A vrai dire, elle oubliait ses goûts dans la Mercédès de Wisner.

D'ailleurs, Georges prenait généralement la voiture. Il arriva même que, pendant deux mois, ils n'en louèrent pas. Tout le monde murmurait que les affaires de Brunel devaient aller mal. Alors il en loua une nouvelle, dont le luxe consistait en un tas de petits porte-bouquets où ils mirent des roses, sans se préoccuper de la saison.

"On ne voit jamais votre petit beau-frère, fit [remarquer Diane à Marguerite, est-ce qu'il nous fuit?

— Oh, Pierre ne fréquente que le demi-monde, il est insupportable! C'est dommage parce qu'il est très drôle.

— Eh bien, ma chère, est-ce que nous sommes si collet monté que ça lui fasse peur? Vous savez, tant pis si ça fâche le capitaine! Mais si le lieutenant de Sabran veut amener avec lui tout le Palais-Royal, je n'y vois aucun inconvénient. Ça nous changera de M. Blin.

— Le Palais-Royal, c'est fini. Il fait dans l'Opéra-Comique...

— Mais alors, petite provinciale! que parlez-vous du demi-monde! C'est le faubourg Saint-Germain, cela! "

Néanmoins, Pierre de Sabran ne vint pas rue d'Offémont. Diane n'eut pas trop l'air de le remarquer, parce que beaucoup de nouveaux habitués y apparurent. Cela fut un soulagement pour Marguerite à qui Pierre avait répondu : "Quand on est putain, j'aime mieux qu'on le dise! " On avait été faire une descente chez le général Dorsch avec l'auto de Wisner. Le général avait organisé impromptu pour ces dames une revue de la garnison.

Wisner avait des intérêts dans les Balkans. Marguerite ne comprenait pas très bien. On dit que les routes y sont si mauvaises, est-ce qu'ils achètent beaucoup d'autos là-bas? Mais non, cela n'avait rien à voir avec l'automobile. Des mines en Serbie. Et Wisner, avec orgueil, avait ajouté : "Moi, c'est aux rois que je prête de l'argent... "

Le roi Pierre de Serbie était venu à Paris cet hiver-là et toute une série de fonctionnaires de l'ambassade de Serbie, l'attaché militaire, hantaient maintenant l'hôtel de la rue d'Offémont. Ils avaient tous plus ou moins assassiné la reine Draga et son époux. L'un d'eux avait été en prison sous leur règne. Dans une espèce de puits, paraît-il. Diane flirtait un peu avec un secrétaire d'ambassade qui s'appelait Milan quelque chose, une sorte de housard très beau, avec de grands yeux noirs. Il paraît que c'est lui qui avait jeté la reine par la fenêtre. Il patinait très bien. Marguerite,

Diane et lui avaient été au Palais de Glace. Tout en tournant à deux (il faisait fort attention d'alterner exactement les promenades avec Diane et avec Marguerite) il expliquait à Marguerite que les défunts souverains en réalité étaient à la dévotion de l'Allemagne. Elle n'arrivait jamais très bien à se souvenir lesquels étaient des Obrenovitch et lesquels des Karageorgevitch. Milan insistait sur la germanophilie du règne précédent, et l'état d'abjection du pays sous la férule de Draga Machine, une dompteuse. Pas de libertés. La Serbie était une colonie allemande. Maintenant la Serbie était un pays libéral. L'esprit de la grande Révolution française y était entré avec le nouveau souverain, qui avait étudié à Paris. Et Milan faisait des huit sur la glace en l'honneur de la France.

"La société serbe est beaucoup plus cultivée que vous ne croyez, chère madame. Je suis sûr qu'à Aix (c'est d'Aix que vous êtes? non, Toulon) on lit beaucoup moins la nouvelle littérature qu'à Belgrade ou n'importe où en province dans les bonnes maisons serbes. Bourget, Farrère et même Francis Jammes...

— Ah! oui, même Francis Jammes?

— Parfaitement, *Clara d'Ellébeuse.* "

Marguerite était très touchée, parce que justement elle raffolait de Jammes. Tout ce que Jammes disait des petits ânes était vraiment adorable, elle avait eu un âne qui s'appelait Tout-fou.

"Et il y a longtemps que vous connaissez M. Wisner? " lui demanda le Serbe au tour suivant. Marguerite l'avait connu par Mme Brunel. Un homme charmant. N'est-ce pas, si gai? Et puis comme businessman! Là-dessus, Milan était intarissable. Enfin

il prit le ton de la confidence : " Je puis vous dire
que M. Wisner a fait énormément, pour l'influence
française en Serbie, énormément. Le nom de Wisner
est cher à tout cœur serbe, à tout cœur de patriote
serbe... — Pourquoi ? " demanda peut-être étourdiment Marguerite. Milan traça un trois avant de
répondre, et Marguerite faillit tomber.

" Chère madame, dit-il enfin, ceci, c'est de l'histoire.
De l'histoire ! "

Guy aimait beaucoup les Serbes, parce qu'il avait
commencé une collection de timbres-poste et que
tout d'un coup la Serbie, qui avait une page toute
vide dans son album, s'était peuplée de timbres de
toutes les tailles. Sa prédilection allait aux timbres du
roi assassiné, qui avaient encore servi pour les premiers jours du règne de Pierre Ier, avec un cachet noir
aux armes de Serbie cachant la tête du tyran déchu.

Le général Dorsch lui avait envoyé tout un paquet
de timbres des colonies françaises, très intéressants,
avec leurs paysages vert amande dans des cadres
groseille, ou des jaguars sépia entourés d'indigo. Les
nègres d'Obok, ceux de Djibouti, les administrateurs
de Madagascar portés à dos d'homme dans leurs
filanzanes, tout cela, et même une girafe anglaise
du Nyassa, réveillait dans la tête de Guy le souvenir
de récits entendus à table quand le cousin Bruyère
racontait comment au Sénégal, à Dakar, il était indispensable, si on voulait continuer à être respecté,
que quand on croisait un indigène sur un trottoir on
l'en fût descendre à coups de cravache : sans cela,
ils deviendraient familiers. Le cousin Bruyère avait
pas mal roulé sa bosse, c'était l'expression de grand-

père. A vrai dire Guy ne comprenait pas comment on pouvait dire ça du cousin Bruyère. D'abord il n'était pas bossu. Et puis on ne le voyait pas se roulant comme un clown. Un homme très sévère, avec un pince-nez et une voix sèche. La Légion d'honneur. On disait qu'à Madagascar, où il était allé aussitôt après la campagne, comme administrateur, il avait joué plus d'un tour aux Anglais. Guy, en regardant un timbre de 35 centimes de Madagascar, essayait de se figurer le cousin Bruyère en filanzane, avec son pince-nez.

Comme il collait bien sagement ses timbres, Guy venait de trouver dans l'envoi du général Dorsch un timbre de Saint-Pierre-et-Miquelon, et justement il n'avait encore aucun timbre de Saint-Pierre-et-Miquelon, un bruit de pétard dans le hall, comme pour les soirées de Noël, lui fit quitter la chambre d'étude.

De la galerie qui dominait le hall, il vit Georges au bout du Pleyel, penché en avant, et la porte du fond qui s'ouvrait, et Diane en déshabillé avec un bonnet de dentelle à la Fanchon, l'air épouvanté, qui du pas de la porte criait : " Pour Dieu, Georges, qui est-ce qui a tiré? " Et le valet de chambre était entré de l'autre côté, et personne ne faisait attention à Guy, son timbre de Saint-Pierre-et-Miquelon à la main, qui descendait l'escalier et qui se trouva tout à côté de Georges avant qu'on l'ait vu venir.

Il y avait un homme par terre, entre la bergère et le pouf, sur le tapis persan. Il était tombé à la renverse, et en s'approchant Guy vit qu'il y avait autour de lui une quantité incroyable de sang. Georges

le regardait, assez stupide. L'homme tombé tenait
encore un revolver. On ne pouvait pas bien voir s'il
était jeune ou vieux, parce qu'il s'était tiré dans la
tête et qu'il avait la face tout éclatée, avec de la cervelle qui coulait sous les cheveux très blonds.

Guy n'avait jamais vu de mort. Il n'avait pas peur.
Il était terriblement intéressé. Il n'oubliait pas qu'il
tenait un timbre de Saint-Pierre-et-Miquelon, et le
serrait très fort entre son pouce et son index gauche,
tout en remarquant que la chasuble qui venait de
l'abbaye de Cîteaux et qui était jetée sur le Pleyel
avait été très vilainement éclaboussée.

Georges releva la tête, vit l'enfant, et dit à Diane
avec une drôle de voix toute changée : "Emmène le
petit. C'est Pierre de Sabran. Ne touchez à rien, Joseph,
et vous ne laisserez entrer personne. Il faut que la
police trouve tout comme c'est. "

C'est tout ce que Guy entendit parce que Diane,
avec la gorge agitée d'une façon hystérique, l'avait
pris dans ses bras comme s'il avait été un bébé qui
ne sait pas marcher. Il sentait les seins de sa mère
très près de lui. Il ne se débattait pas. Il serrait son
timbre. Quand Diane l'avait déposé, d'une traite, et
il était lourd, dans la chambre d'étude, au premier,
elle l'avait caressé comme elle ne faisait jamais, et
elle avait demandé : " Pauvre chéri! Tu n'as rien vu,
n'est-ce pas? "

Guy comprit qu'elle désirait qu'il n'ait rien vu. Il
ne la contraria pas. Il posa une question un peu à
côté, en rougissant : " Qui c'est, le monsieur qui est
tombé? " Diane respira. Il n'avait rien vu! " Laisse,
mon mignon, c'est quelqu'un que tu ne connais pas...

Tout cela s'arrangera. Alors, joue, n'est-ce pas? Je
vais écrire des lettres. "

Il savait qu'elle était repartie dans le hall. Ses
timbres ne l'intéressaient plus. Il colla machinalement celui de Saint-Pierre-et-Miquelon. Devant l'album ouvert, il pensait à la cervelle. Il n'avait pas assez
bien regardé...

VII

Du point de vue de la justice, tout s'arrangea
très bien. Le suicide ne pouvait être contesté. Sur
les mobiles, une déclaration de M. Brunel, que l'on
décida de garder secrète, avait donné toutes les clartés
désirables. Dans les premiers jours, les journaux
se bornèrent à une information très vague. Le lieutenant de Sabran s'était tué d'une balle dans la tête
chez un ami, pour des raisons d'ordre intime. L'affaire
fut classée.

Mais les Sabran étaient liés à tout ce que la France
républicaine compte de donjons et de tourelles. On
ne s'y satisfit point d'un silence qu'on imputait aux
relations politiques des Brunel. Et quelles relations!
Viviani, disait-on, l'homme qui éteint les étoiles,
Klotz, Wisner, un tas de Juifs. Wisner, rétorquait-on,
n'est pas juif. Hum! enfin, ça revient au même. Klotz
s'était affiché à Contrexéville avec la belle Mme Brunel. Si, si, *L'Action Française* s'en mêla.

Elle plaidait le meurtre. Pierre de Sabran, attiré

par Diane dans les lacets de son mari, avait refusé
les propositions d'espionnage pour le compte de
l'Allemagne que lui avaient transmises Brunel, agis-
sant pour Wisner, Klotz et Briand. Quand Brunel avait vu qu'il n'y avait rien à faire et que l'intré-
pide lieutenant allait dévoiler le pot aux roses, il
avait froidement exécuté Pierre de Sabran. Puis
Viviani avait fait venir dans son bureau le juge d'instruction et lui avait donné des ordres. Toute la presse
avait été payée par Wisner, avec des chèques signés
Klotz.

Le scandale ne pouvait plus être évité. La presse
se fit l'écho réservé des propos de Charles Maurras,
qui affirmait que l'hôtel de la rue d'Offémont était
le siège d'une conspiration antifrançaise dont l'âme
était Aristide Briand. Léon Daudet fit savoir que
s'il était assassiné dans les jours qui allaient venir,
il faudrait regarder du côté du Parc Monceau pour
rechercher l'assassin. "La balle qui me tuera sera
sortie du revolver qui a supprimé le lieutenant de
Sabran. "

Il y eut à la Chambre une séance où l'émotion et
l'indignation donnèrent au ministre de la Justice,
mis en cause avec son collègue des Finances, des
accents qui retentirent dans tout le pays : " Les ennemis du régime, s'écria-t-il, veulent s'emparer d'un
drame de la vie intime, qui endeuille deux familles
à la fois, celle du mort et celle dont il a choisi la maison pour cadre à son geste tragique, les ennemis du
régime veulent faire d'un suicide émouvant certes,
mais somme toute banal, un épisode d'une trahison
monstrueuse, l'étape d'un parricide plus odieux que

le parricide même, d'un crime de Français contre la
France! Et de quels Français! De ceux-là précisément
que tous ici, messieurs, que vous soyez assis à côté
de M. Jaurès ou de M. de Baudry d'Asson, vous
respectez, vous vénérez comme les plus dévoués des
fils de cette France, trop souvent désunis, trop souvent dressés les uns contre les autres! Le gouvernement tient à dire qu'il n'y a dans ces monstrueuses
imputations rien qui mérite d'être retenu, rien qui ne
mérite d'être repoussé avec le pied du dédain. J'ai eu
entre les mains le dossier de l'affaire, et sans vouloir ici
donner pâture de détails aux affamés de scandale,
je puis vous dire que je n'y ai trouvé que des faits qui
commandent le respect pour les Français chez qui
un Français s'est donné la mort. S'il avait su, s'il
avait pu prévoir, le malheureux jeune homme! quel
déluge de boue et de haine son acte allait déchaîner
contre des amis envers lesquels il n'avait que de
l'estime, et peut-être mieux que de l'estime, qui sait?
Cela l'aurait peut-être fait renoncer à sa tragique résolution! Mais au-delà de ce drame privé qui ne met en
jeu que des personnes qui n'ont point part à la gestion
de l'État, on cherche à atteindre des personnalités
qu'on n'a pas le droit de soupçonner! (*Rumeurs
diverses.*) Oui, messieurs, j'ose le dire, qu'on n'a pas
le droit de soupçonner. Celui qui prétendrait douter
de l'intégrité de M. Klotz... "

Le Parlement avait fait au Garde des Sceaux une
telle ovation que Brunel était bien en droit de dire :
" La France nous rend justice! " Mais dans un cercle
plus réduit, on ne pouvait se contenter d'explications
si générales, et cet excès d'honneur n'épargna pas

à Diane et à Georges toute une série d'explications extrêmement pénibles et dont ils se seraient bien passés.

Le capitaine de Sabran en uniforme, sur un appel téléphonique de Georges lui-même, était arrivé rue d'Offémont tout de suite après le terrible événement. Il s'excusa avec assez de sécheresse de ne s'être pas changé, et se montra extrêmement sobre de gestes et de questions, comme un homme qui s'attendait à tout et qui sait à quoi s'en tenir. Les explications rapides de Georges n'eurent aucunement l'air de l'intéresser. En réalité il était simplement si éberlué de ce qui s'était passé là qu'il se sentait incapable de penser à autre chose qu'à sa dignité d'officier, et il avait une hâte puérile d'en avoir fini, parce qu'il redoutait de se mettre à chialer tout d'un coup, là, chez les Brunel.

Après cela, évidemment, ça lui était très difficile de revenir sur cette attitude. Marguerite, prise de panique, ne désirait aucunement revoir Diane : elle avait peur de la conversation, et Diane de son côté avait fait condamner sa porte, sous prétexte qu'elle était malade, ce que personne ne croyait, et qui était pourtant vrai. Elle avait une petite crise d'appendicite et on lui mettait de la glace sur le ventre.

Quand *L'Action Française* avait commencé à brouiller les cartes, il était devenu évident qu'on ne pourrait plus s'en tenir à la seule déclaration de Georges à la justice. Il faudrait bien faire un récit du suicide à quelques intimes. Georges ne cachait pas que cette histoire pouvait avoir des effets désastreux sur ses affaires : il savait très bien d'ailleurs de qui provenait toute la campagne. C'était d'un concurrent à qui on ne pouvait rien refuser chez Daudet, parce qu'il *tenait* le duc d'Orléans. Diane, de son côté, ne pourrait pas rester couchée toute la vie, la glace commençait à fondre.

Mais surtout Robert était aux cent coups. Il faisait très gratin dans les derniers temps, et il y avait des gens qui lui avaient tout simplement tourné le dos. Comme il ne pouvait pas gifler tout le monde et d'ailleurs il trouvait le duel une chose absurde, sa carrière d'André de Fouquières était bougrement compromise. Un télégramme de Mrs. Page qui annonçait son mariage avec un grand d'Espagne l'acheva : " Vous devez faire quelque chose ", déclara-t-il à son beau-frère.

Mme de Nettencourt était la moins embarrassée de la famille. Quand les choses n'allaient plus, elle faisait un plongeon : c'était sa méthode. Présentement, elle passait ses journées à Saint-Thomas-d'Aquin où elle donnait le tableau d'une piété édifiante. Il y avait à cette église un nouveau vicaire, un véritable saint Augustin. Le teint pâle, les yeux profonds, une voix chaude, si compréhensif au tribunal de la pénitence, que Christiane se serait bien confessée trois fois la semaine, et puis un cadet d'une des meilleures familles du Poitou (il avait quitté son nom, comme une vanité de cette terre, pour n'être plus appelé que l'abbé Gabriel)... Christiane en parlait avec une telle ferveur qu'Édouard lui dit : " Invite-le donc à dîner. "

Là-dessus, Georges reçut une lettre du général Dorsch :

" Mon cher Brunel,

" N'étaient les sévères obligations d'un métier qui ne me permet pas de faire passer avant lui l'amitié, même dans d'aussi douloureuses circonstances, vous pensez bien qu'à la première nouvelle de la mort de ce malheureux Sabran, je serais accouru à Paris, sans rien consulter, pour être parmi vous dans ces moments pénibles (PÉNIBLES *était écrit en surcharge, sur* DOULOUREUX *raturé*).

" Mais les devoirs de ma charge, autant que le respect des étoiles que je porte me forcent à me tenir sur une réserve dont je souffre quand je ne la vois pas partagée par chacun.

" De plus, je me souviens que c'est moi qui ai amené chez vous Jacques de Sabran par qui vous avez connu Pierre. J'ai donc, bien indirectement sans doute, une certaine part de responsabilité dans ce qui vient de se produire, et cela implique pour moi des obligations impérieuses, cela me donne le droit, non d'exiger la vérité, mais de la connaître.

" Ne croyez pas que je cède ici à la curiosité, ni à une sentimentalité qui siérait mal à un homme de ma sorte. Mais après tout, sans exagérer, on pourrait dire de moi que j'ai été un familier de cet hôtel de la rue d'Offémont dont s'occupe la presse entière. Jusqu'à présent le fait est qu'aucun journaliste encore ne s'en est avisé. Jusqu'à présent. Mais chaque jour, en ouvrant mon journal, je m'attends à apprendre qu'un folliculaire quelconque, un socialiste par exemple, un ami de ce brave Wisner dont je ne partage point les idées, s'est soudain rappelé certaine photo dans

Femina où je suis parfaitement reconnaissable, en grand uniforme, avec quarante-sept décorations, à côté de notre chère Diane (qui doit être bien éprouvée dans tout ceci, et dont je baise très respectueusement la menotte).

" Non, ce n'est pas l'idée d'une vie fauchée dans sa fleur qui me fait aujourd'hui me tourner vers vous avec anxiété. Car, pour nous autres, militaires, la vie humaine est peu de chose, nous en avons fait une fois pour toutes cadeau à la patrie et nous considérons le monde comme un vaste champ de bataille où peu importe qui et combien tombent, mais où l'essentiel est ce qui reste debout, au-dessus des morts et derrière eux, l'idée qui nous dirige, et qui ne doit pas être éclaboussée par la mort d'un des nôtres. Il ne faut pas que la fin de Pierre de Sabran puisse permettre de salir le drapeau, de compromettre l'armée, de traîner dans l'ordure avec le vieux nom alsacien des Dorsch l'honneur, le prestige des généraux français, qui mèneront un jour ce peuple de frondeurs et de chansonniers à la glorieuse revanche de ce Sedan, dont le nom seul nous fait gémir.

" Je n'ai pas besoin d'insister. Vous m'avez compris. Samedi prochain j'arriverai à Paris par le train de 6 h. 50. Dans les circonstances présentes, je pense qu'il serait de mauvais goût que je me présentasse rue d'Offémont. Je suis surtout animé du désir d'éviter à Diane des émotions qui ces temps-ci ne lui ont guère été ménagées. D'autre part, mon pied-à-terre de la rue Greuze est si encombré qu'à peine puis-je y camper à la diable, il ne m'est pas possible de vous y recevoir. Dans ces conditions, comment faire? Vous donner rendez-vous au cercle militaire serait prêter à tous les commérages. Je suppose que vous aimez autant ne pas vous montrer au Volney ces jours-ci. Alors voici ce que je vous propose :

"De la gare d'Orsay, je ne fais qu'un saut chez Larue où vous aurez retenu un cabinet particulier. Avec un taxi (il y en a bien, malgré la grève?) j'y suis vers 7 h. 10, le temps de m'arrêter à la consigne. Disons 7 heures un quart. Je vous y trouve. Nous y prenons un de ces petits dîners pas trop tardifs, dont vous avez perdu l'habitude, sacré Parisien! mais dont mon estomac est maintenant entiché après un an de province.

"Et n'est-ce pas, comme il y a une chose qu'en aucune circonstance on ne doit faire, c'est de bouder son ventre, nonobstant le sérieux de notre entretien, n'oubliez pas en commandant notre repas d'avance, de façon que les garçons ne nous importunent pas, que j'adore la bisque de homard et qu'un petit Chambolle-Musigny 1905 serait merveilleux avec une béarnaise!

"Vous savez que, dans l'armée, nous ne mettons pas de formule de politesse pour finir, mais cependant n'oubliez pas de déposer mon épée aux pieds de la très belle, de la très charmante, de l'inoubliable Mme Brunel.

"J.-B. Dorsch."

"Eh bien, dit simplement Georges à cette lecture, j'espère !"

Mais le coup décisif fut porté par Wisner.

Pour Wisner, pas de porte condamnée. "Il y a des

choses, n'est-ce pas ? que je ne vais pas laisser dire... "
Il marchait de long en large dans la chambre de
Diane qui n'était pas grande, Georges dans la cau-
seuse près de la cheminée électrique, et Diane dans
son lit, très belle, avec une chemise de Grand Opéra,
et un kimono d'or de chez Liberty sur les épaules. Il
y avait beaucoup de fumée dans la pièce. Georges
dévorait très nerveusement des cigarettes, Wisner
écrasait au passage son cigare dans le bénitier roman
à côté de la coiffeuse, qui servait d'ordinaire de vide-
poche à Diane. Diane, visiblement incommodée
par la fumée, l'écartait un peu de temps en temps
avec un geste du poignet et de la tête, mais ne s'arrêtait pas de sourire.

"Vous direz ce que vous voudrez, mais c'est moi
qui suis visé. Derrière Daudet, il y a Lorraine-Dietrich
ou Delaunay-Belleville. Peut-être les deux. Cela
tombe trop bien : au moment où je viens de sortir
la Spido double soupape! Elle est dans les choux,
la Spido, si on laisse faire.

— Mon ami, dit Diane, asseyez-vous, je vous prie,
vous me donnez mal à la tête. "

Wisner se laissa tomber sur la chaise longue. Guy
jouait silencieusement sous la coiffeuse, avec ses
timbres. "Enfin, dit Georges, qu'est-ce que tu veux
qu'on foute, mon vieux? Je ne peux pourtant pas
leur raconter mes affaires sous prétexte que les louf-
tingues croient que je porte les plans du mont Valérien
dans ma cravate! "

Wisner s'impatienta : "Ne fais pas la bête! Tes
affaires sont un peu les miennes, je n'ai aucun besoin
que tu montres tes livres au public. Mais enfin vous

avez eu une version pour le juge. Elle est ce qu'elle
est. Elle ne peut pas rester confidentielle.

— Tu oublies que c'est extrêmement désagréable
pour Diane...

— Ah ça, par exemple! c'est comique. C'est toi
maintenant qui vas prendre la défense de Diane contre
moi? Diane, mon petit, je suis bien sûre que vous ne
direz pas le quart des idioties que Georges est là
à nous dégoiser. Diane comprend, mon cher, Diane
comprend mieux les affaires que toi.

— Qu'est-ce que vous voulez de moi, mon ami? "
dit Diane en tournant lentement le buste vers
Wisner.

"Là, tu vois! Ce que je désire, ma chère Diane,
c'est de ne pas être obligé, socialement obligé, de
laisser tomber Georges du jour au lendemain. Vous
savez ce que ça signifie pour nous tous? "

Manifestement, ils le savaient. Wisner reprit :

"Pour nous débarrasser des imputations imbéciles dont nous sommes l'objet, nous serons fatale-
ment appelés un jour ou l'autre à dire la vérité. Est-
ce que vous croyez que ce sera drôle? Non. Eh bien
alors, il vaudrait mieux prendre les devants bien
gentiment, et à mon avis Georges pourrait parler
au capitaine de Sabran...

— Merci, dit Georges, moi j'ai déjà la vieille culotte
de peau! " Il brandissait la lettre de Dorsch. "M'est
avis que Diane ferait ça beaucoup mieux que moi
avec le capitaine. Pas, ma vieille?

— Si c'est tout à fait nécessaire... ", répondit Diane
en virant à nouveau du buste dans les draps brodés.

Ce soir-là, Mme de Nettencourt et Édouard dînaient

rue d'Offémont. Diane parla longuement avec sa
mère. En rentrant chez eux, Édouard, relativement
animé, demanda à Christiane : " Alors, qu'est-ce que
Diane t'a dit ?

— Diane est une sainte, se borna à répondre Mme de
Nettencourt, mais il faut que je voie Mme Blin. "

VIII

Le mercredi, le capitaine de Sabran recevait une
lettre de Diane. Elle disait, avec une grande écriture
d'ancienne élève des Oiseaux, qu'elle ne savait pas
comment s'y prendre, qu'elle ne parlait de cette
démarche à personne, surtout pas à son mari, qu'elle
était au lit avec la glace sur le ventre, et qu'elle ne
pouvait que s'en remettre à lui, à son caractère chevaleresque. Paraît-il, elle devait subir une opération
grave, peut-être mortelle, et elle ne voulait pas disparaître sans avoir parlé au frère de Pierre de Sabran.
Est-ce qu'il ne pouvait pas venir le jour même ou le
lendemain vers trois heures ? Elle s'arrangerait pour
que son fils, Guy, ne soit pas à la maison, et c'est
Mme de Lérins, de la discrétion de laquelle on pouvait
être tout à fait sûr, qui l'introduirait chez elle. Georges,
en ce moment, la laissait très seule, avec ses affaires.
Diane ajoutait qu'évidemment elle eût pu, semblait-
il, s'adresser à Marguerite, dont elle avait ressenti
terriblement l'éloignement pendant ces journées abo-
minables, mais Marguerite était encore presque

une jeune fille, et comprendrait-elle? Tandis que lui, etc.

Le capitaine de Sabran murmura tout d'abord : Quelle impudence! et se leva pour aller raconter l'affaire à Marguerite. Mais il s'arrêta en route, en souriant. C'est vrai, Marguerite était presque une jeune fille. Il reprit la lettre et la relut. A seconde lecture, il lui parut qu'il y avait des accents de vérité là-dedans, et il ne put s'empêcher d'être ému à l'idée qu'on allait opérer Diane, une magnifique créature. Maladie de femme, sans doute. En tout cas, il fallait répondre. Et mieux valait ne pas remettre de le faire, puisqu'elle l'attendait dès le jour même. Un pneu. Il se mit à l'écrire, mais dès le premier mot il se trouva pris au dépourvu : Chère madame, chère amie, chère Diane? La situation était abominablement délicate. D'ailleurs Diane ne demandait pas de réponse. Elle était si sûre qu'il viendrait. Est-ce qu'il avait peur d'elle? Il eut honte. Cela simplifiait les choses, il irait le lendemain.

Le jour même il se trouvait à trois heures, heure militaire, à la porte de Diane. Mme de Lérins l'introduisit. Il ne put s'empêcher de remarquer qu'elle lui disait : *Capitaine*, en baissant les yeux, exactement comme la maquerelle du bordel de Châlons-sur-Marne. Diane lisait, très pâle dans ses oreillers, sans fard. Le coupe-papier de cornaline glissa du livre, comme elle le posait sur le lit. En se baissant pour baiser la main de la malade, Jacques de Sabran jeta malgré lui un coup d'œil sur le livre : *Ainsi parlait Zarathoustra*, édition du Mercure de France. Jacques n'avait jamais lu Nietzsche.

" Vous êtes venu. Ah merci ! "

Elle lui tendait la main, elle lui montrait un fauteuil. Il approcha une chaise. Elle était manifestement épuisée par l'élan qu'elle venait d'avoir. Silence insupportable. Jacques de Sabran se pencha un peu pour dire : " J'ai été très ému de ce que vous me disiez de votre santé... Je pense que les événements que nous venons de traverser ne sont pas étrangers... " Diane eut un pauvre petit sourire lumineux et un geste de la main, comme pour dire : *laissons cela!* " Comment va Marguerite ? " Il ne sut pourquoi, mais cette question le mit très mal à son aise. Il avait un peu honte que Marguerite ne fût pas tombée malade. Lui, peut-être heureusement, il avait été très occupé. On l'avait détaché auprès du ministère de l'Intérieur pendant les grèves... Diane ignorait qu'il y avait eu des grèves; Georges ne voulait pas lui laisser lire les journaux parce que cela l'agitait. Jacques remarqua au-dessous du lit qui était carré, immense, le lit de la Du Barry disait-on, une vierge espagnole tout habillée, très brune avec des yeux clairs, et des bijoux. Diane lui en parut plus pure, presque déjà d'un autre monde. Il ne l'avait jamais vue sans bagues. Il remarqua qu'elle ne portait pas son alliance.

" Jacques, dit-elle soudain en posant sa main sur la sienne, et jamais jusqu'alors elle ne l'avait appelé ainsi, j'ai voulu vous parler comme à un frère. " Elle sembla percevoir l'ambiguïté de sa phrase car elle se reprit : " Comme au frère de quelqu'un qui est peut-être mort par ma faute.

— Par votre faute? Mais, jour du ciel! Diane,

qu'avez-vous à faire dans tout ceci? Pierre vous
avait à peine aperçue et...

— Mon ami, je vous raconterai tout par le commencement, mais dites-moi comment donc vous
expliquez-vous ce... cette chose, si vous m'y croyez
étrangère? ˮ

Jacques était tout à fait mal à son aise. Il avait
de petites gouttes de sueur sur le nez, assez risibles.
Il s'épongeait en répondant.

ˮ Ma foi, la première surprise passée, je dois vous
dire que je n'ai rien imaginé du tout. Pierre et moi,
nous étions très différents de caractère, cela ne m'était
pas plus mystérieux que ses goûts en général. Mais
tout de même, on disait qu'il était venu demander
de l'argent à M. Brunel... ˮ

Diane se soulevait sur le lit, et le geste disjoignait
la berthe de dentelle passée pour cacher la chemise.
On voyait battre son cœur.

ˮ ...Demander de l'argent à Georges? Mais quelle
folie! Pierre n'aurait jamais fait une chose pareille! ˮ

Le capitaine s'excusait déjà. C'est vrai que Pierre
et M. Brunel n'étaient guère liés, mais où est le mal
à demander un service à un homme qu'on sait à
l'abri du besoin. Et enfin, il faut le reconnaître, Pierre
était endetté de toutes parts ces derniers temps,
il avait fait des folies pour une demoiselle de l'Opéra-
Comique... Diane cacha ses yeux dans ses mains.

ˮ Oh! pauvre petit Pierrot! Et tout cela par ma
faute, par ma faute!

— Expliquez-vous, je ne comprends même pas,
ma chère Diane, de quoi vous vous accusez! ˮ

Alors Diane raconta le drame. Elle parlait avec

une certaine fébrilité, qui était loin de cette froideur de statue qu'on connaissait à la belle Mme Brunel, et Jacques s'avouait qu'il la préférait encore ainsi. Elle n'avait pas l'air d'être gênée de sa présence. Elle parlait parfois comme à soi-même. D'autres fois, elle baissait légèrement la voix et l'officier se sentait comme un confesseur, avec un certain sentiment du péché en même temps. Il avait rapproché la chaise du lit. La main gauche de Diane l'avait saisi à l'avant-bras droit, et ne le lâchait plus, comme si Diane voyait se passer devant elle les scènes qu'elle décrivait, et qu'elle se retînt à Jacques, par peur des fantômes.

Cela avait débuté à Saint-Cyr, quand Jacques les avait présentés. Tout de suite Pierre lui avait fait la cour, mais d'une façon si enfantine qu'elle s'en était amusée. Jacques se souvenait des acrobaties hippiques de Pierre? Et comme il l'avait saluée? Après la fête, il lui avait présenté ses hommages et elle l'avait grondé. En réponse, il avait demandé à la voir.

" J'ai été folle. J'aurais dû refuser, ne pas encourager cet enfant. Mais pouvais-je savoir? Il est venu me voir, il est revenu. Mais il ne voulait pas se rencontrer avec mes amis. Il se cachait de vous, Jacques. "

Jacques n'en revenait pas. Il ne reconnaissait plus son frère. Cet espèce de noceur insolent qui n'aimait que l'atmosphère des coulisses...

" J'avais peut-être une excuse, ce n'est pas un mystère combien j'aime mon mari. Le fait est que Georges me laisse très seule, à cause de ses affaires.

Pierre me détournait des idées noires que je me fais quand j'attends Georges. Il avait pour lui sa jeunesse, sa fraîcheur... " Ici elle dut voir quelque chose des pensées du capitaine dans les yeux de celui-ci, car elle eut comme un sursaut de révolte : " Ah! qu'allez-vous imaginer, Pierre n'a jamais été pour moi qu'un gentil camarade, un compagnon, et c'est bien là tout le malheur! "

Jacques voulait bien croire tout ce qu'on lui disait, mais tout de même il ne put s'empêcher de soulever quelques difficultés qui le dérangeaient. Cette vie qu'on connaissait à son frère? Les actrices? Le fait que tout de même il n'ait jamais paru rue d'Offémont ? " Parce que même, tenez, il me revient en mémoire un détail auquel je n'avais pas attaché d'importance... je ne prête guère d'attention au babillage de Marguerite... mais elle m'a raconté qu'elle lui avait dit de venir un soir, au poker, et Pierre avait refusé, même avec une certaine rudesse.

" Cet enfant, cet enfant! Bien qu'il n'y eût rien de... coupable dans nos relations, leur caractère clandestin et soutenu faisait qu'il avait une peur atroce de me compromettre. Il passait des heures à me raconter ce qu'il faisait pour rendre invraisemblable toute médisance. Il allait jusqu'à tenir de moi des propos assez risqués, pour empêcher tout soupçon de venir dans les têtes. Plusieurs fois je l'ai grondé à ce sujet, parce qu'enfin! Et surtout plus il était épris de moi, plus il me suppliait de lui céder, et plus il se jetait par ailleurs dans une dissipation dont il m'étalait le tableau pour m'accabler, m'en rendre responsable, et me dire qu'il ne tenait

qu'à moi que cela cessât dans l'instant. Les actrices,
selon lui, étaient un dérivatif indispensable à sa jeunesse, et il ne regardait pas le prix qu'il y mettait,
parce qu'il voulait que ses aventures fussent éclatantes,
ses liaisons affichées. Même je m'inquiétai plusieurs
fois des dépenses dans lesquelles il se lançait. Il me
dit qu'il avait joué aux courses, et gagné. Il connaissait très bien les chevaux. "

Jacques acquiesça. Lui aussi, connaissait très
bien les chevaux, cependant jadis il avait perdu royale-
ment sur les hippodromes. Son frère était très différent de lui. Le récit continuait : bref, Pierre s'était
fait pressant, il ne se contentait plus de cette innocente
complicité. Dix fois après des scènes très pénibles
Diane avait dû lui interdire sa porte. La dernière fois,
tout de même, il avait voulu aller si loin, que cette
fois Diane, quand il était revenu, n'avait vraiment
plus pu le recevoir. Elle s'était dû de s'en ouvrir à
Georges, et c'était Georges qui avait reçu Pierre.
Quand il avait vu qu'elle lui envoyait son mari, il
avait compris qu'il n'y avait pas d'espoir, et alors,
et alors... Diane pleurait.

Le capitaine de Sabran était bouleversé. Tout
s'expliquait. Et lui comme une brute... bien entendu
que Pierre ne pouvait venir demander de l'argent
au mari d'une femme dont il était à ce point épris,
un Sabran !

Diane dans ses larmes dit quelque chose qu'il
ne comprit point. Elle releva son beau visage baigné
et le regarda bien en face.

"Oui, dit-elle, c'est une abomination que d'avoir
résisté à cet enfant. Je devais comprendre ce que

cela signifiait pour lui. Je suis une meurtrière. Jugez-moi comme telle. ”

Il la rassurait. Voyons, elle ne pouvait pas se tenir pour responsable, elle aimait son mari, personne n'était forcé.

“ Une abomination, répéta-t-elle, que de tenir le don de soi-même pour quelque chose de si grand que cela puisse être mis en balance avec la vie humaine. Une abomination comme toute cette comédie de vertu et d'honorabilité qui m'entoure et qui me fait horreur. Une abomination comme tout votre monde, vos mensonges, vos conventions. Pauvre Pierrot ! Pourquoi n'ai-je pas été sa maîtresse, tout simplement ? ”

Jacques de Sabran, à ces paroles, ressentit comme un choc. Tout ce qu'il pensait du bien et du mal vacillait. Il ne pouvait que concéder à Diane la niai-serie de la vertu, et en même temps il était frappé de stupeur par le cas prodigieux de Diane elle-même. Comme elle avait résisté ! Il n'était pas loin de penser comme Christiane que Diane était une sainte.

Enfin elle avait séché ses yeux, réarrangé sa coiffure, et s'était mis un peu de poudre. Puis elle lui dit : “ Écoutez, Jacques, je vais maintenant vous dire quelque chose que je n'ai dit à personne, que je ne peux dire à personne, pas même à un prêtre, parce que j'ai perdu la foi, et que je ne peux plus avoir les consolations de la religion. ”

Il attendait, pantelant.

“ Jacques, le pire, écoutez-moi bien, c'est que si j'ai fermé ma porte à Pierre, si je l'ai poussé au déses-poir, écoutez-moi bien, Jacques : c'est parce que je l'aimais. ”

Ce qui se passait dans le cœur de Jacques était incroyable. Cet aveu après tout le reste! Quelle confiance elle avait en lui! Il n'en serait pas indigne. Mon Dieu, comme la vie est bête, tout aurait pu s'arranger si bien. Le capitaine avec étonnement songea que pas un instant dans tout ceci il n'avait eu la tête à son frère. Il ne voyait que Diane, il ne pensait qu'à Diane, aux moments qu'elle avait dû passer, au bonheur de Diane, au coup que cette mort lui avait porté. Il essayait de se forcer à revoir le pitoyable cadavre qu'il était venu chercher dans cette maison. Impossible. Diane était là, qui ne portait pas son alliance. Toute la fin de l'entrevue se passa dans une espèce de brouillard. Il s'entendit, de la porte, répéter pour la quatrième fois : " Je vous enverrai Marguerite pour vous soigner ", et se retrouva dans la rue avec la tête à l'envers. Il traversa le Parc Monceau, gagna l'avenue Friedland, l'Étoile. *L'Action Française* à un kiosque auprès du métro le mit soudain dans une fureur extraordinaire.

Il venait de changer de convictions politiques.

IX

Le jeudi, M. Blin fut tout étonné de voir entrer dans sa boutique de la rue de la Paix Christiane de Nettencourt dans un tailleur parme. Elle s'adressa à lui comme si de rien n'était, disant qu'il y avait un temps infini qu'elle n'avait pas vu Mme Blin.

Il bafouilla quelque chose touchant la santé et le ménage de celle-ci, mais Christiane eut la bonne grâce de ne pas l'écouter et d'ajouter : " D'ailleurs, j'avais tout à fait disparu de la circulation, parce que certaines choses vous rapprochent des préoccupations religieuses, et j'ai fait une sorte de retraite sous la direction de l'abbé Gabriel, le nouveau vicaire de Saint-Thomas-d'Aquin. " M. Blin dit quelque chose sur la beauté du culte catholique, que Mme de Nettencourt eut encore la bonté de ne pas relever.

Elle avait sorti de son sac une bague ancienne qu'elle montrait à M. Blin : " J'aurais évidemment pu porter cette réparation au bijoutier du coin, dit-elle, et il est bien sans gêne à moi de faire appel à vous pour réassortir une rose qui manque, et refixer la topaze centrale qui est tombée. La voilà. Mais aussi j'ai répugné à remettre cette bague en n'importe quelles mains. C'est un cadeau de Louis XV à une aïeule d'Édouard, Céline de Cerisy, qu'il avait séquestrée quelque temps dans son Parc-aux-Cerfs, avant de la donner en mariage à un Nettencourt, alors capitaine des gardes. Vous me comprenez? On dit même que ce mariage fut pratiqué *in extremis*, de sorte que les Nettencourt issus de l'aîné des enfants de Céline de Cerisy, pourraient bien descendre de Charlemagne... "

Les notions généalogiques de M. Blin le firent un instant hésiter. Puis il songea que ce n'était pas à lui que Christiane aurait dû aller raconter tout ça, mais à Léon Daudet, à qui ça aurait peut-être fait abandonner sa campagne. Il promit néanmoins de faire la réparation " comme s'il s'agissait d'un château historique ". Ils rirent tous les deux.

“ Alors, au revoir, cher monsieur, et dites bien à Mme Blin que j’attends son coup de téléphone. J’ai plusieurs choses à lui raconter. ”

Elle était partie là-dessus, et qu’est-ce que M. Blin pouvait faire ? C’est ce qu’il expliquait à Mme Blin. “ Alors tu as dit que j’allais téléphoner ? — Euh ! pas positivement, pas positivement… mais cela me paraît bien difficile. — Tu es fou à lier. Ce n’est pas à moi à lui faire des avances. — Mais elle a dit qu’elle avait plusieurs choses à te dire. — Et alors ? — Alors…

La main de M. Blin montrait le tas de journaux achetés chaque jour par Mme Blin depuis le début de l’affaire : “ Je pensais que cela pouvait t’intéresser. — M’intéresser ? Un tel manque de dignité. ”

Le vendredi matin, Mme Blin téléphonait à Christiane, et vers cinq heures le même jour, ces dames se rencontraient chez Kardomah, qui n’était pas un de leurs thés habituels. D’un mutuel accord elles avaient renoncé à Rumpel ou à Jondowa, où elles risquaient de rencontrer Mary Walker ou Milan Popovitch. Christiane parla de l’abbé Gabriel pendant près de vingt minutes. C’était un Lacordaire, un Fléchier et un saint Augustin tout à la fois. Vingt-six, vingt-sept ans. L’autre jour au confessionnal, il y avait là pour l’attendre la vieille princesse de Broglie, et une haute personnalité politique dont la conversion ferait bientôt sans doute sensation, mais dont jusque-là il était peut-être plus discret de ne pas révéler le nom…

“ Et comment madame votre fille se remet-elle de ses émotions ? ” interrompit Mme Blin, précise comme à son habitude. Christiane soupira.

" Vous savez que nous avons eu une consultation avec Pozzi? On voudrait éviter l'opération. Diane, dans tout cela, est admirable. M. l'abbé Gabriel me le disait : Mme votre fille est une sainte, quel malheur qu'elle ne pratique pas! Enfin, la Providence y pourvoira sans doute... "

Là-dessus Mme Blin, avec le cynisme d'un journaliste qui va au fait, se mit à interroger d'une façon serrée sa partenaire, et elle lui arracha la vérité, toute la vérité. Elle sut que Pierre de Sabran était un cerveau brûlé. Bon. Qu'il faisait à Diane une cour à laquelle celle-ci avait dû mettre le holà. Sans doute qu'il s'était jeté dans des dissipations pour l'oublier. Ensuite qu'il entretenait cette petite de l'Opéra-Comique, comment s'appelle-t-elle donc, qui chante dans *Lakmé?* On sait, on sait. Que la chanteuse lui était en réalité parfaitement indifférente. Ah! ah! Qu'il harcelait Diane, qu'elle l'avait repoussé, qu'il s'était tué chez elle; après l'en avoir menacée, elle ne l'avait pas cru. Tout ceci absolument entre nous, Georges préfère laisser dire n'importe quoi sur son compte à permettre qu'on mêle même accidentellement le nom de Diane à ce suicide. Mme Blin ne regrettait pas les petits fours. Ah! voilà, ah! c'était donc cela. Elle promit de venir tenir compagnie à Diane. Surtout pas un mot à M. Blin. Vous voulez rire?

Le vendredi soir et le samedi matin, Mme Blin se trouva parler au téléphone avec une foule de gens. Avec Mary Walker qui avait été opérée par Pozzi, et à qui il était bien difficile de cacher quoi que ce soit, et elle-même avait appelé une série d'amis aux-

quels elle devait parler à cause d'une fête persane
qu'elle voulait organiser. De telle sorte que samedi
après-midi, quand Milan Popovitch vint apporter
des fleurs, quand Mary Walker vint prendre des
nouvelles, et dix autres, tous purent constater que
Marguerite de Sabran était au chevet de la malade.
C'est elle qui mit les fleurs dans les vases, qui renvoya
les importuns, qui fit comprendre à Mme Blin qu'il
valait mieux écourter les visites, etc. Aussi l'on peut
dire que quand le samedi soir le général Dorsch
débarqua à la gare d'Orsay à 6 h. 50, la situation
mondaine des Brunel était rétablie, tout Paris considérait Diane comme une victime, Georges comme
étranger à l'affaire et Pierre de Sabran avait cessé
d'être le protagoniste d'un drame qui dépendait
maintenant du professeur Pozzi.

Le général Dorsch n'avait eu son train que de
justesse. Le lieutenant Desgouttes-Valèze, récemment sorti de Saumur, et qui allait en permission à
Paris, lui avait pris son billet par avance et il avait
sauté dans le train, comme celui-ci partait. Desgouttes-
Valèze était un garçon charmant et il l'avait autorisé
à s'asseoir dans son compartiment. Cette jeunesse!
Il le mit sur le chapitre femmes, et le lieutenant n'osait
pas y aller. Ce fut alors le général qui débita d'anciennes
aventures à lui, des souvenirs d'un peu partout.
Tenez, quand j'étais à Saumur, en 1878...

Là-dessus Desgouttes-Valèze n'avait plus qu'à
s'exécuter; il parla de Saumur. Tout ce qu'il racontait n'était guère fait pour les oreilles d'un chef, mais
l'indulgence de Dorsch ne lui était-elle pas assurée?
Desgouttes-Valèze s'était trouvé là-bas avec le jeune

Gilson-Quesnel, des sucres, un fils de minotier, l'héritier de la banque Neauple, enfin tout un tas de richards : l'Armée avait fini d'être le refuge des sans-le-sou dans son genre, et c'était bien difficile de suivre le train de ces gens-là.

Au wagon-restaurant, Dorsch interrogea paternellement son jeune compagnon sur ses expédients financiers à Saumur. Desgouttes-Valèze, lui, ne s'en était pas trop mal tiré, mais la plupart des camarades tombaient entre les pattes des usuriers, et une fois-là! c'était comme ce pauvre Pierre de Sabran.

Le général Dorsch reprit du veau jardinière, et demanda au lieutenant ce qu'il entendait par là. Comment le général ne savait pas? Ce Brunel chez qui Sabran s'était fait sauter, était un usurier très connu à Saumur. Desgouttes-Valèze était-il bien sûr de ce qu'il avançait là? Comment! Tenez, mon général, je dois encore avoir dans mon portefeuille un des petits prospectus qu'il fait distribuer à Saumur. On ne sait jamais, je l'avais gardé. Ah! ce sera resté dans l'autre portefeuille. Non, le voilà.

Il n'y avait pas le plus léger doute. Le prospectus était explicite. C'était une offre de services à peine déguisée. Le nom de Brunel y était, et l'adresse de la rue d'Offémont. Dorsch se sentait tout froid. C'était même incompréhensible qu'un prospectus pareil ne soit pas tombé entre les mains des journalistes. En attendant, il était là, irréfutable. On arrivait à Angoulême. Le général entendit son compagnon expliquer toute l'affaire de Sabran, l'actrice de l'Opéra-Comique, une auto que Pierre lui avait payée, les traites, etc.

C'est alors que commença à se poser dans la tête du général un dilemme vraiment cornélien. Il venait de songer au dîner chez Larue. Toute la route d'Angoulême à Paris se passa à débattre mentalement ce qu'il fallait faire. Il remit même assez sévèrement à sa place Desgouttes-Valèze qui devenait sentimental et lui montrait des photographies.

A 6 h. 50, gare d'Orsay, le général rendit son salut au lieutenant et porta mécaniquement ses valises à la consigne. A l'heure dite, il était chez Larue. Brunel aussi, avec un gros œillet mauve à la boutonnière. Parler tout de suite? Ma foi, quand le vin est tiré, il faut le boire. On dîna donc.

Vers la salade, Georges glissa vers le sujet de l'entrevue. Il raconta sous le sceau du secret au général toute l'histoire de la cour faite par Pierre à sa femme, et ce qui s'ensuit, et la santé de Diane, le professeur Pozzi. "La famille de Sabran, je dois dire, a été extrêmement correcte. Je quitte à l'instant Mme Jacques de Sabran qui a veillé tout l'après-midi à ce que notre petite Diane ait de la glace bien froide sur son ventrichon!"

Il était bien content de lui, Georges Brunel. L'affaire était dans le sac. Paris était conquis, et ce vieux mirliflor comme les autres. Georges se rappelait quand il était à la caserne, ce que des ronchonots de ce genre-là avaient pu le faire baver.

Dorsch hochait la tête. Les choses n'étaient pas exactement comme le pensait Desgouttes-Valèze. Pauvre petite Diane, si innocente dans tout cela! Mais le mari qui lui racontait l'histoire, ce type qui lui faisait verser pour l'instant une fine Napoléon,

vous m'en direz des nouvelles, n'en était pas moins
un prêteur à la petite semaine, un usurier.

Dorsch se surprit à mettre dans sa tête le même
accent sur ce mot qu'y mettait Christiane quand
elle parlait du château de Nettencourt.

Ce Brunel! Il avait joué double jeu, comme mari
et comme prêteur, et le petit de Sabran était resté
sur le carreau.

Son devoir à lui, général Dorsch, était bien clair.
Il écrirait ensuite à Diane, mais maintenant, ce soir,
il fallait briser là avec le triste individu... Non, merci,
vraiment pas, c'est excellent, mais... vraiment pas...
C'était assez délicat à faire. Pas de violence inutile.

Le général donc, se renversant un peu sur sa chaise,
se lança dans un long préambule sur l'affection qu'il
avait toujours porté à Diane, et à sa mère, et l'inquiétude que faisait naître en lui la perspective d'une
opération, toujours... aléatoire, aléatoire.

Brunel pensait : "Qu'est-ce qu'il veut? Est-ce
qu'il va me taper? Ah ça, non, par exemple! "

Quand il sortit brusquement de sa poche le prospectus que Desgouttes-Valèze avait consenti à lui
laisser, et qu'il le mit sous le nez de Brunel, celui-ci
comprit parfaitement que tout était foutu. Sur un
certain plan tout au moins. Il était beau joueur, il
commença sur-le-champ à songer aux opérations
nécessaires, au déchet qu'il y aurait. Après tout, Paris
n'est pas le monde et l'argent lui restait. Il toucherait
les billets signés par Pierre de Sabran, que le suicide
de celui-ci l'avait forcé de garder dans sa poche. Il
ricana.

"Alors, mon pauvre Dorsch, dit-il, ces choses-là

vous scandalisent. Il y a pour vous des façons nobles
de gagner de l'argent, et des façons ignobles? Non,
ne répondez pas. Je sais ce que vous pensez, c'est
effrayant ce que tout le monde peut savoir ce que
vous pensez. On l'a si bien deviné qu'on l'a écrit
d'avance dans tous les manuels de morale puérile et
honnête.

— Georges Brunel, vous êtes un homme cynique.

— Vous l'avez dit, mon général! Mais prêter à
la petite semaine, comme je le fais, en risquant toujours d'être volé, parce qu'on n'est pas protégé par
la loi, et que les jeunes gens de famille sont tous
des cochons qui escomptent le cancer de papa, et qui
considèrent ça comme une œuvre pie, s'ils le peuvent,
de me voler et de ne pas faire honneur à leur parole
de merdeux, paraît que pour vous c'est moins reluisant que d'être banquier, par exemple! Je voudrais,
fichtre, que vous me disiez où est la différence.

— Enfin pourtant...

— Pourtant quoi? Ça fait près de quinze ans que
je la cherche, la différence, et je ne la trouve pas.
Et banquier, encore passe. Mais rentier, ça vous
paraît naturel à vous qu'il y ait des rentiers?

— Je ne comprends pas, Brunel, quel intérêt
vous avez à assimiler des honnêtes gens à... à...

— L'intérêt serait clair. Mais ce n'est pas une
question d'intérêt, c'est une question de fait. Quand
j'ai dix mille, vingt, trente mille francs chez moi,
qui ne doivent rien à personne... Remarquez qu'il
y a des partageux qui prétendent que la propriété
c'est le vol. Ça c'est une autre histoire. Avec eux je
discuterais avec des mitrailleuses. Mais avec vous,

mon général, c'est bien différent, je ne voudrais pas
vous blesser, mais on est entre soi... "

Le général eut un geste vague.

" Donc si j'ai des billets chez moi et qu'il me plaît
de les investir dans une affaire constituée par un jeune
homme qui a envie de payer des robes à une putain,
et qui consent pour ça ou pour régler ses dettes de
roulette à me signer une reconnaissance du double
ou du triple payable sur un héritage qu'il prétend
qu'il fera, et entendez-moi bien, *il mentait,* car il savait
pertinemment que l'héritage devait aller à l'Académie
française pour fonder un prix de vertu! Ça c'est mon
boulot, ou je marche, ou je ne marche pas. Mais
au lieu de ça, si je prends la cote Desfossés, et que je
me mets à me demander si je vais acheter des mines
de perlimpinpin ou des usines de mords-moi-le-doigt,
ou des actions de Monte-Carlo spéculant sur le trente
et quarante qui est responsable d'une centaine de
suicides par saison, ou des emprunts russes qui vivent
du knout et de la Sibérie pour des milliers de maladroits, ou de la De Beers qui fait ouvrir le ventre des
nègres pour y chercher les diamants qu'on ne trouve
pas dans le caca, ou de Schneider dont je ne dis rien
par respect pour l'Armée, ou des valeurs anglaises
qui vivent du trafic de l'opium, ou tenez des parts
de l'affaire Wisner, de notre cher ami Wisner, qui a le
record de la mortalité pour l'Europe dans ses ateliers
d'automobiles, et qui y introduit déjà des méthodes
américaines *pour faire mieux?* Si je prête non plus
à Pierre de Sabran mais aux Turcs pour massacrer
les Grecs, ou aux Anglais pour mettre de l'Hindou
en compote, ou aux Français, n'oublions pas les

Français! pour se payer des vestes en peau de maro-
cain? Alors je ne suis plus un usurier, je suis un
rentier, je passe toucher mes coupons, je suis bien
vu de mon concierge, et même mieux si je fous assez
de pèze dans une affaire quelconque qui intéresse
le gouvernement de la République, on me donnera
la Légion d'honneur au 14 juillet, et j'aurai le droit
d'être enterré avec, derrière le convoi, de malheureux
zèbres qu'on a pris pour deux ans dans les casernes,
histoire de leur apprendre à défendre la bicyclette
La Gauloise, le papier à cigarettes Job et le chocolat
Meunier!

— Antimilitariste, par-dessus le marché, arriva
à souffler le général Dorsch.

— Quelle erreur, mon général! L'Armée est une
institution bien trop utile aux usuriers pour que
je sois antimilitariste. Je ne vois aucun inconvénient
à ce qu'on entretienne pendant des années des bandes
armées à ne faire que semblant de travailler, à porter-
armes et demi-tour à droite, et autres divertissements qui joignent l'utile à l'agréable, pourvu que ces
bandes avec leurs chefs et sous-chefs de bande soient
prêtes à me défendre, moi, mes opérations compli-
quées et mes taux usuraires, comme elles défendront,
le cas échéant, M. Peugeot, les frères Izola, le patron
du Chabanais et les Établissements Dufayel. Les
meneurs ouvriers, les agitateurs, grévistes et autres
grandes gueules, ont inventé de nous traiter tous en
bloc, vous comme moi, mon général, M. Lebaudy
comme le premier épicier venu, de parasites, et ils
ont raison. Nous sommes tous des parasites. Pourquoi
ne pas l'avouer? Il n'y a là rien qui me choque. En

quoi est-il mieux d'être la bête qui a des parasites, que le parasite sur le dos du bétail? Pour moi, je pense tout au contraire que c'est là ce qui s'appelle la civilisation. Nous sommes arrivés à une époque de culture et de raffinement qui nécessite une grande division du travail. Jadis, voyez, le commerce était méprisé, il était interdit aux nobles. Tout cela a bien changé. Le parasitisme est une forme supérieure de la sociabilité, et l'avenir est au parasitisme, le tout est d'en inventer sans cesse des modalités nouvelles! Je bois au parisitisme, et vous me rendrez bien raison! "

Le général Dorsch chercha un geste élégant pour en sortir. Il prit donc le verre de fine Napoléon (que lui tendait Brunel en faisant observer que celui-là, Napoléon, avait été un parasite de première grandeur) et, l'élevant, avec une certaine majesté, il trouva enfin une formule :

" Je bois, dit-il, au patriotisme!

— Là, s'écria Georges, c'est ce que je disais! "

X

Georges ne rentra pas directement rue d'Offémont. Il flâna. Les boulevards, un promenoir; à l'heure de la sortie des théâtres, il se trouva chez Weber où il salua un tas de gens qui s'empressèrent, quelques-uns pas encore au courant qui n'eurent pas l'air de le reconnaître. Georges ne s'en froissa pas. Il parvint à ne s'asseoir à la table de personne.

Il continuait tout seul la conversation de chez Larue.
Il supputait les fortunes assises là, à prendre un welsh,
ou un sandwich. Il avait de petits rires pour lui-même,
à chaque grosse dame, à chaque jeune homme, dont
le profil, les seins ou le chapeau de paille lui rappelaient une histoire scandaleuse, une escroquerie, ou
quelque honorable affaire de bourse bien soignée.
Du Weber il gagna le Parc Monceau par Montmartre.
Sabran paierait-il vite les effets signés par son frère?
Il donna au maître d'hôtel du Rat Mort un pourboire
formidable, de quoi payer sa chambre pour deux
mois, peut-être. Il avait terriblement besoin de ser-
vilité autour de lui, Georges.

Diane n'était pas endormie quand il rentra.

Le lendemain matin, elle fit téléphoner à sa mère
de venir la voir, et ferma sa porte à tous, sauf à Marguerite qui vint après déjeuner, et que l'aspect de
Diane effraya. Pâle, les lèvres tremblantes, les yeux
rouges.

“Vous avez pleuré, ma chérie?

— Non, petite, je n'ai pas fermé l'œil et j'ai lu,
voyez. ”

Le Voyageur et son ombre avait été coupé jusqu'à
la dernière feuille.

Christiane avait l'air extrêmement inquiète. Elle
dit deux ou trois fois à Marguerite que Georges
n'était pas ménager de la santé de sa femme. Elle
était ennuyée que Robert ne fût pas à Paris pour
la journée. Georges, étant venu deux ou trois fois
voir comment allait Diane, fut, sembla-t-il à Marguerite, assez mal reçu. Mme de Sabran s'en alla
vers les sept heures avec un vague sentiment de

malaise, après avoir entendu Diane se plaindre que
ça lui faisait mal.

Dans la nuit du dimanche au lundi le médecin
fut appelé rue d'Offémont. Il trouva Diane très nerveuse, les yeux cernés, se plaignant du ventre, mais
il s'en alla en disant qu'il n'y avait rien de grave.
Cependant le lundi matin, Diane était transportée
d'urgence à la clinique du professeur Pozzi, et opérée
de l'appendicite à chaud. La lettre que lui avait écrite
le général Dorsch ne lui fut donc remise que plusieurs
jours plus tard avec le dernier numéro du *Tatler*,
Je sais tout et toute une série de cartes cornées; Marguerite de Sabran arrangeait dans un coin de la chambre
celles des fleurs que le docteur avait permis de mettre
chez la malade. Elle fut effrayée par le cri que poussa
Diane. Tout cela resta gravé dans sa mémoire. Mais
Diane, la courageuse Diane, s'était reprise. " Rien,
ma chérie, simplement une douleur plus forte que les
autres... "

L'action du général Dorsch avait été un peu moins
prompte que la parade de la belle Mme Brunel. Sa
lettre écrite et envoyée le dimanche, le général dès
le lundi matin se rendait chez Wisner pour le mettre
au courant. Malgré les divergences politiques entre
l'industriel et lui, il considérait comme de son devoir
de faire part de ses découvertes à un homme qui était
connu pour le familier de Brunel, et après tout, l'un
des chefs de l'industrie française, sur laquelle toute
cette boue allait rejaillir si Wisner non prévenu
continuait à s'exposer à la médisance. C'est de la
bouche de Wisner que Dorsch apprit l'opération;
à cette minute Mme Brunel était entre la vie et la

mort... et on pouvait voir que Wisner était très affecté.

Cela donna l'occasion au général de poser d'abord comme un fait établi, indéniable, la distinction fondamentale qu'il faisait entre Diane, une créature absolument adorable, exquise, une femme cultivée, ayant de la race, du charme, et cette brute, cet arriviste, cet être infect qu'était Georges.

"Halte-là, mon général, je vous arrête, dit Wisner, Brunel est mon ami et...

— Ce sentiment vous honore, mais voici ce que je suis venu vous apprendre. "

Wisner tomba des nues. Un usurier, Brunel un usurier! Mais à qui se fier vraiment? Malheureuse Diane! Ah! sur ce point, le général et l'industriel s'entendaient. L'incroyable discours tenu par Georges à Dorsch et que celui-ci rapportait en gros, jetait, ça on ne pouvait pas en douter, une lumière déplorable sur ce que c'était en fait que ce bonhomme. Rien de très propre. Car par exemple Wisner, qui avait des idées sociales très... poussées, eh bien, ces propos-là le révoltaient. Ah! les hommes d'affaires, les industriels étaient tous des usuriers pour le Shylock de la rue d'Offémont! Eh bien, on allait voir. Wisner s'arrêta.

"Mais comment agir sans blesser ce pauvre petit oiseau qu'est notre Diane? " Le général était dans la perplexité.

Cela fit tout de même qu'il attendit de savoir que Diane avait reçu la permission de se lever pour aller voir Jacques de Sabran. Entre-temps il avait déposé plusieurs fois des fleurs à la maison de santé, et téléphoné à Mme de Nettencourt qui l'avait rassuré

sur les dimensions de la cicatrice. "Petite comme
ça!" hurlait Christiane dans l'appareil. Le général
ne pouvait pas voir au téléphone, mais ça n'avait
pas l'air très grand. Ce Pozzi est un magicien.

Le jour où il devait aller chez les Sabran, c'était
tout à la fin de son congé, il reçut un mot de Diane
qui le priait, sur tout ce qu'il avait de sacré au monde,
de passer la voir le jour même.

Ce que fut l'entrevue est indescriptible, le général
en sortit avec la tête à l'envers. Un vieux militaire,
habitué aux champs de bataille, ne peut pas se faire
une idée de cet héroïsme-là. Il n'y avait rien au monde
de plus admirable que Diane. Elle n'avait pas répondu
à sa lettre parce qu'elle avait voulu d'abord parler à
Georges. Dès qu'elle avait été en état de le faire, elle
l'avait fait. Il avait tout avoué. Tout était désormais
fini entre eux. Certes elle l'aimait encore, il avait été
dans sa vie la grande révélation physique, elle pouvait,
elle devait le dire au général, pour qu'il comprenne
mieux certaines choses. Mais, n'est-ce pas, il y a des
sentiments qu'il faut vaincre, et Diane vaincrait,
elle en était sûre. En attendant... Elle ne demandait
à son vieil ami qu'une chose : Jacques et Marguerite
de Sabran allaient la croire mêlée à toute cette horreur,
elle voulait que le général aille les trouver, ne leur dise
rien, les lui amène, et devant lui elle leur parlerait.

Les entrevues historiques se succédaient. Comment Jacques et Marguerite n'auraient-ils pas été
émus aux larmes d'entendre de la bouche de la con-
valescente le récit de l'horrible découverte? Moralement certes Georges Brunel avait tué Pierre de Sabran.
Jacques apprit l'existence des effets signés par son

frère. Diane le prévenait comme une sœur que ce bandit de Brunel allait les lui présenter.

Mme de Nettencourt, chez Topsy, raconta à Mme Blin combien le général Dorsch avait été merveilleux dans toute l'affaire. Un ami véritable, et la haute garantie morale que ses fonctions lui confèrent... Diane avait été si ébranlée par tout cela qu'elle avait consenti à recevoir l'abbé Gabriel. Entre nous soit dit, ce Brunel avait sur elle une influence détestable, c'était lui qui l'avait éloignée de la religion.

" Tout de même, ma chère Christiane, dit Mme Blin, comment peut-on vivre avec un homme pendant des années et ignorer ce qu'il fait et de quoi l'on vit ?

— Ah ! Pauline, je me le demande comme vous ! Naturellement, pour des natures pratiques comme vous et moi, cela serait inimaginable. Mais ma petite Diane est tout le portrait de son père. Vous savez, Édouard, pourvu qu'il ait son *Figaro*, il ne se demande jamais avec quoi il le paie. Les Nettencourt sont des rêveurs, je ne sais pas, moi.

— En effet, parce que Robert, lui, qui était dans les affaires de M. Brunel...

— Oh ! ce malheureux Robert ! Je ne vous ai pas dit ? C'est insensé ! Non seulement il ne s'est jamais douté de rien, non seulement il n'a été qu'un instrument inconscient dans les mains de son beau-frère, mais imaginez-vous qu'à l'heure actuelle il nie encore ! Il refuse d'y croire ! Il prétend que ce sont des calomnies ! Quand je te dis que Georges reconnaît les faits, lui criait sa sœur. Il lui a fait une scène, il est parti en claquant les portes, il ne veut plus la revoir...

— Non ?

— Vous pensez bien que, comme mère, je suis déchirée, déchirée, de voir mes enfants dressés l'un contre l'autre. Car Diane, injuste, j'en suis persuadée, prétend que Robert était au courant de tout, qu'il prend parti pour Brunel, que sais-je? Ah! je suis bien tourmentée, bien tourmentée.

— Voyons, tout cela s'arrangera.

— C'est ce que je me dis, tout cela s'arrangera. En attendant, on n'entendra plus parler du sieur Brunel. Diane divorce, elle reprend le nom de Nettencourt.

— C'est très bien, c'est très bien à elle. ”

Mme Blin était réellement émue.

“ On peut dire que Diane a été nette, catégorique. C'est très chic, très digne.

— N'est-ce pas? Oh! cela n'a pas traîné. Un soir, quand mon ex-gendre est rentré, il a trouvé sa malle faite et descendue dans le hall; le domestique lui a remis une lettre de Diane. Il a essayé de protester, mais quand le domestique lui a dit qu'il avait des ordres de madame, d'appeler la police si monsieur insistait, Brunel a préféré prendre un taxi.

— Mais comment? Qu'est-ce que vous me racontez-là? Est-ce qu'on peut mettre son mari comme cela à la porte de chez lui?

— De chez lui, de chez lui? Diane est mariée sous le régime de la séparation, l'hôtel de la rue d'Offémont est à elle, Nettencourt est à elle, et elle a ses rentes à elle, à son nom. Brunel n'avait qu'à déguerpir, et il l'a compris. Bon voyage, monsieur Dumollet!

— En effet, Diane a été très énergique, constata Mme Blin. Mais ce qui m'étonne à la réflexion, c'est que M. Brunel n'ait pas cependant essayé de la revoir, ou de discuter...

— Pensez donc! Diane en sait bien trop long sur son compte! Il a peur de ce qu'elle pourrait raconter! Et puis, d'ailleurs, il lui a écrit. Maintenant, imaginez-vous qu'il la lui fait à la passion!

— Mon Dieu, on conçoit que l'on puisse être épris de Mme Brun... de Diane, veux-je dire. Et cela a dû être un coup pour son mari...

— Pffuît! Il la trompait! C'était épouvantable. Je le lui disais moi : Diane, tu n'as donc pas de sang dans les veines, on ne se laisse pas traiter comme ça par un monsieur! Je suis ta mère, eh bien, je n'ai pas de conseil à te donner, mais à ta place, moi, je prendrais un amant!

— C'était un peu... moderne!

— Vous savez, moi, je suis tout impulsivité! Enfin cet individu qui passait ses nuits avec des créatures, des drôlesses qui ne valaient pas le petit doigt de Diane, maintenant qu'il a perdu sa femme lui écrit des lettres de collégien... qui ne trompent personne, heureusement. On l'a vu rôder rue d'Offémont. Diane va d'ailleurs passer quelque temps à Nettencourt. "

Le capitaine de Sabran était très ennuyé. Par trois fois, Brunel s'était présenté chez lui, il avait fait répondre qu'il n'était pas là. La dernière fois, de la salle de bains, il avait entendu la voix de l'usurier qui parlait très fort dans l'antichambre, qui faisait de l'ironie. Il s'était enfin résolu à le recevoir.

Dans le petit salon de la rue César-Franck, quartier militaire, portes à carreaux Louis XVI, bibelots

chinois, et un portrait d'Alphonse de Sabran mort
à Fontenoy, le capitaine de Sabran avait refusé même
de regarder les papiers que lui tendait celui qu'il
avait si longtemps considéré comme un ami, qui n'était
qu'un escroc et l'assassin de son frère, il ne lui envoyait
pas dire. Brunel ne se fâcha pas.

"Voyons, mon capitaine, c'est entendu, je suis
une canaille, si ça peut vous faire plaisir. Mais ce
n'est pas de cela qu'il s'agit. Votre frère a signé de
son nom, voyez là, Pierre de Sabran, cent cinquante
mille francs d'effets. Vous qui n'êtes ni un escroc
ni une canaille, mais un capitaine d'État-Major,
le dépositaire de l'honneur des Sabran... " Ici Georges
Brunel fit un petit salut à l'aïeul de Fontenoy " ...vous
n'allez pas hésiter un instant, vous allez reconnaître
ces traites, une petite signature me suffira... "

Le capitaine de Sabran fut magnifique.

"Monsieur, vous êtes ici chez moi, et si je vous
abattais comme un chien, je serais acquitté avec
les félicitations du jury. Partez, avant que la tentation ne soit trop forte. "

M. Brunel avait ramassé ses petits papiers sans
valeur, et du seuil il avait dit : "Mon capitaine, je
n'ai qu'un conseil à vous donner. Divorcez, épousez
ma femme, vous ferez un beau couple! "

Le général Dorsch commentait ce trait final avec
une fureur pathétique : "Le misérable, disait-il à
Wisner, ce que je ne lui pardonne pas, c'est d'avoir
abusé une femme comme Diane! Enfin il est tout
de même agréable de constater, dans de grandes
convulsions comme celles-ci, qui détruisent un foyer,
bouleversent des familles, qu'il y a encore des

honnêtes gens et de grands cœurs comme le capitaine
de Sabran, comme Diane...

— Mon général, dit Wisner, quand serez-vous à
la retraite?

— Le plus tard possible, le plus tard possible.

— Mais encore?

— Pourquoi cela? Cela dépend. Si je passe divisionnaire, pas de sitôt, si je reste brigadier c'est l'affaire
d'un lustre... Mais?

— Je pensais que vous auriez une place toute
trouvée dans un de mes conseils d'administration...
d'ailleurs nous en reparlerons dans un lustre, ou
plus tard!

— Mon cher Wisner, comment vous dire? Je suis
ému, positivement ému...

— Mon général, vous m'avez rendu un service
qui ne s'oublie pas... "

Marguerite était très triste de la rupture entre
Robert et Diane. Un frère et une sœur. En accom-
pagnant à la gare Diane qui partait pour Nettencourt, elle lui en reparlait. Il y avait là l'abbé Gabriel
qui était maintenant un familier de la rue d'Offémont.
" N'est-ce pas, monsieur l'abbé, un frère et une sœur!

— Dieu y pourvoira, madame, Dieu y pourvoira.

— L'abbé, dit Diane, m'avez-vous apporté ce
remède dont vous m'avez parlé?

— Certainement, certainement. Il est déjà dans
votre sac, je l'avais remis à votre chère mère...

— Quant à Robert, ma pauvre Marguerite, tu
peux dire qu'il n'avait rien à gagner avec moi et
tout à perdre du côté de Georges. Il a été où il y avait
à brouter.

— Oh! Diane, comment croire?

— En ne jugeant pas les autres d'après soi. Guy, viens vite dire au revoir à M. l'abbé.

— Au revoir, monsieur l'abbé ", dit Guy ressortant dans le couloir.

Guy était très content d'aller à Nettencourt, mais il n'aimait pas les curés.

XI

" Assieds-toi là, prends une cigarette... dans la boîte rouge... et chante-moi ton petit couplet. "

Georges était chez Wisner. Il voulait savoir jusqu'à quel point il pouvait encore compter sur son aide, à celui-là, et puis il fallait bien lui dire l'accueil qu'il avait reçu chez le capitaine de Sabran. C'est par là qu'il commença.

" Bon! dit Wisner, c'était couru. Leur honneur, on sait ce que ça vaut. Mais si je comprends bien, tu ne me racontes pas cette petite histoire pour le plaisir de me donner des vues sur l'aristocratie et l'armée. Combien est-ce que je t'avais avancé pour le petit Sabran?

— Soixante-quinze billets.

— Et il t'en devait cent cinquante? D'habitude, tu ne m'avouais pas d'aussi grandes différences.

— Il faut bien gagner sa vie.

— Somme toute, mon vieux, on a bien raison de le dire. C'est de l'usure ça. Moi je te demanderai cent mille comme entendu. Ça c'est du commerce.

— Je crois que tu ne m'as pas tout à fait saisi...

— Mais si, fiston. Tu comptes passer cette somme à l'as? Ou bien tu désirerais peut-être des facilités de paiement? "

Wisner était plus jovial que jamais. Georges serra les dents, mais retrouva un peu de sa gaieté pour répondre :

" Je ne désire de facilités de paiement ni pour cette somme-là, ni pour aucune autre. Je fais faillite. "

Wisner le regarda avec intérêt. "Ah oui? Tu vas me coûter cher. Et qu'est-ce que tu me donnes en échange?

— Ma femme, répondit Brunel.

— Tu ne manques pas de culot. D'abord je l'ai déjà, ta femme, et puis de toute façon tu ne l'as plus. "

Georges tiqua un peu. Au fond c'était bien là ce qui lui était le plus sensible dans l'affaire. Il l'aimait à sa manière, Diane.

"Possible, siffla-t-il légèrement, mais il faut considérer l'opération dans son ensemble. Il te reste Diane, je garde l'argent. Nous mettons en commun les profits et les pertes.

— Mon cher Georges, je suis bien sûr que nous finirons par trouver un arrangement, mais il me semble qu'il y a dans tes conceptions quelque chose de faux, de radicalement faux, pour ainsi dire juridiquement. N'oublie pas que je n'ai jamais été qu'un commanditaire, et non pas un associé. Ne proteste pas. Je n'ai jamais fourré mon nez dans tes livres, je te donnais de l'argent, tu en faisais l'usage que tu voulais. Remarque que je pourrais prétendre que

j'ignorais la nature de tes tractations puisqu'en fait
j'en ignorais le détail. Les confidences purement
amicales que j'ai reçues de toi ne s'adressaient pas au
bailleur de fonds, lequel n'aurait pu que blâmer des
opérations qui n'étaient pas couvertes par la loi.
Qu'est-ce que tu as à faire des gestes? Je ne te les
reproche pas d'un point de vue moral, tes petites
affaires. Mais j'avoue que ce qui me dépasse, c'est
que tu aies eu l'idée de mettre en circulation un prospectus avec ton nom et ton adresse. Ça, mon petit,
pour ne pas être fort ça n'était pas fort.

— Il fallait que j'aie des bureaux quelque part
et on ne peut pas travailler sous un faux nom dans
la partie, ou par intermédiaire, parce que ce n'est
pas sûr...

— A qui le dis-tu, Georges? Tu es désarmant.
Enfin tu sais ce que ça te coûte, ce que ça me coûte...

— Ça, il ne faudrait pas exagérer. Tu es en gain
dans l'ensemble...

— Ça, ce sont mes oignons. Et puis j'ai des frais
considérables... ”

Cette dernière formule dut leur rappeler une bonne
histoire à eux, car ils se mirent à rigoler, et à se taper
les cuisses.

“Sans plaisanterie, reprit Brunel, avec Diane,
tu gardes Nettencourt, la rue d'Offémont, les bijoux
et quelques broutilles...

— Tout ça est à Diane personnellement...

— Oui, c'est ce qu'elle dit. Mais puisque tu gardes
Diane...

— Une idée à toi, ça. Mais pour cela, il faut qu'elle
divorce.

— Qu'est-ce que je fais ici? "

Wisner, au fond, avait toujours eu un faible pour
cette canaille de Brunel. Alors, c'est ça qu'il était
venu lui proposer? C'était ficelle. En fait il ne comptait rien retirer de l'histoire. Le compte Brunel était
pour lui une petite spéculation, dans laquelle d'ailleurs
il se retrouvait après tout. Il n'avait pas l'intention
d'épouser Diane. Combien d'années qu'il couchait
avec elle? Ça vous vieillit.

"Maintenant j'ai une autre proposition à te faire;
si tu veux remettre des fonds dans la combine, tu sais
que j'ai plusieurs créances intéressantes, au point de
vue politique... je pourrais remonter un cabinet à
Nice. Le voisinage de Monte-Carlo... "

Wisner coupa court à ce plan : "Non, Georges.
Ce qui t'a toujours manqué, c'est de réaliser que
quand c'est fini, c'est fini. Ma situation, à l'heure
actuelle, ne me permet pas de continuer à subven-
tionner quelqu'un qui a fait des fautes aussi graves
que les tiennes... Comprends bien, mon petit, qu'à
cette heure je n'ai pas trop de toutes mes disponibilités
pour soutenir l'œuvre admirable que la France entre-
prend au Maroc... "

Georges le regarda pour voir s'il rigolait. Il était
sérieux comme un pape. Oui, Wisner pensait, après
tout, que les gens comme lui un jour ou l'autre devaient
cesser de jouer des parties individuelles et en faisant
le jeu de l'État, en apportant à la communauté des
forces jusque-là indisciplinées... Georges était trop
étonné pour lui couper la parole.

"Mon vieux, il faut bien t'imaginer que ce n'est
pas que je croie aux balivernes, aux grandes machines

avec lesquelles on fait marcher les foules... Quand
je dis *la France*, c'est une façon de parler très simple,
pour dire *nous*, un certain groupe d'intérêts communs. Il n'en est pas moins vrai que, la règle du jeu
une fois admise, nous sommes en train de transformer
une région sauvage, improductive, en une espèce de
petit paradis terrestre, où ça sera curieux de se promener dans dix, quinze ans, si nos reins nous le permettent. Oui, je vais faire une petite cure à Contrexéville, Thompson m'a dit qu'il y partait... C'est tout
de même un peu plus excitant de prêter de l'argent
pour une entreprise de ce genre que de jouer ton petit
truc à 100 % avec des cocos comme ce Sabran, qui
compromet le tout bêtement en se faisant sauter
la cervelle. Moi, dans mon jeu, les Sabran par centaines sont les pions d'une partie autrement intéressante, et s'il s'en casse en route, eh bien, au moins,
ce n'est pas pour rien! Mort au champ d'honneur,
c'est plus reluisant que le suicide! Il en reste une
belle et bonne colonie, des mines, des cultures, des
villes, des ports, des routes, des voies ferrées.

— Si on vous les laisse. Ça ne marche pas fort
d'après les journaux.

— Les incidents de Fez? Oui, mais maintenant
nous venons d'envoyer là-bas un homme, mon vieux
Georges, avec qui ça ne traînera pas. Lyautey. Tu le
connais, toi, Lyautey?

— Mon beau-frère, à Alençon pendant son service,
était au 14e hussards qu'il a commandé. Et puis le
cousin Émile l'a connu à Madagascar. Il en raconte
des vertes et des pas mûres sur ton grand homme.

— Je sais, je sais. En attendant, depuis qu'il est

là-bas, les actions montent. Ce sont des problèmes à n'en plus finir. Moulay Hafid, le Sultan, nous tire dans les pattes. Il va falloir le remplacer. Et puis il faudra revoir toute la législation marocaine pour donner une base à nos titres de propriété, parce que le régime de la propriété au Maroc est d'une complication! Il y a les biens maghzen, les biens melk, les biens habous, on s'y perd! Impossible là-dessus de baser une propriété véritable, il y a toujours la tribu, l'État, qui réclament, ce sont des contestations à n'en plus finir. Lyautey... "

Georges sifflotait d'admiration. Il était bien parti, son Wisner. Une idée diabolique lui vint.

" Et si ton petit copain Guillaume revenait sur ses arrangements coloniaux, dis donc? Il y a toujours les frères Manesmann au Maroc...

— La France, dit très dignement Wisner, ne craint pas l'empereur. Elle saura se faire respecter aux colonies comme dans la métropole. On ne nous empêchera pas de poursuivre notre œuvre de civilisation. Et s'il faut faire la guerre...

— Dans tout ça, tu auras bien pour moi une petite situation... "

Wisner s'arrêta comme pour réfléchir.

" Pourquoi non? dit-il. Mais à une condition...

— Fais voir.

— Que tu partes au Maroc tout de suite.

— Merci, dit Georges, mais j'ai une petite amie qui ne veut pas quitter sa vieille mère! "

Il s'apprêtait à partir.

Wisner soudain l'arrêta :

" Ou encore... si tu voulais entrer dans la police? "

DEUXIÈME PARTIE

CATHERINE

I

Le lieutenant Desgouttes-Valèze, en quittant le général Dorsch à la gare d'Orsay, avait fait un saut rue de Rennes, chez sa mère, où il avait été se mettre en civil. Mme Desgouttes-Valèze aurait beaucoup voulu lui parler d'un tas de choses; comment il ne restait pas dîner? Oh! mon petit, vraiment. Non, il était attendu. Enfin tu devrais bien comprendre... Le lieutenant cherchait un bouton de col et n'en trouvait pas, c'était dégoûtant comme la chemise était empesée, il fallait enfin quitter cette blanchisseuse. J'aurais voulu te parler, Fernand, pour une question qui somme toute est de tes affaires. Fernand se débattait avec ses cravates, pas une propre! On me conseille un placement. Je ne sais pas si je dois le faire. Il faudrait vendre les aciéries de Longwy pour pouvoir racheter. C'est une responsabilité.

Fernand Desgouttes-Valèze considérait avec ironie les chaussettes de soie qu'il venait de tirer de la commode. Toutes les paires mêlées, il fallait passer un temps fou pour reconnaître quelles chaussettes allaient ensemble, celle-ci avait une reprise sur le dessus...

... Est-ce que tu crois que je dois vendre mes aciéries de Longwy? J'en ai dix. Ton pauvre père...

"Enfin, maman, dit Fernand, à quoi pense Marinette? Une bonne qui est dans une maison depuis vingt-cinq ans...

— Trente bientôt. Mais tu ne me réponds pas et tu vas t'en aller. Est-ce que je dois vendre mes aciéries?

— Tu feras ce que tu voudras. Mais s'il y a la guerre on ne pourra pas trouver de meilleur placement que les aciéries de Longwy...

— Ne parle pas de malheur! La guerre! Ah! tiens, avec un fils officier, il y a des choses qu'une mère ne peut pas entendre dire! S'il y a la guerre, je me tuerai tout de suite pour ne pas voir ça! "

Fernand rit un peu, embrassa sa mère et, comme il était déjà huit heures, il prit un taxi, bien que la rue de Babylone fût très près, et le chauffeur ronchonna quelque chose sur les gens qui ne pouvaient pas aller à pied.

Cinq mois de grève n'avaient pas rendu ces gens-là plus aimables, décidément.

Le commandant Mercurot et sa femme habitaient une maison qui donnait sur les jardins de l'ambassade de Chine. Il était à l'État-Major, et Jacques de Sabran se trouvait sous ses ordres. A table, Fernand raconta sa conversation dans le train avec le général Dorsch. Mercurot eut un gros rire : " Pour une gaffe, ah là là! Comment, jeune homme, vous ne savez pas que Dorsch est l'amant de la belle Mme Brunel! Mais enfin! " Fernand était effondré. Mais il n'avait d'yeux que pour la sœur de Mme Mercurot, Catherine Simonidzé, qu'il avait tant craint de ne pas rencontrer ce soir-là chez le commandant.

En 1912, Catherine a vingt-six ans, et elle est un témoignage vivant de ce que le *Dictionnaire Larousse*

affirme des Géorgiens, à savoir que c'est la plus belle
race humaine qui soit au monde. Toutes les légendes
amassées sur l'origine des hommes et l'Iran et les
paradis terrestres et le Caucase au front duquel se
seraient suspendus des bateaux, toutes les explications
mythiques de la puissance des hommes blancs de l'Inde
aux mers armoricaines, viennent sombrer dans le
noir Orient de ses cheveux. Une masse de ténèbres
au-dessus d'une jeune fille, ployant son cou mince et
long, noyant sa tête d'oiseau dont il n'est possible de
retenir que les yeux démesurés, le regard vert sous
les cils incroyables, la bouche faite avec un rouge
sombre, le teint d'une blancheur surnaturelle. Espèce
de chimère moderne, très mince et sans défaut, la
féminité faite femme et juchée sur des talons Louis XV
à défier l'expression, roulée dans sa robe dirait-on
une espèce de fourreau de velours noir, avec des mains
et des pieds si petits qu'on prétend parfois que c'est
laid, enfant au-delà de l'enfance, et une voix profonde
comme la nuit, elle a l'air d'être la dernière expression
de tout un monde, son charme et sa négation. A vingt-
six ans, elle n'a pas cessé d'en avoir seize, malgré ce
sentiment qu'elle a d'être d'une beauté scandaleuse,
et elle aime ce scandale, entre autres. Bien que du
pays familial il n'y ait plus qu'une image effacée,
intermittente et lointaine au fond de ses yeux glau-
ques, et encore elle n'est pas sûre de ne pas confondre
Tiflis avec des paysages de la Suisse italienne où elle
se revoit à cinq ans accrochée aux jupons de sa mère,
et il y a des cristaux sur la table, et de la mandoline
en l'air, et des messieurs empressés autour de Mme Simonidzé, et des montagnes, les lacs bleus, des jouets

de bois peint... bien que du pays familial, et de son père, un homme avec une barbe noire et des puits de pétrole, elle ne sache guère que ce que racontent des photos jaunissantes que sa mère entasse dans un coffret persan, Catherine, comme Hélène Mercurot, son aînée, a gardé de là-bas ce roucoulement de pigeon, qui fait que dans un lieu public les gens se retournent surpris, et elle aime, par un certain mauvais goût à quoi tout conspire, à compliquer d'un parfum d'aventurière son allure imperdable de fillette blessée. Elle est, elle restera, du temps des cartes postales de Raphaël Kirchner, le Viennois, où des demi-vierges en camaïeu sur fond d'or soufflent des ronds de fumée, cueillent des cerises avec des bras nus. Le commandant Mercurot est arrivé à déshabituer sa femme de la cigarette, mais il doit bien supporter les Batscharis de sa belle-sœur, même à table, même quand il y a là un de ses subordonnés, comme le lieutenant Desgouttes-Valèze, ou Régis, ou Saint-Juran.

Le destin de Pierre de Sabran n'émeut pas très vivement Mlle Simonidzé. Elle dit que dans cette histoire s'il y a une victime c'est Mme Brunel, qui est très belle, paraît-il, et dans la société actuelle toutes les femmes sont des esclaves, et il faut prendre leur parti à toutes les occasions.

Le commandant fait observer que la victime a un certain train de maison, et somme toute partage avec son mari les fruits de l'usure, mais Catherine se fâche un peu. Puisque c'est son mari, c'est un maître, et vous êtes tous les mêmes à jeter la pierre aux femmes, elles ne sont pas solidaires de vous.

La main de Mme Mercurot s'est posée sur celle

du commandant, pour tacitement démentir les propos
de sa sœur.

"Je vous assure, mademoiselle, que Diane Brunel n'eſt pas intéressante. D'abord, elle eſt blonde,
et puis on dit qu'à part son mari (et Dorsch à en
croire le commandant) elle couche avec le Wisner
des autos...

— Et alors? voilà bien des propos d'hommes!
Wisner, lui, eſt-il moins *intéressant* parce qu'il a couché
avec Mme Brunel? Monſtrueuse inégalité! Tenez,
on voit bien que vous n'êtes que des soudards! "

Le commandant déteſte les sorties de sa belle-
sœur, mais il sait par expérience que ça n'arrange
rien de vouloir s'y opposer. Il regarde avec attendrissement Lenotchka, si différente.

Hélène Mercurot, de quatre ans plus âgée que sa
sœur, n'en a plus l'éclat, mais on peut la préférer
à Catherine. Elle eſt plus grande, elle a plus d'am-
pleur. Le lieutenant Desgouttes-Valèze ne la voit
tout simplement pas.

Il n'a rencontré Catherine que cinq ou six fois,
l'année précédente, il n'a parlé avec elle qu'une seule
fois, à un mariage, mais il n'eſt pas moins attiré par
ce qu'elle dit que par ce qu'elle eſt. Du moins, à
ce qu'il pense. Elle eſt moralement tout le contraire
des femmes qu'il a connues, jeunes filles, poules de
Saumur, femmes de supérieurs. Tout ce qu'il croit,
tout ce qu'il respeĉte, tout ce qu'il a appris, ce jeune
officier élevé à Stanislas, elle le bafoue à chaque mot,
et le dédain de sa narine parfaite déconcerte Fernand
à tout ce qu'il dit lui-même. Il se sent comme un pro-
vincial devant elle. Le parfum de Guerlain dont elle

est inondée est pour lui l'odeur de Tiflis. L'étrange
liberté de ses propos vient assurément de l'atmosphère des vergers des *Mille et une Nuits*. Ce fémi-
nisme même a pour soi l'excuse de l'Asie, sans qu'il
songe un instant à ce que cela peut avoir de paradoxal.
Géorgienne, ce mot est pour le lieutenant d'une beauté
surprenante, comme Catherine. Il se l'explique,
Catherine, en pensant : " C'est une nietzschéenne! "

Mercurot a su faire dévier la conversation sur
les événements des Balkans. Conversation militaire
qui écartera les femmes. Ah bah! Catherine, rapidement, est parvenue à couper la parole au commandant, et il s'agit bien maintenant de la stratégie en
Macédoine, de la possibilité de tenir ou non sur la
ligne du Wardar! Elle chante les louanges, avec
cette voix d'outre-Arabie qui est comme le grand
Opéra pour le jeune convive, des ouvriers des Balkans qui se mettent partout en grève pour protester
contre la guerre. Il paraît que c'est la première fois
qu'on voit une chose pareille, et il y a un Bulgare,
un nommé Sakasoff dont Catherine parle avec des
yeux brillants. Qui est-ce? Fernand suppose qu'il
s'agit d'un anarchiste. Cependant Catherine a ses
sympathies du côté des Turcs. Cela n'est pas très
compréhensible, et il semble à Desgouttes-Valèze
que si on a des sentiments de gauche comme Mlle Simonidzé, on doit souhaiter l'émancipation nationale
des Serbes, des Grecs et des Bulgares. C'est une guerre
démocratique, contre le sultan, qui est d'ailleurs
l'homme de l'Allemagne, pour la liberté, les principes
de 89. Catherine regarde le lieutenant avec pitié.

"Voulez-vous bien la laisser votre liberté avec

votre démocratie? Quand un pays qui se dit républicain est l'allié du tzar, du bourreau de Pétersbourg... La victoire des Turcs, c'est tout d'abord
l'écrasement du tzar, comprenez-vous, c'est pourquoi je la souhaite, moi, Géorgienne. Et il y a des
grèves à Pétersbourg et à Moscou, tout le temps
déjà, et il y aura des bombes... "

Mlle Simonidzé s'anime davantage encore lorsqu'ayant fait allusion à des incidents qui viennent
de se produire en Sibérie, dans les mines d'or, elle
constate que ces événements sont passés inaperçus
de tous ses interlocuteurs. Un peu étourdiment,
Fernand s'étonne surtout qu'il y ait des mines d'or
en Sibérie. Il l'ignorait. Le mépris de Catherine
éclate.

Le commandant, très ennuyé, préfère encore revenir au cadavre de Pierre de Sabran. Cela se fait par
l'intermédiaire de Wisner, et de la Serbie où il a des
intérêts. Et voilà le nom de Diane qui retombe dans
la conversation.

" Je parie, dit Catherine, qu'on ne lui a jamais
rien appris à faire de ses dix doigts. A broder peut-
être. C'est comme moi, j'aurais voulu apprendre
le piano, mais il n'y en avait que pour cette chère
Hélène, et on ne pouvait pas payer des leçons pour
deux. Enfin qu'est-ce que vous voulez qu'une femme
devienne, si ce n'est pas une ouvrière? Une cocotte,
mariée ou non. "

Fernand se porta au secours de Mercurot. Il parla
musique. Catherine alors s'humanisa. Le commandant s'épanouit. Il avait eu chaud : toute la soirée
il avait craint que l'affaire Bonnot ne vînt sur le tapis...

II

Quand M. Simonidzé était venu à Paris pour l'Exposition Universelle de 1900, il n'avait guère aimé trouver ses filles avec leur mère dans la pension de famille du Quartier Latin où elles avaient deux chambres. Le fils des propriétaires de la pension faisait la cour à Hélène. Et les yeux de Catherine réveillèrent sans doute un cœur au fond du porte-monnaie paternel.

Voilà comment Mme Simonidzé émigra avec ses filles dans un petit appartement de la rue Blaise-Desgoffe près de la gare Montparnasse, qu'elle meubla à tempérament chez Dufayel, parce que les géné-rosités de son mari avaient servi à amortir les dettes. La pension qu'elle recevait de lui était maigre, et sur-tout d'une irrégularité à frémir.

Vers cette époque, Mme Simonidzé qui venait d'atteindre ou de dépasser la quarantaine était déjà une vieille femme. Les cheveux gris qu'elle avait portés quatre ou cinq ans avec insolence, comme une coquetterie et un charme de plus, s'étaient trouvés un beau jour ne plus contredire son visage. Elle avait maigri et sa peau ne s'y était pas faite. C'est ainsi qu'un grand changement s'était produit dans la famille, et qu'on avait été réduit à la pension paternelle.

Quand Mme Simonidzé avait-elle quitté Tiflis et le foyer conjugal? En un temps dont Catherine n'avait pas mémoire, et des récits de sa mère, et des souvenirs d'Hélène, il résultait que là-bas, c'était le Moyen Age, les femmes maintenues dans une ignorance et une sujétion sordides, et que M. Simonidzé buvait, battait sa femme, et dansait au dessert.

Mme Simonidzé avait été plus belle que ses filles. Interlaken, Baden-Baden, Nice, Florence l'avaient vue tour à tour, d'année en année, dans un brouhaha de succès et de richesse. Il y avait sans cesse des fleurs dans ces chambres de passage où Catherine se sentait chez elle à Paris comme au Bodensee. Une femme de chambre suivait ces dames des plages du Nord aux pentes du Vésuve. Elle prenait soin des petites, quand les amis de leur mère venaient le soir la chercher, toute parée, avec ses épaules nues qui étaient son triomphe, pour ces fêtes mystérieuses dont les enfants rêvaient.

Il y avait sur la table à coiffer de leur mère, déballée avant tout là où l'on arrivait, une photographie d'un homme jeune, et pâle, que Catherine n'avait pas connu. Mme Simonidzé lui avait dit seulement que c'était là Grigori, un héros. Hélène prétendait s'en souvenir, et disait que Grigori jadis faisait des scènes à maman. Catherine à six ans songeait longuement devant ce beau visage, quand sa mère était sortie. Hélène l'y surprit. C'est comme cela que Catherine commença de détester sa sœur.

Deux fois l'an il fallait être à Paris quoi qu'il en coûtât, quels que fussent les plaisirs qu'on abandonnait, les messieurs désespérés qui parlaient de se tuer le soir dans le jardin de l'hôtel, les crises de

nerfs d'Hélène qui s'était fait des amies qu'on ne
retrouverait plus jamais, qui sait? dans nos voyages :
c'est que Mme Simonidzé devait s'habiller, com-
prends-tu, mon enfant. Chez Worth. Et jamais ailleurs.

Mme Simonidzé était entourée d'un halo de passion. Quelles différences entre tous ces hommes
que Catherine voyait rôder autour de sa mère, qui
lui envoyaient des bouquets, qui la conduisaient
au théâtre, et qui la regardaient tous de la même
façon! Il y en avait qui l'avaient suivie d'Isola Bella
à Ostende. D'autres semblaient attachés au décor
d'un seul lieu, et quand elle partait, elle avait l'air
de les déchirer comme une vieille lettre. Hommes
jeunes et oisifs, qu'un regard faisait pâlir. Vieux
diplomates apportant à combattre l'âge le soin qu'ils
donnaient aux affaires de leur pays. Officiers autri-
chiens ou anglais, hommes d'affaires du monde entier,
jusqu'à un prince égyptien avec lequel on avait par-
couru la Riviera italienne.

Puis Hélène avait été mise au couvent, quelque
part près de San Remo, où elle s'était liée avec des
petites filles si riches, que ça n'était pas croyable.
Catherine resta dans les jupes de sa mère, comme un
petit chat, toute seule avec la photo de Grigori.

Mme Simonidzé rencontrait parfois en Suisse
des compatriotes, ou tout au moins des Russes,
qu'elle connaissait de là-bas. C'étaient pour la plupart des gens très différents de ses amis occiden-
taux. Des étudiants, des professeurs, des médecins.
Des gens graves, assez mal tenus, véhéments. Ils
avaient de longues conversations, que Catherine
s'efforçait de suivre, sage, dans un coin, bien qu'ils

employassent en russe de nombreux mots dont elle
ignorait la signification. Après cela, Mme Simonidzé
avait des crises de tristesse, elle mettait tout le monde
à la porte pendant quarante-huit heures. Puis il faisait beau. Un prince de la maison de Wittelsbach
qui lui faisait la cour venait chercher la boudeuse
en tonneau, et la photo de Grigori restait seule avec
la petite fille dans une chambre d'hôtel. Ils avaient
parlé de lui, cette fois. Le monsieur au lorgnon avait
demandé à maman, peut-être pas des nouvelles de
Grigori, mais quelque chose d'approchant. Et Catherine avait bien vu que maman avait pleuré.

Mme Simonidzé ne croyait pas en Dieu. Elle
racontait à Catherine comment les prêtres vivent
de la crédulité publique, et en Russie c'est le tzar
qui les commande, qui est une espèce d'idiot, l'idiot
le plus riche de la terre, et une brute extraordinaire.
La preuve qu'il n'y avait pas de Dieu était que les
révolutionnaires qui voulaient en débarrasser la Russie
n'arrivaient pas à le tuer, comme ils avaient fait de
son prédécesseur. Catherine s'était fait raconter très
souvent la mort d'Alexandre II. Comment le tzar ce
jour-là revenait de passer une revue, et comment les
nihilistes l'attendaient dans plusieurs rues parce qu'on
ne savait pas laquelle il emprunterait pour le retour.
Pétersbourg est une ville avec des canaux, et Catherine
connaissait Venise et Bruges, et elle s'imaginait
d'après cela la scène quand la voiture impériale passe
vers le soir, il fait un temps superbe, avec un cosaque
sur le siège à côté du cocher, et le tyran en costume
d'officier du génie, le long du quai bordé d'hôtels
de la noblesse. Malgré elle, le jeune paysan qui surgit

tout à coup et qui jette une bombe dans les jambes
des chevaux, elle se le représentait toujours avec les
traits de Grigori. C'est cette bombe-là qui en avait
fait du bruit en éclatant! Le tyran n'avait rien, il était
sorti du coupé en miettes, dans la neige, dure encore
sous le soleil de février, mais le cocher, le cosaque,
des passants, les chevaux, étaient tués. Et l'homme qui
avait lancé la bombe était traîné devant lui, à demi
assommé par la police. Ici Catherine devenait toute
froide, parce que c'était Grigori que frappaient les
gendarmes, Grigori que le tzar interrogeait. Comme
le tzar va monter en traîneau, quelqu'un lui demande
s'il n'est pas blessé : " Grâce à Dieu, non! " répond-il.
Mais à ce moment surgit un autre paysan : " Ne dis
pas encore grâce à Dieu! "

Le second paysan ressemble aussi à Grigori. Peut-
être même que c'est lui, et que l'autre c'était son
frère. Comme il a bien lancé la bombe, juste dans
les pieds de l'Empereur! Le monde s'est obscurci
dans un coup de tonnerre : toutes les demeures de la
noblesse ont tressailli, et les vitres se sont brisées
aux fenêtres, et quand la fumée se dissipe, Alexandre
est encore debout, mais sanglant, contre le parapet
du canal, et tout autour de lui, il y a des cadavres,
comme une image de son règne, et des blessés rougis-
sent la neige. Et le tzar dit : " J'ai froid! "

Cinq hommes et une femme. Les conjurés qui
guettaient l'empereur étaient cinq hommes et une
femme, là dans la rue, avec les bombes; sachant
qu'ils donnaient leur vie en prenant celle du tzar.
Comme ils avaient dû sentir battre leur cœur après
la première bombe, quand Alexandre était apparu

sain et sauf, tandis qu'à côté de lui tombait un garçon boucher qui portait une corbeille sur sa tête!
Et la longue histoire des jours d'avant l'attentat!
La femme, c'était la comtesse Perovskaïa. Elle était
enceinte. On ne la pendit point avec les autres : elle
dut mettre au monde d'abord un enfant dont on
ferait un soldat du tzar un jour. Quand l'enfant fut
né, Alexandre III fit pendre la comtesse.

Mme Simonidzé prononçait avec une tendresse
extraordinaire le nom de la comtesse : Perovskaïa...
Mais Catherine ne pensait qu'aux cinq hommes,
qui tous les cinq étaient Grigori pour elle.

Quand, aux vacances, Hélène les rejoignit à Vevey,
elle était toute changée, elle ne parlait pas à Catherine, trop petite. Elle était devenue très pieuse, au
couvent, et Mme Simonidzé n'était pas contente,
mais Hélène obstinément portait un scapulaire, et le
soir elle n'en finissait plus de dire ses prières. Catherine regardait ces simagrées avec horreur, sa sœur
obéissait au tzar maintenant sans doute : elle était
passée dans le camp de ceux qui faisaient pendre
Grigori.

Hélène apprenait le piano et le chant au couvent.
Catherine l'enviait pour cela, car elle adorait la musique.
Elle pria sa mère de les lui faire enseigner. Mais ce
n'était pas commode, toujours en voyage. D'ailleurs
il y avait le temps. Et puis Mme Simonidzé, qui
avait une secrète préférence pour Hélène, était sûre
que Catherine n'avait aucune disposition pour le
piano. Quant au chant, ce n'est pas bon pour la voix
d'étudier trop tôt.

A vrai dire, Catherine commençait, même alors,

à ressentir les effets de cette préférence maternelle.
Elle en souffrait. Mme Simonidzé, malgré ce que le
couvent comportait de contradictions pour elle à
toutes ses idées, n'hésitait pas à y laisser sa fille aînée,
parce qu'elle avait pour celle-ci une ambition sociale
aussi grande que son affection exclusive. Hélène
était si jolie! Il faudrait un jour qu'elle ait tout, les
bijoux, les dentelles, le luxe. Tout ce que Mme Simonidzé savait fort bien qu'elle n'avait que pour quelques jours.

Et qu'il avait suffi un peu plus tard de pas grand-
chose, quelques rides, cette peau un beau jour qui
n'était pas revenue sur elle-même, pour lui retirer
tout à fait.

III

Catherine avait huit ans l'année que sa mère prit à
Paris un appartement meublé qui fut sa dernière
splendeur. Ce qu'était au juste M. Dérys, Catherine
ne se le demanda pas, mais elle détestait ses moustaches
quand il l'embrassait.

M. Dérys était très malheureux certains jours quand
Mme Simonidzé lui reprochait sa richesse et son
écurie de course. Catherine jouait parmi les poufs
et les meubles de bois noir avec la demi-douzaine
de poupées que M. Dérys lui avait apportées, et auxquelles elle préférait avec une partialité passionnée
une espèce de Tonkinoise en carton-pâte, achetée

par sa mère avec elle, sur les boulevards, dans les
boutiques du jour de l'an.

Mais M. Dérys était très occupé, et le plus souvent
il y avait là des hommes jeunes et quelques femmes,
qui parlaient pendant des heures des livres que maman
lisait. Ibsen, Mirbeau. Catherine aurait tant voulu
que sa mère lui lût Mirbeau. Elle s'imaginait ces
livres qui faisaient tant parler, que c'était comme un
alcool. Des livres où il devait faire toujours chaud,
avec un grand soleil, et des hommes très beaux et
très bons, persécutés par la société, qui s'éprenaient
d'une jeune fille et s'enfuyaient avec elle dans un pays
merveilleux avec des oiseaux verts et des chansons.

Mme Simonidzé lisait, comme si elle s'était sentie
vieillir. Elle voulait connaître les hommes qui avaient
écrit ces paroles où elle trouvait contre la vie fuyante
une espèce de drogue tragiquement inutile. Elle parlait à Catherine comme Catherine à ses poupées :
" Tu verras, mon petit chat, tu verras le monsieur
qui va venir... Il est très beau, il a des yeux si clairs...
Non, il a des yeux noirs... C'est un grand écrivain,
un poète !... Tu n'en as jamais vu de pareils, il te sur-
prendra... Il faudra être bien sage et je te mettrai ta
robe verte, et tu n'iras pas te coucher... On l'appelle
Laurent Tailhade... " Mme Simonidzé récitait la
ballade à l'anarchie, et Catherine attendait tout le jour
en répétant à sa Tonkinoise : " Il faudra être bien sage...
Je te prendrai avec moi... " et dès quatre heures de
l'après-midi, avec une sévérité qui frisait la tyrannie,
couchait toutes les autres poupées, implacablement,
en vue de la visite du soir.

Un des auteurs favoris de Mme Simonidzé était

Marcel Schwob. Elle s'étonnait que sa voix n'atteignît pas, non pas ce public absurde qui va s'entasser le soir au Palais-Royal et aux Nouveautés, mais l'immense masse populaire pour laquelle elle ne ratait pas une occasion d'afficher une sympathie agressive. Au fond, il en était de Schwob comme d'elle-même : une sorte de malédiction le séparait des foules, pour lesquelles chacun de ses mots étaient nés. Mme Simonidzé de même, qui éprouvait avec une acuité croissante, ce qui la retranchait de tout un monde, n'était-elle pas du parti des ouvriers qu'on voit passer dans les rues avec un sac à outils sur l'épaule? Mais quel commun langage pouvait-il y avoir entre elle et eux?

Mme Simonidzé finit par rencontrer Schwob, et elle parla à Catherine avec feu de la jeune femme de son favori, une actrice. Celle-ci vint même une fois à la maison. Elle était très belle au goût de Catherine. Catherine rêva d'être actrice et mariée à un grand écrivain.

Qui était-ce qui avait amené un jour cet homme grand et maigre, avec une barbe brune, en pointe, et le teint de ceux qui ont vécu aux colonies, un front immense, Catherine par la suite ne put s'en souvenir? Il revint trois ou quatre fois, et il parlait de l'Argentine; l'enfant comprit que l'Argentine était ce pays auquel le nom de Mirbeau la faisait invinciblement rêver. Tapie contre sa mère, elle écoutait les récits des forêts du Grand Chaco, des plaines tropicales où sur les herbes hautes de deux à trois mètres passent les oiseaux-mouches qu'un beau jour remplacent les étincelles d'un incendie soudain. Comme il se passionnait à décrire les flammes, le visiteur! Il appelait ces

jours où le feu régnait sur son horizon ses *Pâques
rouges*. Il parlait de ses lectures là-bas, des insectes
qu'il collectionnait. Catherine n'osait pas lui demander
de montrer ses papillons. Elle voyait bien que c'était
un homme très pauvre, et Mme Simonidzé pour lui
parler mettait plus d'emphase que jamais, disant
que loin de toute civilisation, comme cela, elle aurait
aimé vivre, auprès de ces nations primitives qui ne
connaissent pas l'horreur des machines, l'exploitation,
le règne sanglant des bourgeois.

Le visiteur secouait sa tête, et sur son front élevé
Catherine suivait les veines visibles de la pensée.
Elle ne comprenait pas tout ce qu'il disait, et quand
il cessait de parler de l'Argentine, elle s'attardait
après lui dans ce pays de merveilles où les singes
hurleurs, les crocodiles et les pumas ornaient pour
elle un décor déjà familier, un décor élu, quand sa
mère lui lisait la *Géographie universelle* d'Élisée Reclus.

Ces quelques visites firent en elle une impression
profonde et elle se souvint de la dernière, bien que
rien après tout ne s'y fût passé d'étonnant, comme
de quelque chose de solennel, de quelque chose qui
présageait de grands événements. *Il* avait parlé de
son enfance, et Catherine alors avait frémi de l'imaginer petit, comme elle, un camarade avec lequel elle
aurait regardé les illustrations de l'Atlas, partagé ses
jouets. Car il serait venu jouer chez elle, et elle l'aurait
embrassé pour le réchauffer quand il serait arrivé de
la rue froide et on lui aurait donné des beurrées, du
cacao. Avait-il alors déjà ces veines pensives à son
front enfantin, dans le village des Ardennes où il
gardait les bêtes et songeait de longues heures au bord

mystérieux des mares? Et quand le pâtissier Corbet à
Paris le battait pour avoir flâné en revenant à la boutique? Et plus tard à Sedan devant le four à puddler,
à treize ans, nu jusqu'à la ceinture, épuisé par la charge
trop lourde à retourner, avec l'haleine affreuse du
charbon et du feu sur sa figure? Et l'Algérie, avec sa
fabrique de chaussures militaires, la prison, et, loin
dans l'intérieur, le travail misérable dans une carrière
à plâtre, les fièvres, l'hôpital.

Catherine avait vu des larmes dans les yeux de sa
mère. Elle ne savait pas trop de quoi l'on parlait,
assez vaguement, mais qui devait se produire. C'était
le soir, et comme toutes les fois, sauf la première, il
n'y avait là que Mme Simonidzé, Catherine et le
visiteur.

Il disait, caressant les cheveux de l'enfant, combien
sa présence ici lui paraissait bizarre. Il vivait très misé-
rablement dans la banlieue. Il avait une petite fille
un peu plus grande que Catherine, Sidonie. Il gagnait
vingt francs par semaine chez un maroquinier. Il lui
aurait fallu une chambre *pour ses études*. Mais pour cela
ne fallait-il pas au moins payer une semaine d'avance?
Catherine n'écoutait plus rien, elle était jalouse de
Sidonie, et elle aurait voulu la connaître. Est-ce que
Sidonie avait été en Argentine?

Mme Simonidzé, comment s'y était-elle prise?
avait donné de l'argent à son visiteur. Cela, Catherine
en était sûre, et elle en était honteuse, et terrifiée,
parce qu'elle avait peur que, lui, jetât l'argent à terre
et prononçât soudain des paroles terribles.

Mais il était là, immobile, au moment de partir,
la main ouverte, avec une pièce d'or de vingt francs,

l'air misérable. " Je vous remercie, madame, dit-il.
Il y a là aussi pour la valise, mais il ne faut plus que
nous nous revoyions. " Sa main s'était refermée sur
le louis et le serrait comme une arme. Mme Simonidzé,
tremblante, près de la porte dit seulement : " Après?

— Il y a très peu de chances, madame, ou tout
au moins qui sait? Quand je défendrai ma tête... "

Il y avait des fleurs partout dans la maison, et
quand elle fut seule, Mme Simonidzé n'en put plus
supporter la vue. Elle allait par l'appartement, heureuse
après tout d'avoir imaginé de le défleurir. Elle s'arrêtait devant les miroirs. Et elle dit à l'enfant, qu'elle
oubliait d'envoyer au lit : " Suis-je donc si laide,
Katioucha, ou déjà si vieille? "

Pour la Saint-Nicolas, M. Dérys apporta à Catherine
une maison de poupée avec quatre pièces, et tous les
petits meubles, et la cuisine avec les casseroles, les
plats, les assiettes, une merveille. Mme Simonidzé
accueillit très mal ce cadeau, et refusa en se fâchant de
le mettre le soir sur les pantoufles de la petite dans la
cheminée. Elle trouvait ça idiot, remit l'objet directement à Catherine, et devant M. Dérys consterné
expliqua à sa fille toute la mystification de saint Nicolas
et de Noël, répéta qu'il n'y avait pas plus de Dieu que
de saint Nicolas, mais qu'avec tout ça Catherine *devait*
embrasser M. Dérys et le remercier. Catherine s'exécuta,
très gênée, et détournant les yeux, tandis que M. Dérys
balbutiait qu'il n'y était pour rien et que c'était le
petit Jésus, sur quoi il fut proprement traité d'imbécile, se fâcha, partit tout rouge et bouda pendant
quatre jours.

Au bout de ce temps, il réapparut extrêmement

confus et cherchant par des cadeaux et des fleurs à se faire pardonner, ce que Mme Simonidzé qui lui parlait toujours d'une façon très méprisante n'eut garde de lui refuser, car cela avait été le matin même un défilé ininterrompu de fournisseurs. Décembre est un mois ruineux. M. Dérys implora la faveur de mener ce soir-là Mme Simonidzé et sa fille à dîner dans un grand restaurant des boulevards. Il l'obtint.

Mme Simonidzé, ce soir-là, était splendide, et la petite avait une robe faite dans le même taffetas que la toilette de sa mère. Par la fenêtre, elle aperçut le coupé de M. Dérys. Celui-ci tomba dans l'appartement, et la femme de chambre, qui portait le bonnet tourangeau, prévint madame qu'il devait être arrivé quelque chose à monsieur, parce que monsieur n'avait pas l'air très bien.

Dérys, affalé sur la liseuse du boudoir, ne lâchait pas *La Patrie*, qu'il tenait dépliée, et où on pouvait voir en effet qu'il s'était passé quelque chose rien qu'à la dimension des titres. Il était bien question d'aller dîner en ville un soir pareil! Une bombe avait été lancée l'après-midi à la Chambre des députés, juste comme le vicomte de Montfort allait prendre la parole, et on ne pouvait pas encore dire le nombre des morts! Un anarchiste, bien entendu. C'était Ravachol qui recommençait. Quel effet est-ce que cela allait avoir sur la Bourse? Et Dérys qui jouait à la hausse! Charles Dupuy avait été héroïque. Il présidait la séance, et il avait dit aussitôt après l'éclatement de l'engin : " Messieurs, la séance continue! " En attendant, dans les tribunes, des femmes et des enfants avaient été mis en bouillie.

" En bouillie! " répétait Dérys, et sa main qu'il n'avait pas eu même l'idée de déganter décrivait un cercle beurre frais comme si elle eût agité cette bouillie dans une marmite imaginaire. On nommait déjà des victimes : le général Billot, le baron Gérard, le comte de Lanjuinais, l'abbé Lemire... Celui-ci n'avait que ce qu'il méritait avec ses idées! Mais enfin tout de même est-ce qu'on allait repasser par les jours sombres de 1892, l'attentat de la rue de Clichy, la bombe chez Véry! Maintenant c'était le Palais-Bourbon. Demain nous sauterons tous!

" Est-ce qu'on a arrêté l'anarchiste? " demanda Mme Simonidzé. Probablement, on avait arrêté tout le monde, alors... sans doute que dans le tas...

Catherine était très triste de s'être habillée pour rien, et enfin elle trouvait que tout ça n'était pas une raison pour la priver d'un plaisir. Mme Simonidzé, non plus d'ailleurs, car elle s'arrangea les cheveux devant la psyché et dit avec tout le charme et la lassitude du Caucase dans sa voix : " Allons, mon ami, remettez-vous! J'ai, ce soir, une irrésistible envie de champagne. Pendant que nous nous habillons, allez donc me chercher un camélia : une robe, sans fleur, a l'air vraiment de n'être pas finie... "

Il avait fallu mettre Dérys dehors.

IV

Quand il fut parfaitement établi qu'aucun miracle
ne rendrait plus à la vie de Mme Simonidzé le lustre
évanoui de la jeunesse, quand les miroirs lui eurent
montré cette infinité de petites rides près des yeux,
cet effondrement prématuré du cou, qui ne permettaient aucun espoir, quand elle eut mesuré les maigres
ressources qui lui restaient, le problème se posa pour
elle de savoir s'il fallait retirer Hélène de la pension
élégante où elle l'avait mise.

Pas un instant l'idée ne l'effleura qu'il pouvait y
avoir des maisons d'éducation à plus bas prix où sa
cadette et sa première-née eussent pu l'une et l'autre
étudier. Catherine ne comptait pas plus qu'un petit
animal, mais pour Hélène, pour permettre à Hélène
de ne pas déchoir, tout ce que cette mère partiale
pouvait avoir à vendre se vendit. Les dentelles, les
bijoux partirent. Mme Simonidzé se dépouillait de
tout peu à peu. Il y avait déjà longtemps qu'il n'était
plus question de Worth : même une petite couturière
à façon qui venait à la maison travailler d'après les
journaux de modes devint bientôt une splendeur insou-
tenable, et elle ne sonnait plus chez les Simonidzé que
pour se faire payer les journées en retard. C'était Catherine qui allait entrebâiller la porte, prétendant que sa
mère n'était pas là, et elle recevait honteusement les
doléances de la couturière. Si Mme Simonidzé ne

pouvait pas lui allonger d'un coup les cinquante francs qu'elle lui devait, pourquoi ne les lui donnerait-elle pas par dix francs? Mais revenir, comme cela cinq, six fois, pour réclamer son argent, quand il faut travailler et qu'on a des bouches à nourrir. Avec ça, que c'était haut cinq étages. Les yeux de Catherine fuyaient.

Même ce cinquième devint un luxe auquel il fallut renoncer. Alors commença la tournée des garnis, puis la chambre d'hôtel qu'un beau jour on quitte après de longues semaines martyrisées par les regards des domestiques et des patrons, l'angoisse, à chaque entrée ou à chaque sortie, de la question redoutée, l'escalier qui vous brûle les pieds, les difficultés du blanchissage.

On venait de déménager dans une pension de famille près du Luxembourg quand Hélène fut retirée de pension. Elle avait quatorze ans et des manières de dame. Son trousseau de l'école dura quelque temps, et Catherine comparait avec jalousie son linge à celui de sa sœur. Chaque jour, Hélène au piano du salon faisait une heure d'exercices, et vocalisait. Elle eut très vite l'attention des vieilles dames et de quelques jeunes gens sournois, pour lesquels elle jouait du Chopin, l'*Impromptu-Fantaisie*, son succès.

Catherine, plantée dans un coin du salon, près d'un cache-pot drapé où s'étiolait un phénix, restait longuement à l'abri de la semi-obscurité que la maîtresse de pension y maintenait, même quand Mlle Hélène était au piano *puisqu'elle jouait par cœur*, pour que le soleil ne fanât point les meubles, d'ailleurs nantis de housses.

Catherine sentait grandir en elle de très vilains sentiments. Tout ce que sa sœur avait, et qu'il n'était pas question qu'elle eût, lui était une abominable souffrance. Mais surtout la musique. Elle suppliait sa mère de lui en faire donner des leçons. Cela n'était vraiment plus possible. Catherine se glissait comme une voleuse au salon, quand personne n'y était et, relevant le couvercle du *Paucelle et Coquet*, elle en regardait longtemps les touches jaunies. Parfois, elle passait très vite ses mains sur le clavier, et elle frissonnait tout entière. Peu à peu elle s'enhardit.

Un jour Mme Simonidzé la surprit jouant un air qu'elles avaient entendu la veille dans un café-chantant où elles avaient été toutes trois, mais qu'elles avaient dû quitter précipitamment à cause des grossièretés d'un voisin qui importunait Hélène; ce jour-là, Mme Simonidzé regretta de n'avoir pas songé, dans les temps meilleurs, à faire instruire sa fille. Elle dit à Hélène d'essayer de donner des leçons de musique à sa sœur.

Catherine, profondément humiliée, se sentait prise entre sa haine pour sa sœur et sa passion de la musique. Hélène d'ailleurs détestait avoir à s'occuper de la petite. Elle l'écrasait de son mépris parce qu'elle ne pouvait du premier coup jouer du Grieg. A vrai dire avec une rapidité extrême, Catherine put, à sa façon, jouer n'importe quoi avec l'inexactitude de l'ignorance et de l'instinct, alors qu'elle savait à peine lire ses notes. Cela aussi fâchait la grande sœur, qui interrompait Catherine pour se mettre à sa place, et jouer, ce qui s'appelle jouer.

D'ailleurs, les leçons étaient vite coupées par l'entrée au salon d'un des jeunes gens qui faisaient la

cour à Hélène — provinciaux à peine sortis de leur
famille, qui les avait mis en pension ici, parce que
c'était le genre de maison où ils ne pourraient pas
ramener chez eux des filles. Issus de familles catholiques, dans leurs hauts faux cols avec des cravates
bouffantes ombiliquées par une petite épingle d'or,
cadeau de première communion, ils avaient des manières très correctes, mais, hypocrites, s'arrangeaient
pour flairer les cheveux d'Hélène, rencontrer ses mains
dans le casier à musique où il fallait toujours remuer
tout un paquet d'exercices de Czerny et de polkas en
miettes pour trouver l'air de Mozart ou de Haendel
qui mettait en valeur l'étrange contralto d'Hélène,
dont Catherine même éprouvait le charme d'au-delà
des mers.

A dix ans, Catherine avait déjà des hommes une
curiosité brûlante, et leurs regards posés sur sa sœur
lui causaient, à elle, une souffrance, pire encore que
sa jalousie musicale. Au Luxembourg où elle allait
se promener toute seule, ne songeant pas un instant
qu'elle pût se lier avec les enfants de son âge dont les
jeux bruyants l'effrayaient et lui paraissaient puérils,
elle errait pendant des heures, tandis que sa sœur faisait salon, et que sa mère, qui ne se levait souvent pas
l'hiver jusqu'à la nuit, traînait au lit, dans sa chambre,
lisant, lisant, lisant sans cesse, avec des bouts de cigarettes jetés partout dans la pièce, qu'elle enfumait.

Non, ce n'étaient pas les enfants qui attiraient
Catherine dans ce jardin où elle préférait les coins
solitaires, non point pour leur solitude, mais pour la
qualité des couples qu'elle y rencontrait. Elle s'ados-
sait à un arbre, et feignant de méditer elle s'absorbait

dans la contemplation des amoureux. Ou bien, aux
heures d'affluence, elle circulait dans la partie du jardin
qui va de la terrasse au carrefour Médicis, à regarder
des groupes de jeunes hommes, riant et bavardant comme un monde de mystères joyeux, et ces femmes qui
se mêlaient à eux avec tant d'incompréhensible insolence, des robes si nouvelles que Catherine en rêvait,
et poudrées, fardées, les lèvres rouges.

Elle était très éloignée de sa mère, du fait du retour
d'Hélène. Pourtant en 1897 quelque chose les avait
rapprochées, une passion commune, au moment de
l'entrevue de Cronstadt et de l'alliance franco-russe.
Une révolte. La France, la terre de la liberté, s'allier
ainsi aux bourreaux russes! Mme Simonidzé disait
que le tzar allait exiger de Félix Faure qu'on lui livrât
tous les réfugiés, révolutionnaires, nihilistes. L'enfant
sentait avec une terreur qui la tenait éveillée l'étroi-
tesse de cette terre sur laquelle il n'y aura bientôt
plus moyen de se cacher, sur laquelle ce ne sera plus
assez bientôt comme autrefois que de passer les frontières gardées sous un déguisement pour fuir le cauchemar d'un pays, comme on s'évaderait d'un siècle du
Moyen Age directement dans les jours d'aujourd'hui.
Catherine détesta Félix Faure.

On ne quittait plus Paris. C'était là la plus grande
modification de la vie des Simonidzé. Même l'été,
quand la ville était vide, le Luxembourg abandonné
des jeunes gens et la proie des nourrices, des ménagères et des enfants qui font des pâtés de sable sans
sable, et sucent des cailloux, l'horizon de Catherine
restait le même. Elle surprit un jour Hélène près de la
fontaine Médicis avec un jeune homme qu'elle, Cathe-

rine, ne connaissait pas. Cela lui fut un coup extraordinaire. Elle méprisa sa sœur et s'en fut en courant.

A la table d'hôte, avec l'été, de nombreux étrangers avaient remplacé les jeunes gens catholiques
qui courtisaient Hélène. Les repas étaient pour Catherine un insupportable supplice. Elle souffrait des
taches sur la nappe, des ronds de serviette, de la conversation. Aussi accueillit-elle comme une partie de
plaisir le changement de résidence qui survint vers
septembre. Il y avait dix-huit mois qu'on habitait
dans cette pension : M. Simonidzé s'étant montré
très régulier dans cette période, sauf une fois, on avait
toujours payé la pension au jour dû. Il est probable
qu'en août il avait voyagé, été quelque part à la campagne, mais tout à coup le mandat s'était trouvé en
retard de trois semaines, et Mme Gelotte, la propriétaire de la pension, avait fait à Mme Simonidzé des
remarques telles que celle-ci ne put les supporter et,
dès l'argent arrivé, paya et s'en fut.

Cette fois, la famille prit une seule grande chambre
dans un hôtel; mais il n'y avait que deux lits. Catherine naturellement couchait avec sa mère. Elle avait de
cela une horreur physique qui la faisait silencieusement pleurer, la lampe éteinte : une grosse lampe à
pétrole, d'un système si perfectionné, si moderne,
que dès qu'elle charbonnait ou filait il fallait appeler
le garçon pour l'arranger, parce que jamais ces dames
n'avaient pu saisir le système.

Le garçon avait peut-être vingt ans, et souvent il
faisait le ménage avec ses manches relevées. Catherine
regardait ses bras, et ensuite sous la chemise elle
retrouvait, à l'aisance des mouvements, les muscles

qui lui rappelaient des statues dans les jardins publics.
Mais Alfred, qui cherchait tous les prétextes pour
entrer à l'improviste chez ces dames, n'avait d'yeux
que pour Hélène. Et Hélène ne savait même pas qu'il
existait. Hélène dans la rue s'intéressait aux Polytechni-
ciens.

En 1898, on fit quatre ou cinq hôtels et pensions.
Les tables d'hôte alternaient ainsi avec les repas pris
dans la chambre, sur un petit réchaud qu'on cache
précipitamment dans l'armoire quand quelqu'un tape
à la porte, et les déjeuners dans des crémeries chaudes,
en comptant dix fois pour ne pas dépasser le maigre
budget alimentaire. Périodiquement Mme Simonidzé
déclarait qu'il n'y avait que la pension de possible,
parce qu'ainsi on était sûr de manger tous les jours.
Mais périodiquement le dégoût des haricots pleins de
fils et du retour de la même sauce aux câpres, confondante, faisait que, tant pis, on aimait mieux l'aléa des
petits restaurants, la graisse noyant la nourriture, le
veau un peu vieux, les bouchées à la reine douteuses
où on retrouvait tout ce qu'on n'avait pas voulu du
menu la veille, les hachis bon marché, le petit fromage
désespérant qu'on vous met sur l'assiette en affirmant :
" J'espère qu'il est bien fait, celui-là ! " d'une manière
qui est sans réplique. Il y avait des fins de quinzaine
où c'était impossible d'aller deux fois par jour dans un
de ces bouillons, et où on s'attardait alors dans un café
avec des bretzels. Il y avait des fins de mois, où tout
simplement on renonçait à sortir de la chambre, quitte
à faire durer un pot de confitures. Mme Simonidzé
lisait et fumait. Hélène fumait sans lire. Catherine
collait son nez aux vitres. Ni Hélène ni sa mère n'au-

raient jamais songé qu'elles pouvaient améliorer leur
situation en travaillant. L'argent tombait du ciel
par la poste, venait du lointain, du problématique
M. Simonidzé, qui avait des puits de pétrole. C'était
une chose due, un peu parcimonieusement sans
doute, mais sans aucun lien avec la vie. A vrai dire,
on n'y songeait pas. L'argent arrivait ou n'arrivait pas,
et c'était tout. A partir d'une certaine date, on commençait à attendre le facteur. On avait la crainte que
la lettre annonçant le dernier changement d'adresse
ne fût pas parvenue à Tiflis, ou qu'elle ait dû courir
après son destinataire, en Turquie ou à Pétersbourg.
Quand enfin l'argent arrivait, Mme Simonidzé faisait
preuve de toute la prudence dont elle était capable
en acquérant d'un coup quelques centaines de cigarettes, de peur d'en manquer comme l'autre mois,
ce qui la rendait nerveuse, au point qu'elle avait les
mains qui tremblaient quand elle restait trois ou quatre
heures sans fumer.

V

La rue Blaise-Desgoffe est une rue tranquille, et
sans doute qu'au début les dames Simonidzé y firent
tache, parce qu'elles étaient étrangères, qu'elles se
levaient à midi ou plus tard, restaient des jours sans
sortir, recevaient un tas de gens, et des messieurs
tant et plus, fumaient, s'habillaient de façon voyante,
et n'avaient presque rien chez elles, si bien que les

fournisseurs venaient chez la concierge demander
si vraiment on pouvait faire crédit. Mais, à la longue,
ces dames appartinrent au paysage, il y eut de nouveaux locataires au 7, des artistes qui firent jaser davantage; Mme Simonidzé parla un jour avec la fillette du
rez-de-chaussée, grimpée sur la fenêtre et la mère se
mêla de la conversation, et elle rougit de plaisir parce
que la flatteuse prétendait que la petite ressemblait
à s'y méprendre à l'une des grandes-duchesses; une
des bonnes du 3 qu'un individu poursuivait dans la
rue de Rennes, reconnaissant Catherine, lui demanda
en tremblant de marcher à côté d'elle, ce qui était
très crâne à elle d'accepter, dirent les voisins : enfin
la rue les avait adoptées.

De l'ancien monde de Mme Simonidzé, bien peu
étaient restés fidèles. Catherine ne reconnaissait de
jadis que quelques compatriotes, des exilés. Pour le
reste des relations, c'étaient assez essentiellement celles
d'Hélène : amies de pension, de passage à Paris, car
les Parisiennes ne poursuivaient pas longtemps des
rapports commencés au couvent, dans un milieu où
l'on avait pu croire Hélène et plus riche et mieux appa-
rentée. Et puis des cousins de ces amies, qu'on revoyait
davantage. Des amis des cousins. Hélène était vraiment très belle, bien qu'elle n'eût pas de santé, et que
cela lui gâtât parfois le teint.

Dans tout cela Catherine se sentait affreusement
déplacée et malheureuse. L'appartement était petit,
il n'y avait pas une pièce où se retirer quand Hélène
recevait ses amis et que Mme Simonidzé, en peignoir,
traînait chez elle à lire et à bayer. Catherine sortait
par agacement, et pour laisser la place à des gens qui

n'étaient pas venus pour elle. Elle s'était fait à quinze
ans un ami parmi les exilés de sa mère. Un certain
Tseretelli, qui était placier en robinets, un vrai révolutionnaire celui-là, assurait Mme Simonidzé. Mais le
plus souvent elle était toute seule.

Le monde de sa sœur reflétait fidèlement les goûts
que celle-ci avait ramenés de San Remo. Elle aimait
l'uniforme, et si tous ses amis, ou du moins ceux qui
se plaisaient à revenir chez elle, n'étaient pas nécessai-
rement des Saint-Cyriens, peu s'en fallait. En tout cas,
les autres appartenaient à des milieux où les idées
régnantes étaient celles des cercles militaires. Jeunes
gens catholiques pour la plupart, très réservés. Il
arrivait bien que, par quelque micmac ou des relations
de quartier latin, l'un d'eux amenât un Turc, comme
celui qui demanda la main de Catherine quand elle
avait quatorze ans. Mais le plus souvent, dans les trois
pièces de la rue Blaise-Desgoffe, défilait ainsi un
choix assez uniforme de jeunes hommes, dont toutes
les pensées étaient aux antipodes de celles que Catherine tenait de sa mère, ou qu'elle avait eues toute seule,
au-delà de sa mère.

C'est par Régis, camarade à Charlemagne du lieutenant Mercurot, cousin d'une des sœurs, sœur Sainte-
Marie-des-Flots, de l'Institution de San Remo, que les
dames Simonidzé entrèrent en relation avec Mlle Josse.
Brigitte Josse était de Bessèges, et elle arrivait à
Paris, son père mort. Mme Josse, sa mère, avait attendu
avec impatience cet événement si tardif, pour venir se
fixer dans la capitale. Le défunt dirigeait des mines,
dans cet infect trou méridional (Mme Josse était née
à Cherbourg) où elle avait abîmé le plus clair de sa

vie. A vrai dire, on ne voyait pas trop en quoi Mme
Josse, qui ne sortait guère de son appartement de
Passy et de la tapisserie au petit point sur laquelle elle
achevait ses yeux guettés par une maladie qui les blan-
chissait, en quoi Mme Josse était plus avancée à
Paris qu'à Bessèges. Le matin, elle allait bien un peu
dans le quartier, les jours de marché, pour voir les
prix et surveiller sa cuisinière. Et puis elle passait de
longues heures à Saint-Honoré d'Eylau. Mais ne fallait-il pas marier Brigitte?

Brigitte aurait une dot de cent cinquante mille
francs. Ce fut presque la première chose que Mme Josse
dit à Mme Simonidzé quand elle vint la voir, car
d'étonnants rapports s'établirent entre ces mères
dont un témoin eût pu regarder la rencontre comme
une de ces erreurs de la nature qui fait pousser un
chou-fleur à côté d'un araucaria. Mme Josse voulait
d'abord se rendre compte dans quel milieu tombait
sa fille, mais elle l'oublia pour parler de Bessèges, de
l'horreur que c'était quand il y avait des grèves dans
les mines, un danger, chère madame! Et le grisou, et
la famille de l'ingénieur Tesseydre, enfin bref, Mme Simonidzé lui parut tout à fait grande dame. Elle l'interrogea sur la cour de Russie, et les réponses lui semblèrent très satisfaisantes.

Brigitte n'était pas laide, mais elle n'était pas belle
non plus. Elle avait surtout des jambes si mal faites
que lorsque, pour monter à bicyclette, on imagina la
robe trotteuse qui découvrait presque la cheville, elle
cessa de sortir le matin, et en eut les yeux rouges
pendant tout un hiver. Elle vivait dans l'admiration
d'Hélène, dont elle fut tout de suite la grande amie.

Très ignorante de Paris, et du monde en général, elle trouvait chez les Simonidzé comme un parfum du vaste univers dont on n'a pas idée à Bessèges. Les sorties de Catherine, toute cette anarchie enfantine, ne la troublaient guère, parce qu'elle trouvait en Hélène une apaisante communauté de vues sur la religion, le mariage, et une conception de l'amour, dont le grand livre fut bientôt cette *Amitié amoureuse* qu'on ne pouvait se procurer à la bibliothèque de prêt, où elles avaient un abonnement pour elles deux, tant le quartier Saint-Sulpice se l'arrachait. Mme Simonidzé voyait d'un très bon œil cette amitié nouvelle. Elle craignait que ses filles, ne fréquentant que des jeunes gens, ne trouvassent point à se marier. Et elle inventa un très joli jeu : c'était Brigitte à qui elle cherchait un époux parmi les Saint-Cyriens d'Hélène. Elle répétait à chacun que Brigitte était une héritière. Il arriva qu'elle en intéressa ainsi. Du coup le petit appartement où venait cette jeune fille si riche gagnait de la respectabilité, malgré ce que ces dames avaient d'excentrique.

Régis, au reste, faisait la cour à Hélène, et il avait connu M. Josse, par conséquent, il était fort naturel qu'il sortît avec les deux jeunes filles. Très naturellement aussi ils s'adjoignirent dans ces sorties le lieutenant Mercurot, son ami, qui avait une petite moustache blonde très fine, et un point de vue chevaleresque de toutes choses. Brigitte ne savait pas se servir d'un vélo, et Régis non plus du reste. Bientôt Hélène et le lieutenant eurent leurs courses matinales au Bois, allant parfois jusqu'à Suresnes, sur des machines louées à la Porte Maillot, avenue de Neuilly, aux Cycles Poulet;

devant la porte du magasin il y avait l'appareil avec
une grande roue, et la seconde minuscule, sur lequel
jadis feu M. Poulet père avait gagné une course à
Amsterdam. Sa femme, une Irlandaise au visage tout
boursouflé de petite vérole, et les cheveux teints en
noir, régnait sur le local demi-garage et demi-boutique,
où la vogue du vélo amenait une foule de jeunes
gens à qui ses fils enseignaient l'art de la pédale.

Hélène, avec son canotier haut perché sur le chignon,
sa robe à volants, dont par un artifice tout nouveau
on pouvait enlever le dernier, fixé au bas de la robe
par des boutons-pression, pour être à l'aise sur la
machine, apprit très vite à rouler, la selle tenue par
M. Poulet fils, en culotte bouffante avec des bas cyclistes
et une barbe rousse sous un visage d'enfant. M. Poulet
fils s'était-il seulement aperçu qu'Hélène était jolie?
En tout cas, c'est à le voir tenir la selle, la main si
près d'Hélène, que le lieutenant Mercurot sentit un
mouvement de jalousie qui lui apprit qu'il était pincé.

VI

Régis, délaissé par Hélène, commença à regarder
la petite. Il avait des dents très blanches et Catherine
en rêvait. Non pas qu'elle s'avouât en être éprise.
Non. Il ne pouvait rien y avoir de sérieux entre elle
et lui, parce qu'elle le sentait son inférieur, il ne comprenait rien. Mais il avait une espèce d'élégance et de
force, et elle n'en pouvait plus d'envie de l'embrasser

le soir qu'ils allèrent à la Foire de Neuilly, et qu'il se passionna comme un niais à faire des cartons au *Tir Universel*, tandis que défilaient sur fond noir des pipes, des chameaux, des danseuses, tout cela animé d'une lenteur de droite à gauche, et moins blanc que ses dents lorsqu'il riait d'avoir fait mouche.

Dans le fiacre de l'Urbaine au retour (on avait perdu Mercurot, Brigitte et Hélène vers chez Pezon), c'est Catherine qui se jeta au cou de Régis. Il était très surpris, et heureux comme un enfant pour lequel toute une nouvelle vie va commencer. Naturellement, il crut tout de suite pouvoir en faire davantage, et Catherine sauta à bas du fiacre en marche, et il n'osa pas la rattraper.

C'était quelque part le long de la Seine. Catherine s'en allait avec pas mal d'amertume d'avoir fui les mains gauches de ce grand garçon égarées dans ses jupes. Elle avait la tête tout à l'envers du baiser, du premier baiser de sa vie. Mais qu'est-ce que c'était que Régis? Un fils de magistrat. Son père avait été assesseur au procès d'Émile Henry. Et lui-même il étudiait le droit et travaillait à l'Institut Catholique. Il ne comprenait rien. Peut-être que les choses de l'amour étaient tout à fait sans importance, mais Catherine n'en était pas sûre. Puis il y avait cette peur vague de la maternité. En tout cas, pas Régis. Un passant. Pas Régis. Un homme qui la suivait lui fit peur. Elle n'avait que seize ans. Elle pressa le pas. Si l'homme avait simplement posé la main sur son bras, elle l'aurait suivi à l'hôtel. Il trouva qu'elle marchait trop vite. Il n'était pas très tard, onze heures, mais tout de même.

Le lendemain, Régis vint la voir avec des fleurs :
elle eut envie de rire, et tenta de se rappeler l'autre,
sur le quai. Un homme de trente ans, un désœuvré.
Régis cherchait à être seul avec elle. Elle n'y tenait
plus. Il fallait que la tête lui tournât.

Pourtant, ils sortirent ensemble, et elle partagea
ceux des divertissements de Régis que celui-ci jugeait
convenir à une jeune fille.

Il la mena ainsi au cercle catholique de la rue Vaneau,
où se donnaient des fêtes sous l'œil de prêtres dont les
robes noires allaient par les couloirs au-devant des
invités, se perdaient dans la foule aux comptoirs de
charité, pour reparaître à la tombola, ou vers la scène
de théâtre, dans les groupes de jeunes gens graves
parlant politique, près des familles assises avec leurs
filles près du buffet. Des oies nerveuses qui riaient,
qui riaient.

Paul Jonghens était très heureux de retrouver son
ami Régis avec une aussi jolie fille. Et une Russe.
Ce petit géant des Flandres dont les parents avaient
eu une filature et qui n'était venu que très récemment
à Paris, eux morts et ruinés, eut une espèce d'éblouis-
sement qui n'échappa point à Catherine. Elle mesura
du premier coup l'abîme d'idiotie qu'il y avait dans
ces yeux bleus, mais en même temps elle eut comme
le sentiment que ces yeux-là devaient avoir avec une
facilité extraordinaire le vertige, ce vertige qu'elle
commençait à se connaître et à redouter.

Régis, en amenant ici Catherine, avait fait un certain
calcul, parce que le cercle catholique était tout ce qu'il
y avait d'avancé, le comte Albert de Mun y avait pris
la parole l'autre jour, et c'était cette partie de la jeunesse

catholique qui y fréquentait, qui a réalisé ce qu'il y a
de bon dans le socialisme, et le danger à laisser les
ouvriers sans direction, alors qu'il suffirait de reprendre
la pure doctrine du Christ pour tout remettre en ordre.
Un petit parfum d'excommunication suivait l'abbé
Desgranges, qui dirigeait le cercle. L'archevêque lui
avait parfois adressé des avertissements. C'était un
ami de l'abbé Lemire, qui était député dans le coin
de la famille Jonghens, et le père de Jonghens, racontait Régis, votait pour l'abbé, bien qu'il eût été un
patron, du reste ça le faisait bien voir de ses ouvriers.

Ce que tout cela révélait de désir de séduction de
la part de Régis, Catherine s'en moquait pas mal :
il était loin de compte, Régis, avec toutes ces histoires,
d'ailleurs qu'entendait-elle à la politique de plus que
lui ? Jonghens revenait, très affairé, et heureux :
"Mademoiselle, en votre honneur, voyez-vous, au-
dessus de la scène nous avons fait ajouter aux autres
un drapeau russe... " Catherine se sentit toute froide,
elle répondit avec hauteur : "Vous ne pouviez pas
faire pire, monsieur ", et Régis dut expliquer que
mademoiselle était Géorgienne, que ce n'était pas du
tout la même chose, que la Géorgie c'était l'Alsace-
Lorraine de la Russie... Vous imaginez l'effet que vous
auriez fait à une Alsacienne en arborant le drapeau
allemand en son honneur ; Jonghens était confus, mais
il ignorait, nous connaissons si mal la géographie
en France, on allait tout de suite enlever le malen-
contreux insigne. Et il s'éloigna, et il y eut un remous
parmi des jeunes gens à binocle, et un jeune abbé grimpa
sur une échelle, Jonghens s'épongeait le front. Le
drapeau fut amené.

Il y avait une partie de concert, Catherine s'ennuyait ferme, Régis avait amené un élève de l'École des Chartes qui s'intéressait aux choses sociales. Il lui parlait du syndicalisme chrétien en Belgique. Catherine avait un peu la nausée, en particulier quand son interlocuteur disait en baissant les yeux que dans les patronages on combattait chez les jeunes ouvriers les mauvaises pensées par le sport et la prière, et que ce qu'on cherchait avant tout c'était à faire que les jeunes n'aient jamais d'argent à eux. Leur paie, ils la portaient à leur famille. Cela rendait bien des choses plus difficiles, et les parents étaient contents parce qu'ils les savaient surveillés ainsi, sur la bonne voie pour devenir des hommes sérieux, capables. Régis jouait avec les gants de Catherine. Catherine pensait à Paul Jonghens.

Sur la scène que ne surmontait plus le drapeau des tzars, une pièce succéda au concert. M. Cernon, patron chrétien, n'avait pas reculé devant les plus grands sacrifices pour améliorer le sort de ses ouvriers, mais ceux-ci, leurrés par les discours des socialistes, excités par les " marchands de promesses ", n'hésitent pas à déclarer la grève et à ruiner leur bienfaiteur. Le renvoi d'une forte tête pour qui M. Cernon n'a eu cependant que des paroles de bienveillance en est le prétexte. Patron et délégués du syndicat discutent, l'un amicalement, les autres avec arrogance, quand un domestique apporte l'atroce nouvelle : Mme Cernon, femme du patron et providence des pauvres, est morte en sauvant l'existence au fils de la forte tête, venu à l'atelier pour saboter une machine. Confus, les délégués se découvrent respectueusement. " On nous a trompés, déclarent-ils. Les semeurs de haines et de belles paroles nous ont égarés. Mais un tel acte d'amour nous éclaire enfin. "

Une espèce d'émotion approbative avait saisi la salle, où les applaudissements se mêlaient d'exclamations. Le voisin de Catherine se pencha vers elle. " La pièce est un peu primitive, au point de vue littéraire. Mais les faits sont exacts. Cela s'est rigoureusement passé ainsi... quelque part dans les Charentes... L'auteur, vous savez, ne s'en est pas trop mal tiré. La pièce est populaire. Et portera. Vous voyez ici, sur un public de famille, l'effet. Mais elle est écrite pour l'usine. Il y avait à craindre un parti pris bourgeois à l'égard de toute revendication ouvrière. Cela n'aurait pas été compris. Oh! nous connaissons les ouvriers! L'écueil a été évité en opposant non pas patrons et salariés, mais l'amour et la haine qui sont de toutes les classes. "

Régis offrait une orangeade au buffet. Catherine s'esquiva pour un instant sous un prétexte, en réalité elle gagnait la sortie. Tant pis, Régis garderait ses gants et elle rentrerait seule, la rue Blaise-Desgoffe n'était pas loin. Près du vestiaire, Paul Jonghens la rejoignit. Il avait vingt ans et cet éclat qui fait plus tard la couperose. " Vous partez, mademoiselle? " Elle eut quelque peine à l'empêcher d'aller à la recherche de Régis. Ils sortirent ensemble.

Comment se trouvèrent-ils chez Balzard, c'est ce que chacun avait l'air de croire le fait de l'autre. Il y avait là des étudiants et des filles, et il n'était pas de la morale de Jonghens que quelqu'un comme Mlle Simonidzé... La Géorgie expliquait tout. Ils croquaient des bretzels avec leur bière. L'action sociale faisait les

frais de la conversation. Catherine, absolument ivre
d'arrière-pensées, ne s'était jamais tant intéressée de
sa vie à l'apostolat laïc. Jonghens lui avait pris les
mains. Les siennes étaient un peu moites. La table
était petite et les voisins nombreux les forçaient à se
serrer. Elle sentait très près d'elle cette présence
affolée, que soulignait encore le vocabulaire pieux
des paroles. Ils reprirent de la bière. On voyait aux
vitres qu'il faisait très froid dans la rue. Catherine
pensait très vite à des milliers de choses, parmi lesquelles il y avait l'étrange tentation d'être prise dans
les bras de son voisin et serrée contre son corps jeune
et chaud. "Où habitez-vous ?" dit-elle. Il se méprit :
" Dans une pension : ce n'est pas commode... " Elle se
sentit aussitôt dégrisée. Il la raccompagna jusqu'à sa
porte assez vite, sans comprendre.

Elle trouva chez elle Régis aux cent coups, qui
était venu rapporter les gants. Il n'y avait là que
Mme Simonidzé qui passa chez elle, les laissant s'expliquer. Il partait pour une scène. Catherine le trouva
gentil, et en même temps ne put supporter le bruit
qu'il allait faire. Elle se blottit dans ses bras.

VII

" Croyez-moi, chère mademoiselle, les vertus religieuses des classes ouvrières les conduiront plus sûrement à l'aisance que l'aisance ne saurait les conduire à
un perfectionnement moral. "

Jonghens, pas plus que Régis, n'était l'amant de Catherine. Elle l'avait embrassé, comme d'autres. Avec une espèce de fièvre, elle s'était mise à ce jeu terrible où elle avait la peur perpétuelle de s'engager davantage. Non qu'elle vît en principe un obstacle quelconque, moral ou autre, à s'abandonner, mais c'était une considération sociale après tout qui la retenait : elle ne voulait pas être la femme d'*un* homme, elle avait peur de se voir définie par l'homme à qui elle se donnerait. Bref, tout ce langage de propriétaire de l'amour, en même temps qu'elle le niait et le trouvait absurde, elle en était assez prisonnière pour craindre le plaisir, comme une hypothèque sur demain.

Jonghens avait un frère plus âgé, et trois sœurs. L'aînée, Martha, faisait apparemment vivre toute la famille. Elle avait ouvert, au moment de l'Exposition Universelle, une pension de famille pour étrangères au Champ-de-Mars, avec l'aide d'une Miss Baxton, une Anglaise qui avait de petits capitaux. A vrai dire, on pouvait assez rapidement comprendre que l'importance de celle-ci dans la maison n'était guère que sa connaissance des langues, et que ce visiteur hollandais, que recevait fréquemment Martha Jonghens, M. de Houten, y jouait un rôle prééminent. Rien à dire d'ailleurs pour la tenue, la plus grande correction régnait dans cette maison où l'on n'avait guère que des jeunes filles, et des ménages de tout repos. Si Mlle Jonghens avait quelque chose dans sa vie privée, cela se passait ailleurs, cela ne touchait pas sa dignité qui était très grande, on n'avait rien à y voir.

Catherine approuvait Martha. Elle l'approuvait
de ne pas être mariée, de travailler, de braver le qu'en-
dira-t-on. Elle méprisait les deux autres sœurs dont
l'une venait d'être épousée, l'autre accompagnait les
jeunes étrangères de la pension à leurs cours. Une
sournoise, jolie, mais pas franche, pas franche véritablement. Et puis elle portait à son cou une petite
croix d'or, et faisait la pieuse avec ça, cette Solange.
Les deux sœurs Simonidzé, Régis, Brigitte Josse, le
lieutenant Mercurot devinrent des familiers de la
pension Jonghens. Régis était moins attentif auprès
de Catherine depuis qu'il connaissait Solange. M. de
Houten s'était lié avec le lieutenant Mercurot à cause
d'un goût qu'ils avaient l'un et l'autre pour les instruments d'optique et la photographie.

L'aîné des Jonghens, Blaise, était déjà débrouillé.
Il travaillait chez un agent de change, et parlait finances.
Il ressemblait beaucoup à son frère Paul, dont il raillait
les idées sociales. C'était le libre penseur de la famille,
il faut dire. Il trouvait qu'il fallait expulser les religieuses. Socialisme et christianisme lui paraissaient
également méprisables et ridicules. Doctrines des
faibles. Lui, une espèce d'athlète, qui allait aux courses
le dimanche parce qu'il faut bien prendre l'air, il était
pour la manière forte, comme il l'expliquait à Catherine qu'il avait sortie un soir à l'Apollo, où le *Looping
the Loop* à bicyclette faisait fureur. On n'aurait les
ouvriers avec soi qu'en les tenant, que diable! Il fallait
faire les affaires. Mlle Simonidzé raisonnait comme
une enfant : est-ce qu'elle se représentait seulement
les désastres immédiats qu'entraînerait la fermeture,
je ne dis pas des boutiques, mais simplement de la

Bourse? Oui, oui, naturellement, le monde voyait dans la Bourse une espèce de caverne d'Ali-Baba, c'était commode de personnifier ainsi le régime, de symboliser la corruption, le vol, etc., etc., au moyen d'un édifice. Puis il y avait tout cet aboiement de midi qui chaque jour terrorisait les passants naïfs. Le vrai est que l'ignorance vulgaire devant les opérations qui s'y réalisent est tout à fait assimilable au philistinisme en face des mathématiques supérieures. On ne comprend pas, alors on accuse. Et il faut bien qu'on ait quelqu'un à qui s'en prendre des misères du temps, maintenant qu'on ne peut plus brûler les sorciers. Mais voyez-vous, mademoiselle, la supériorité des gens de Bourse est qu'ils ont la force. Et Blaise Jonghens faisait presque éclater son habit avec ses épaules. Le haut-de-forme sur sa tête rappelait, soulignait son origine flamande. Catherine le regardait avec une espèce de vertige.

Elle se demandait pourtant, dans tous ces hommes jeunes qu'elle approchait, si vraiment il n'y avait point un principe mystérieux qui la vainquait d'avance. Ils lui faisaient tous horreur, autant Paul avec son christianisme des faubourgs que Blaise qui aurait fait tirer sur le peuple, pour le mettre de son côté. Pourtant qu'est-ce qui pouvait bien la retenir de prendre d'eux ce qu'elle voulait, ce que quelque chose en elle voulait prendre? Est-ce que c'était ça, être une grue? Le mot ne l'épouvantait pas. Mais elle aurait voulu dominer les hommes, et non pas que leurs épaules retinssent ses yeux, leur aisance. Elle aurait voulu se comporter avec les hommes comme il est entendu qu'un homme se comporte avec les femmes. Un homme n'est pas défini par les femmes avec lesquelles il a couché.

La situation des femmes dans la société, voilà ce qui révoltait surtout Catherine. L'exemple de sa mère, cette déchéance sensible, dont elle avait devant elle le spectacle, ces vies finies à l'âge où l'homme est à son apogée, l'absurde jugement social qui ferme aux femmes dont la vie n'est pas régulière, tant de possibilités que Catherine n'enviait pas, mais qui étaient pour elle comme ces robes atroces et chères aux étalages, dont on se demande quel corps dément va s'en vêtir et qui pourtant vous font sentir votre pauvreté. Vierge, Catherine se sentait déjà déclassée comme une cocotte.

Toute l'énorme littérature sociale qu'elle avait dévorée avait essentiellement atteint Catherine par ce côté-là de ses pensées. Il est certain qu'elle brûlait les pages quand son problème, le problème de la libération de la femme, de l'égalité de l'homme et de la femme, n'était pas, au moins indirectement, en jeu. L'opposition fondamentale dans la société, la contradiction criarde, n'était-ce pas entre l'homme et la femme qu'elle se trouvait? Le tzar dont la figure dominait les haines de son enfance, ce qu'il maintenait en Russie, c'était avant tout ce servage des femmes, que sa mère avait fui. Sur ce fond se profilaient toutes ces femmes romantiques, de Vera Zassoulitch à la comtesse Perovskaïa, qui étaient les raisons profondes de l'affection portée par Catherine aux doctrines révolutionnaires. La révolution, c'était sa place enfin faite à la femme. Les premières mesures révolutionnaires seraient l'abolition du mariage, l'avortement légal, le droit de vote aux femmes. Oui, même le droit de vote, bien que peut-être on ne voterait plus.

Ils la faisaient rire, les deux Jonghens, avec tout ce souci de museler les ouvriers, l'un à force de philantrophie chrétienne, l'autre avec ses gardes municipaux. Ils étaient sans doute des ennemis des travailleurs, et dans le système de Catherine les travailleurs étaient du côté des femmes. Mais pourtant aussi, quelle situation indigne faite aux femmes chez les ouvriers! Elle avait tous ces tableaux rapportés des quartiers où elle s'était promenée avec son ami Tseretelli; les femmes, vieillies avant l'âge, accablées de gosses, dans les rues, faisant la grande affaire de chercher la mangeaille de leurs hommes qu'elles prépareront à ceux-ci retour du travail ou du zinc. Des femmes battues, déflorées. Et Catherine avait aussi une curiosité des femmes du trottoir, de celles des bordels, de toutes ces victimes où il y avait de l'horreur et du grand opéra. Sur les boulevards extérieurs, elle avait vu entrer dans une de ces maisons dont l'existence même était pour elle une chose à se réveiller la nuit, des hommes pauvres, avec toute la saleté d'un travail accablant, qui venaient vers le soir chercher des chansons et une certaine illusion physique pour les quelques sous serrés dans leur mouchoir, qui étaient ce qu'ils auraient pu manger le lendemain. Terrassiers, maçons italiens peut-être, que rien n'accueille au monde que cet estaminet avec des chambres au-dessus. Les pensées de Catherine allaient bien vers eux, leur misère, mais si dénués qu'ils fussent, n'allaient-ils pas s'acheter des femmes? Tout changeait alors. Ils étaient les alliés de Blaise Jonghens, ils n'étaient plus avec elle contre toute cette saleté où la Bourse, le bordel et le tzar n'étaient qu'une seule réalité à détruire.

Catherine, à dix-sept ans, se mettait tout le fard qu'elle pouvait, parce que c'était afficher sa liberté et son dédain des hommes, et les provoquer, et rentrer dans cette atmosphère romantique où les femmes de demain retrouvent le souvenir des héroïnes antiques, de Théroigne de Méricourt.

Que pensait-elle de l'amour ? C'est ce que lui demanda le jeune Devèze, qui était aux Langues Orientales et avec lequel elle était allée trois ou quatre fois, avenue du Bois, le matin, parce que c'était là qu'elle l'avait connu par Brigitte Josse. Il se destinait à la diplomatie, il apprenait le chinois et le russe; elle le regarda bien en face, il était très beau garçon malgré un tic qu'il avait dans le visage, et il portait des gants noirs parce qu'il achevait un deuil.

"Est-ce que je vous demande ce que vous pensez de la police ? " Il rougit terriblement, et l'interrogea avec amertume. Qu'est-ce qu'elle voulait dire par là ? Mais c'était toujours ainsi quand on mettait l'amour en cause. Ils entraient dans le bois, et, le long du lac, Devèze, parmi les arbres dépouillés d'une fin d'hiver, éprouva le besoin d'appeler à son secours la poésie chinoise pour venir à bout de cette fille rétive. Il lui parla d'Ouên-Kiun qui, lorsque le poète Siang-ju la quitta pour une autre femme, composa la chanson des têtes blanches :

Blancs comme la neige sur les montagnes,
Blancs comme la lune au milieu des nuages,
J'apprends aujourd'hui que vous aviez deux pensées,

Et c'est pourquoi je vais me séparer de vous.
Une dernière fois je remplirai ma tasse du même vin qui
                                        [emplira la vôtre.
Puis je m'embarquerai ; je quitterai ce rivage ;
Je voguerai sur les eaux du Yu-Kéou.
Elles aussi se divisent pour couler à l'Est et à l'Ouest.
Vous êtes tristes, vous êtes tristes, jeunes filles qui vous
                                        [mariez !

Et pourtant vous ne devriez pas pleurer,
Si vous pensez avoir trouvé un homme de cœur,
Dont la tête blanchisse avec la vôtre, sans que vous vous
                                        [quittiez jamais.

Mais de tout cela Catherine n'entendit qu'un vers :

Vous êtes tristes, vous êtes tristes, jeunes filles qui vous
                                        [mariez !

Elle parla très amèrement de la fidélité des femmes,
du mariage, cette honte, ce marché. Devèze, soudain,
lui proposa de l'épouser. Cela fit très bizarre dans la
tête de Catherine à qui personne n'avait encore jamais...
mais elle vit bien dans les yeux de l'apprenti diplomate
cette lueur du désir qu'elle avait une sorte de fureur
d'allumer. Tant pis pour les passants ! Elle s'approcha
de lui, qui n'osait bouger, et, comme il était très grand,
elle se haussa sur la pointe des pieds pour atteindre ses
lèvres.

La poésie chinoise archaïque triomphait au Bois
de Boulogne. Mais soudain, Catherine s'écarta, et
dit avec une simplicité d'assassin : "Non, mon cher,
je ne serai pas votre femme à cause de ce tic que vous
avez dans la figure."

VIII

M. de Houten posa le verre de Tokay que Mme Simonidzé venait de lui offrir, et regarda tout ce qui l'entourait avec une grande politesse : des photographies
d'Interlaken, les soieries persanes, Hélène dont Mercurot tenait déjà tout à fait officiellement la main, une
balalaïka accrochée au mur, Mlles Jonghens, Catherine
et le portrait de Grigori.

M. de Houten avait presque l'âge de Mme Simonidzé, et une grande connaissance de l'Europe. Aussi
avait-il su se retrouver une foule de relations com-
munes avec son hôtesse. Le petit froid du printemps
dissipé par un feu de bois se teintait, rue Blaise-Desgoffe, d'un certain romantisme cosmopolite, où
Mme Simonidzé avait plus que jamais l'air princesse
déchue.

Les débuts de la guerre russo-japonaise faisaient
à vrai dire tous les frais de la conversation. M. de Houten, vivant en France, était républicain. Il souriait
des sorties de Catherine, qui voyait dans la guerre les
prémisses d'une révolution, et l'émancipation de la
Géorgie et des femmes dans la victoire du mikado.
Il avait lu Tolstoï. Le régime de la Sibérie ne pouvait
évidemment pas durer éternellement.

Et le milliard des Chartreux? Ici Mercurot sortait
de son mutisme. Qui est-ce qui nous débarrasserait à la
fin de Combes et de sa clique? Ah! si Marchand avait

voulu! Catherine était combiste. Elle défendait le
général Picquart. Hélène était furieuse contre elle.
Mlles Jonghens s'étonnaient.

Le scepticisme égalisateur de Mme Simonidzé
passait sur tout cela avec la fumée de sa cigarette.
Le visage ridé sous les cheveux gris se plissait très
près des yeux qui étaient tout ce qui subsistait d'une
beauté récente, comme deux charbons dans la poussière.

M. de Houten trouvait ce nihilisme très distingué
Martha Jonghens, avec son sourire un peu hési-.
tant, et un regard circulaire, affirmait que ce qui comptait dans l'existence, c'était après tout ce qui se passait
dans notre sphère, ce sur quoi nous pouvions directement agir : assurer l'existence des siens, faire sa tâche
quotidienne... N'est-ce pas, mon ami? Son regard
quêtait l'approbation de M. de Houten. Et la trouvait,
respectueuse, cérémonieusement caressante.

La moustache blonde encore du Hollandais s'abais-
sait en même temps que ses cils comme pour mieux
marquer l'estime profonde qu'il avait de l'aînée des
demoiselles Jonghens. La cadette feuilletait, comme
irrésistiblement, *L'Illustration* qui traînait sur le petit
meuble de chez Krieger.

Catherine sentait très vivement ce qu'il y avait
d'inadmissible, de faux, pour tout dire de convention-
nel dans cette acceptation du monde tel qu'il est qu'exprimait presque chaque parole de Martha, dès qu'elle
ne parlait pas de sa pension, des inquiétudes que lui
donnait son frère Blaise, ou de quelque autre souci
direct, et lié à sa vie. Mais elle passait cela à la jeune
femme comme une espèce de rançon à une vie dont la

noblesse la touchait, l'indépendance. La condition
sociale de Martha éclipsait pour Catherine une certaine
insuffisance de ses propos.

A la pension Jonghens, il y avait des petites soirées où les Simonidzé, Mercurot, les pensionnaires se
retrouvaient avec toute la famille Jonghens, un couple
américain. On faisait salon, puis Hélène se mettait au
piano. Elle chantait. Des demoiselles anglaises lui
caressaient les bras et lui entouraient la taille. Tout le
succès était pour elle. Puis on faisait un peu tourner
les tables, ou on jouait aux petits papiers. Solange
Jonghens se laissait faire la cour par le mari américain,
une espèce de brute, avec le poil ras.

C'est à une de ces réunions que Catherine rencontra
le capitaine Thiébault. Jean Thiébault était à l'École
de Guerre, et c'était M. de Houten qui l'avait amené.
Il paraît que c'était un esprit supérieur dans sa partie.
Il saurait très bien faire tuer les autres. Cette formule,
dans la bouche du Hollandais, était une flatterie aux
idées de Catherine. La moustache blonde se retrous-
sait, carnassière, sur une dent d'or. Enfin le capitaine
Thiébault avait devant lui une belle carrière.

Dans l'entourage de sa sœur, Catherine avait rencontré assez d'officiers pour reconnaître à celui-ci
une qualité exceptionnelle. Il ne parlait pas comme
les autres, il n'avait pas cet affreux et uniforme bagage
de conversation qu'elle leur connaissait à tous. A lire
le journal du matin, on ne pouvait pas deviner ce
qu'il raconterait le soir. Un homme très bien élevé,
mais tout de suite avec elle d'une extraordinaire rudesse.
Elle sentait pourtant qu'elle l'attirait. Elle lui sut gré
d'une franchise assez violente, elle apprécia les condam-

nations qu'il passait sur tout ce qu'il pouvait croire, à
première vue, le monde de Mlle Simonidzé. Elle
ressentit le besoin de lui prouver qu'elle n'était solidaire ni des Jonghens ni de Brigitte Josse, ni de sa
sœur, ni de Mercurot. Elle éprouva pour la première
fois que de simples déclarations ne seraient pas pro-
bantes. Elle eut l'envie d'exercer une séduction intel-
lectuelle, et elle eut honte de ses robes le jour qu'ayant
rendez-vous avec le capitaine pour aller au Salon des
Artistes français, elle les étala sur le lit et les chaises,
sans pouvoir se décider à choisir.

Le vie du capitaine Thiébault était tracée toute
droite devant lui. Il serait breveté, il parcourrait l'échelle
militaire jusqu'en haut. Il commanderait. Il serait un
chef aimé de ses hommes. Il était bon. Catherine
éprouvait cette force et cette bonté comme un grand
calme. Elle se sentait en sécurité quand il était là.
Ce n'était pas comme avec les autres hommes. Aucune
inquiétude. Elle savait à peine comment il était physi-
quement. Elle n'avait pas idée de lui appartenir comme
des hommes médiocres lui en donnaient d'une façon
passagère l'irritante envie fébrile. Leurs relations
n'étaient pas une complicité. Il n'y eut aucune déclaration de l'un à l'autre. Ils trouvèrent naturel, très
vite, de se revoir chaque jour. Au moment de se
quitter, ils prenaient un rendez-vous pour le lendemain. Simplement.

Thiébault ne regardait les propos de Catherine ni
comme des boutades d'enfant, ni comme des incon-
gruités. Il avait en face d'une idéologie qui n'était
pas la sienne l'attitude d'un savant en face d'une
théorie à discuter. Un point facilitait leurs conversations,

le seul qu'ils eussent en commun : le capitaine ne
croyait pas en Dieu. Sans doute devait-il avoir une
conception de la Patrie, et de toutes sortes de choses
de ce genre, mais elles gardaient pour lui le caractère
d'objets pour usage personnel. Il n'en faisait pas
étalage. Il était de famille protestante. Catherine se
sentait, par là, limitée dans son droit d'expression : si
elle avait eu pour lui les violences de langage où les
autres la jetaient, elle en aurait ressenti de la honte.

Ainsi tacitement se créait un terrain où ils se retrouvaient, du fait de quelques réserves; et une sorte
d'estime les entraînait plus loin qu'ils ne croyaient
l'un et l'autre. Ils finirent par se sentir indispensables
l'un à l'autre. Et l'un comme l'autre entra dans la voie
des confidences. Il fut le premier homme qui parla de
sa vie à Catherine sans rien attendre de cela. Au fond,
elle n'avait aucune représentation de la réalité masculine : tous ces garçons autour d'elle, elle ne les avait
connus qu'en représentation, faisant les beaux devant
elle, elle avait guetté leurs défaillances.

Celui-ci, voilà que de plain-pied elle entrait chez
lui. Elle connut sa mère, une veuve qui lui raconta
tout ce qu'elle avait retenu d'un mari terrible, mais
transfiguré par le souvenir, qui avait été le drame de
son existence, de garnison en garnison, la coqueluche
des sous-préfètes et des présidentes de tribunal. Et
la mère, comme une poule inquiète, n'arrivait pas à
croire que son fils ne ressemblât pas à ce père disparu.
Elle attendait toujours qu'il se jetât dans des complications féminines, qu'il y eût des coups de revolver,
des maris jaloux, des scandales.

Dès le premier jour, elle fut conquise par Cathe-

rine. Catherine fut dans son cœur la fiancée de Jean,
malgré ou peut-être à cause de ses excentricités, de
la Russie, des cigarettes fumées avec de longs bouts
d'ambre, et les talons rouges un jour à ses souliers.

Pas un instant pourtant Catherine ne pouvait oublier
que Jean était un ennemi. Mais les conditions dans
lesquelles l'antagonisme apparaîtrait étaient encore
vagues et lointaines. Le conflit entre eux nécessitait
toute une mise en scène à quoi le monde entier devait
conspirer. Sur un point essentiel, il n'était pas un adversaire : comme *homme* comprenez-vous bien, il n'était
pas son adversaire à elle, *femme*. Et cela était d'une
importance infinie. Elle avait confiance en lui sur ce
terrain. Sur ce terrain, il ne ferait rien de mal, il n'abu-
serait pas de sa force, il était incapable de le faire.
C'était un soldat, mais un bon soldat.

Elle décida qu'elle coucherait avec lui.

IX

Cela se fit très simplement au mois de juillet 1904.
Elle avait décidé Jean Thiébault à prendre son congé
dans les montagnes et à l'emmener. Il fallut bien un
peu tricher, pour le qu'en-dira-t-on. Plus à cause
d'Hélène et de Mercurot que pour Mme Simonidzé.
Et, bien que ce fût décidé comme un voyage de
camarades, on inventa une fiction : une lettre d'invi-
tation chez une amie de Brigitte, mise dans la combinaison.

Catherine et Jean se retrouvèrent à la gare de Lyon et s'en furent en Savoie. Ils avaient comploté un voyage à pied. L'itinéraire n'était pas arrêté dans tous ses détails, et cela prit une bonne partie de la nuit dans le train à discuter les chemins, les vallées, avec le guide Joanne, et un vieux Bædecker en anglais, qui venait de Mme Simonidzé.

Quand Jean se fut mis dans son coin pour dormir, avec son mouchoir étalé sur l'appui contre lequel il posait sa joue, Catherine, qui faisait semblant d'être assoupie, le regarda longuement, dans la demi-lumière du couloir, sous la lampe bleue du compartiment, à travers ses longs cils. Elle le voyait pour la première fois, comme un animal dont la respiration compte; elle sentait qu'elle n'aurait jamais pour lui cet attendrissement qui était peut-être l'amour. Son souffle égal, dans le repos, lui fit soudain une peur abominable. Elle conçut le poids de ce corps sur elle. Elle s'endormit avec des sursauts de cauchemar.

Ils descendirent à Bellegarde. Thiébault avait gardé, de manœuvres le long de la frontière suisse, le désir de parcourir une région alors mal connue des touristes. Ce mois de juillet-là était d'une chaleur exceptionnelle et il y avait plus de fleurs dans les champs que Catherine n'en avait vu de toute sa vie. Sans parler de la lavande qui était une découverte pour elle. Des papillons rouges et bleus tournoyaient au-dessus des champs et s'endormaient collés ensemble à deux, sur des fleurs. Les montagnes faisaient à leur voyage un décor fantastique où Jean naissait, pour Catherine, à une nouvelle vie. Comme il était fort! Il courait devant, lui chercher à boire aux sources,

quand elle n'en pouvait plus de soleil. Les haltes fraîches dans des étables où du bétail rentrait à la nuit
faisaient paraître comme un mauvais rêve ces petites
soirées où l'on s'était connus chez les Jonghens.

Le premier soir, ils couchèrent à Vulbens dans
une auberge où on les regarda drôlement quand ils
prirent deux chambres. Puis ils continuèrent de glisser
le long de la frontière. Tous ceux qu'ils rencontraient
avaient des airs de contrebandiers. A Saint-Julien-en-
Genevois où ils déjeunèrent le second jour, des doua-
niers leur parlèrent, soupçonneux. Quand ils surent
que Jean était un capitaine, ils devinrent bavards et
familiers, et l'on prit le café ensemble sous des arbres,
près d'une fontaine. Ce furent des histoires scabreuses
de dentelles passées par des femmes à la douane, en
les cachant où vous pensez. Une, qui a fait ce trafic-là
pendant des années, ma petite dame, sans qu'on ait
jamais pu la pincer. Et elle nous était signalée, on l'embêtait chaque fois. Il y avait une visiteuse qui la faisait
régulièrement mettre à poil, sauf votre respect. Faut
vous dire que le brigadier Crevaz était assez beau
garçon. Alors c'est lui qui a découvert le pot aux roses,
parce qu'il l'avait prise dans un coin, et qu'il voulait
en profiter. Et puis pas moyen, elle se débattait. Lui,
il n'était pas habitué qu'on lui résiste, et puis un gars
solide encore. Et voilà, imaginez-vous, qu'il se fait
mal. C'était un éventail qu'elle avait là! Jean était un
peu gêné. Catherine ne le regardait pas.

A Etrembières, ils atteignirent la vallée de l'Arve
qu'ils voulaient remonter jusqu'à Chamonix. Ils
allèrent coucher à Annemasse. C'est là que, comme Jean
se mettait au lit, la porte s'ouvrit et Catherine entra.

Il se rajustait, incapable d'imaginer ce qui arrivait.
C'était une de ces chambres de passage où tant de
rouliers ont dormi. L'édredon rouge du lit, insupportable à voir par une température pareille, était jeté à
terre, la fenêtre était ouverte sur les étoiles, et le pot
à eau luisait près de la bougie, avec des oiseaux roses
et des pêcheurs chinois.

Les affaires du jeune homme tirées de son sac
étaient éparses dans la pièce. Un revolver d'ordon-
nance sur la table de nuit. Du linge déplié, prêt pour
le lendemain, accusait l'intimité surprise.

Catherine s'avança aussi vite qu'elle put vers Jean
et elle l'entoura de ses bras. Le lit était très haut, et la
toilette basse. Au fur et à mesure que la bougie brûlait, les ombres grimpaient au plafond, caricaturales
et terribles. Elle se réveilla dans la nuit le long de
l'homme. Sa présence lui parut étrange. Il la tutoya en
s'éveillant. Ils parlèrent jusqu'à l'aurore.

Vacances des jours qui suivirent. Plus tard, aux
colonies, ou aux pires moments de la guerre, parmi
les cris des mourants, dans le bruit épouvantable
des bombes d'avions qui s'abattent comme des quintes
de toux, c'est toujours vers ces heures de soleil torride
où une aventure qui restera sans équivalent dans cette
vie de conducteur d'hommes, se déroule parmi les
fleurs de la Savoie, au-dessus d'un torrent, avec tous
les caprices de la jeunesse et de la nature, que se retour-
nera Jean Thiébault.

Ils passèrent trois jours à Bonneville, qui est une
sous-préfecture. Trois jours d'hôtel, avec de pares-
seuses soirées à la sortie de la ville. Ils ne faisaient
plus guère attention à cet itinéraire qu'ils s'étaient

d'abord tracé, distribuant les jours. Au bout de quelques kilomètres, une auberge les arrêtait. Le but de
leur expédition était troublé, le mont Blanc ne les
intéressait plus. Ils grimpaient dans la montagne,
histoire de trouver quelques arbres et une solitude.
Un ruisseau. Puis le soir les surprenait, et ils revenaient à la chambre rudimentaire choisie le matin.
Un chromo au mur la transfigurait. Le portrait de
Victor Hugo une fois.

Ils avaient oublié la guerre russo-japonaise.

A Marignier, où ils déjeunèrent, franchi le Giffre
qui est un affluent de l'Arve, ils descendirent le long
de sa rive gauche jusqu'à l'Arve, quittant la route.
Le soleil était devenu si brûlant que Catherine s'en
trouva presque mal. Jean lui baigna le front avec
l'eau fraîche de l'Arve. Bien qu'on leur ait cent fois
dit de ne pas en boire, ils ne purent résister à l'attrait
de cette eau de neige fondue, qui a la réputation de
donner la mort. C'est qu'ils étaient à cette minute si
sûrs de la vie, si peu hantés de spectres funèbres, jeunes,
et n'ayant qu'à se regarder pour frémir. Leurs mains
se retrouvaient comme leurs rires. Ils ne se demandaient
pas quand se refermerait cette parenthèse champêtre :
que préféraient-ils de la nuit ou du jour? Ils riaient
pour un rien. Ils couraient dans l'herbe. Ils s'enfonçaient dans la Savoie. Tout s'était anéanti de ce qui
avait été leur vie et leurs préoccupations. A peine
retrouvaient-ils, dans le soir, pour de longues causeries, où se mêlaient les longs cheveux de Catherine et
les souvenirs transfigurés de son enfance, les éléments
épars dans leur mémoire d'une douce légende alter-
nant à deux voix, où lui, comme elle, puisait une autre

eau fraîche, et peut-être comme l'Arve mortelle, pour
désaltérer leur soif de poésie et leur désir de jeter
chacun sur l'existence de l'autre l'ombre de son existence à soi.

Ils mirent un temps infini à faire les cinq kilomètres,
au plus, qui séparent le confluent de l'Arve et du
Giffre du village de Cluses. Chaque pierre du torrent
avait ses raisons de les arrêter. Chaque goutte d'eau
était une merveille, et ils découvrirent en chemin
dix manières de se tenir l'un contre l'autre qui était à
la fois la meilleure pour la marche, et une raison de ne
pas faire un pas de plus.

Cluses, où ils arrivèrent autour de quatre heures,
est déjà une forte localité qui va tirer dans les deux
mille habitants avec son industrie horlogère. On leur
avait dit que cela valait la peine de visiter l'école
d'horlogerie, et Catherine se souvenait, enfant, des
artisans de la Forêt Noire, et des coucous qu'ils
fabriquent.

A toute leur vie des derniers jours, ramenée à des
éléments puissants et primordiaux, où la révélation
même du plaisir, la virginité quittée comme un vêtement, se mariait au calme extraordinaire de ce juillet
dans la montagne, à toute leur vie nouvelle d'amoureux promeneurs, il semblait que le voisinage idyl-
lique d'une industrie elle-même d'exception, minu-
tieuse, propre, et d'une certaine manière archaïque,
venait ajouter quelque chose d'imprécis, accrochant
au décor de la vallée et de l'amour cette âme flottante
de Jean-Jacques Rousseau, qu'ils s'étaient avoué l'un
et l'autre avoir aimé vers quinze ans, au-delà de tous
les autres écrivains du passé. Toutes sortes d'idées

s'éveillaient pour eux du tic-tac des horloges. Qu'il y
eût des hommes pour fabriquer les petits cœurs bat-
tants qu'on met dans la poche des gilets, paraissait la
preuve même que l'homme est naturellement bon.
Les deux amants se complaisaient sur ce thème.

Jean, lui, à Besançon avait pénétré tous les mystères
de cette industrie-là. Il était déjà lancé dans un discours
technique, quand, atteignant les premières maisons de
Cluses, ils virent s'approcher un cortège singulier.

X

Une foule s'avançait, peut-être trois cents personnes,
dans une espèce d'ordre désordonné. Il y avait des
femmes et des enfants mêlés aux hommes, et cependant
ce n'était pas une fête, et il y avait des chants et des
rires, bien que la marche de cette masse humaine eût
quelque chose de déterminé et comme l'ébauche de
rangs par quatre.

Aux premiers rangs s'avançaient ceux qui étaient
évidemment et la raison du cortège et le centre de
l'attention. Ainsi dans une noce les nouveaux conjoints.
C'étaient apparemment des ouvriers horlogers de
Cluses : pour une bonne part d'origine paysanne, ils
avaient cette robustesse qu'on rencontre par toute la
campagne de Savoie, mais affinée par une ou deux
générations occupées au patient ajustage des roues et
des ressorts. Les jeunes, dans le grand soleil de juillet,
en bras de chemise, hâlés, les cheveux noirs, se tenant

par les bras, les uns avec leurs compagnes, et des
coquelicots aux boutonnières du gilet; les vieux
avec le tablier de cuir et la casquette, certains la visière
de travail. Quelques-uns avaient des bâtons pour la
marche. Et autour de ce noyau, joint par une conni-
vence primordiale, toute une population s'agglomé-
rait, un peu au hasard, ouvriers des autres fabriques,
amis, gens qui avaient emboîté le pas de la troupe,
des filles rieuses et sérieuses, des petits bourgeois de la
bourgade, des paysans.

Catherine et Jean pressèrent le pas au-devant de
cette cohorte, las peut-être un peu de leur solitude,
poussiéreux malgré l'eau de l'Arve, avec leurs deux
paquets que Thiébault portait sur une épaule, tandis
que Catherine, nu-tête, son chapeau à la main, tenait
par le bras son amant, en regardant droit devant elle
les filles aussi pendues à leurs garçons.

Il y avait un chat qui ronronnait sur une barrique,
devant un hangar où l'on entendait les coups d'un
marteau. Un petit chien jaune, absolument ridicule,
jappait devant le cortège, et le devançait en courant de
côté. La foule approchait d'une maison flanquée d'un
pavillon de briques, avec une grande cour, fermée
par un mur sur lequel on lisait : *Fabrique d'Horlogerie.*
A ce moment quelqu'un dut paraître à l'une des
fenêtres du pavillon, que ni Jean ni Catherine n'aper-
çurent, car des têtes dans la foule se tournèrent dans
cette direction, et il y eut un remous parmi les mar-
cheurs, des questions, et quelques voix s'élevèrent,
qui huaient, quelques poings s'agitèrent vers les
bâtiments, mais la foule poursuivait son chemin.

Le petit chien jaune venait d'apercevoir Catherine

et Jean et, bondissant, traversa les dix mètres qui les
séparaient de la foule pour venir leur aboyer dans les
pieds. Ils étaient tous les deux, avec cette douceur des
gens heureux, à se pencher vers lui, s'essayant à le
caresser, qui fuyait leurs mains, avec une coquetterie
méfiante, quand la première salve éclata. Ils levèrent
les yeux sans comprendre.

La foule qui était bien encore à douze mètres de
l'usine s'était figée, après un recul, comme ouverte,
et il y avait deux hommes à terre devant elle, que
tous regardaient avec horreur. Là-dessus, de nouveaux coups de feu partirent d'une des fenêtres du
pavillon, au deuxième étage, on apercevait le canon
des fusils pesant sur l'appui, et sortant comme à la
recherche des victimes. Une espèce de clameur, où
montait le cri des blessés et l'affolement des femmes,
souleva la foule, et il y eut quelqu'un dont la voix
se fit entendre et qui disait : " *Ne tirez pas!* " Mais
c'était comme une folie, les tireurs, combien étaient-
ils? devaient avoir des armes de rechange, ou quelqu'un
pour eux rechargeait leurs fusils. C'était une fusillade
démente, qui ne se connut plus quand le cortège démantelé, où l'on voyait une vieille femme avec un bonnet
noir soutenir sous les épaules son grand rouquin de
fils, encore debout, mais frappé à la tête, aveuglé de
sang, et qui tomba soudain, comme une montagne,
affaissant avec lui la vieille sur les genoux... quand le
cortège démantelé, avec des robes noires de femmes
couchées dans la poussière sur les morts ou les blessés,
sans souci des balles qui ricochaient contre les murs...
quand le cortège défait et ramassé en meute de haine
et de fureur, sans ordre, après une volée de pierres

contre les murs, s'élança sur la grille, l'arracha et
déferla dans la cour. Il s'était trouvé des haches, les
portes sautaient en éclats.

Du hangar où il réparait une roue, un grand garçon
dégingandé, qui n'avait pas vingt ans, était surgi voir
ce qui se passait, et ses yeux ronds se refermèrent
sur la mort quand une balle venue de la fenêtre, avant
qu'il ait rien pu comprendre, l'atteignit en pleine
poitrine. Et il tomba en avant. Il tenait encore son
marteau.

Le petit chien jaune aboyait d'une façon tout à fait
hystérique, caché derrière le pantalon de Jean. Jean
tout d'un coup eut peur pour Catherine, il la tira vers
le côté de la route où on était à l'abri des balles; mais
elle, blanche, les lèvres entrebâillées, refusait de le
suivre. C'est alors que Jean comprit soudain à quoi la
foule, sous les balles, travaillait. Le feu! L'idée avait
surgi on ne sait d'où et le matériel incendiaire, du foin,
un entassement de brouettes, s'échafaudait dans la
cour. Le feu! La rage populaire, dont les clameurs
s'étaient calmées, semblait toute tendue vers cet
objectif, vers cette justice, cette purification. Les
morts et les blessés étaient là sur la route, les tirailleurs
poursuivaient de la fenêtre leur besogne meurtrière,
mais ce qui enflammait toutes ces respirations hale-
tantes, ce qui groupait les forces et les gestes de ces
hommes en qui un monstrueux et rapide travail de
décision venait de se faire, c'était l'idée du feu, du
brasier dont personne ne contestait la nécessité immédiate, comme si un long débat, un vote avait lié ces
exécuteurs résolus.

"Ils veulent brûler la maison! Il faut les arrêter!"

C'était Jean qui avait dit cela en prenant son élan
vers la foule. Quelque chose de primitif dans le jeune
homme le poussait en avant. La main de Catherine le
serra au poignet comme de l'acier. Il voulait se dégager,
étonné. Leurs yeux se croisèrent. Il ne comprit plus
le langage de ses yeux. Mais tout de même il vit l'abîme
ouvert. Il pressentit confusément qu'il venait de la
perdre. Il répéta : " Ils veulent brûler la maison ! — Ils
ont raison ", dit-elle, et lâcha son poignet.

A travers la foule, la troupe était arrivée. Des
gendarmes. Un détachement du 30ᵉ de ligne. L'officier à sa tête. " Quelle folie ! " disait-il comme dans
un rêve. Thiébault l'avait rejoint, se présentant. L'autre
s'était lancé vers le pavillon d'où partaient les coups
de feu, la porte enfoncée, par un étroit escalier attei-
gnait déjà la pièce d'où on tirait. Avec ses soldats, il
désarma quatre hommes, que Jean vit sortir sur le
palier. Quatre grands gaillards, qui avaient des airs de
jeunes hobereaux. Habillés comme pour la chasse.
Des guêtres, des cravates. Ils étaient pâles et tremblants.
L'aîné pouvait avoir trente ans. Avec eux, il y avait un
homme plus âgé, grisonnant, qui semblait n'avoir
pas pris part à la fusillade.

Le lieutenant donnait des ordres brefs à ses hommes.
Il ne fallait pas que la foule entrât. Il se tourna vers
Jean, il avait dû entendre ses explications au milieu
de tout cela : " Comment allons-nous sauver la vie de
ces assassins ? "

L'un des jeunes gens essaya de protester. " Imbécile, coupa le lieutenant, s'ils vous voient vous êtes
morts ! " Ils se turent et tremblèrent. L'homme plus
âgé, dont les dents claquaient, dit seulement : " La

cave!" Il y avait là une espèce de policier en civil, le commissaire spécial d'Annemasse.

"Oui, c'est une idée, dit-il. Mon capitaine, voulez-vous explorer la route, sans vous commander?"

Jean descendit le premier. En contrebas de l'escalier il y avait une porte, elle n'était pas fermée. Ils s'enfoncèrent dans le petit couloir où un escalier de pierre tournait. Les allumettes s'éteignaient trop vite, ou brûlaient les doigts. Les lignards poussaient leurs prisonniers en les traitant de salauds. Au-dehors, on entendait crier "*A mort!*"

Le capitaine laissa quelques hommes pour garder les prisonniers, que la peur, mieux que n'importe quels geôliers, retenait de fuir. Aux soupiraux, ils voyaient courir les pieds des incendiaires. On entendait déjà grésiller le feu. Le lieutenant et Jean avaient regagné la cour. Le bâtiment central était déjà la proie des flammes. Une fureur de dévastation s'était emparée de tous, et tout ce qui pouvait servir à hâter la ruine s'était transformé en béliers aux mains des assaillants, qui trouvaient les flammes trop lentes à écrouler les murs.

Cependant l'incendie allait vite, par ce jour sec de juillet, avec la charpente en bois qui prenait que c'était un plaisir. Une fumée âcre sortait par une des fenêtres de la fabrique. La maison d'habitation, isolée, n'avait pas été touchée. Y avait-il des gens là-dedans? On n'en savait rien. Une quarantaine d'ouvriers, furieux, s'y portaient. Le gros des soldats, une centaine, et une trentaine de gendarmes les arrêtèrent. Ils s'étaient massés là, abandonnant l'usine pour préserver la demeure des patrons. "Mais qu'est-ce que ça veut dire que tout cela? demanda Jean au lieutenant.

— Je vous raconterai cela plus tard. Une grève. "

Ah! une grève. Jean ne comprenait pas très bien l'espèce d'indulgence apparente de l'officier pour les ouvriers.

" Il ne restera pas pierre sur pierre.

— Que voulez-vous que j'y fasse? Le temps d'amener une pompe et de l'eau, ce sera fait : l'essentiel, c'est la vie de ces canailles dans la cave! "

La troupe s'essayait à disperser la foule. Il était certain que les sympathies des soldats étaient avec elle. Les lignards regardaient avec indignation les brutalités des gendarmes. A vrai dire, assez vite, l'élan s'était calmé. Il était facile de voir que rien ne sauverait plus la fabrique. Ce qui aurait brûlé, aurait brûlé. Et maintenant la foule se repliait sur elle-même, elle retrouvait sa douleur, ses blessés, des cadavres. Il y avait des gémissements et de l'horreur. La haine était tombée.

Une toiture s'effondra avec un bruit de branchages. Jean cherchait Catherine. Où était-elle passée?

Tout le reste de la population de Cluses était accouru. Les rues avoisinantes étaient bondées. Les gendarmes criaient, bousculaient les gens. Les va-et-vient de la troupe ouvraient des sillons vite refermés. Où donc Catherine avait-elle disparu?

Il la retrouva près d'un mort.

XI

Il y avait plus de deux mois que la grève durait.
Grève politique. Avant les élections municipales, le
patron de la fabrique avait signifié à ses ouvriers
l'interdiction de former une liste ouvrière. L'un des
candidats, face au renvoi, avait flanché. Le soir, à
une réunion, il s'était expliqué. Ce n'était pas un
homme jeune, il avait une femme et des gosses. Mais
les autres avaient tenu bon. Et après les élections,
le triomphe de la liste où figurait l'un des fils du
patron, celui-ci avait licencié les réfractaires; sept
ouvriers.

Alors on s'était mis en grève, demandant leur
réintégration, et par là non pas la reconnaissance des
droits politiques qu'on avait, mais le respect élémen-
taire de ces droits. Le 10 mai, la grève s'étendait à
toutes les usines de Cluses.

Le patron, un homme sanguin, autoritaire, avec des
colères par bouffées, un vrai tyran même sur les siens,
n'avait pas voulu céder, ni même transiger. Il entendait
que les grévistes rentrassent chez lui en vaincus. Il
avait demandé la troupe. Il l'avait obtenue. Elle s'était
montrée molle à son gré. Il avait réclamé. On avait
envoyé du renfort. Deux cent cinquante hommes de
ligne et un escadron de dragons.

Cependant les officiers n'avaient pas su empêcher
les défilés dans Cluses, les manifestations, les meetings.

De Bonneville, de Scionzier, d'autres ouvriers horlogers venaient se joindre à ceux de Cluses. Une caisse de solidarité avait été constituée. Ces ouvriers, toujours à se plaindre de leurs salaires, et qui maintenant trouvaient des économies pour entretenir une centaine d'entre eux à ne rien faire pendant des mois! Tout ça, c'était le travail du syndicat.

Le patron se savait les reins solides. Premièrement, sa fabrique fermée, il avait de quoi vivre, de l'argent placé. Mais même, les affaires ne périclitaient pas : il avait du stock assez pour tenir jusqu'à octobre. Il soupçonnait derrière cette résistance ouvrière la main de ses concurrents. Cela l'inquiétait. Il fit appel à la police, d'une façon confidentielle. Des gens lui furent envoyés qui s'établirent discrètement dans la ville et aux environs, qui se mêlèrent aux réunions, qui se lièrent avec des grévistes. A vrai dire ils ne découvrirent pas grand-chose, à part la liste noire qu'ils dressèrent.

Le député radical, un ancien ministre, était intervenu. Il avait fait au patron une visite extrêmement polie, il avait parlé avec les ouvriers, il trouvait toute cette affaire déplorable, est-ce qu'il n'y avait pas moyen de trouver un compromis? Reçu d'une façon ironique, il avait battu en retraite, il avait expliqué aux ouvriers qu'on n'y pouvait rien : charbonnier est maître chez lui, et si le patron préférait fermer la boîte, qu'est-ce que ça serait pour eux? Le chômage, la faim, la misère. Il les exhortait au calme, à la reprise du travail. Naturellement s'ils ne voulaient pas encore... La grève continua. Le syndicat la dirigeait. On ne baisserait pas pavillon. A vrai dire, cela commençait à devenir dur, malgré

la saison, la sympathie dans les villages voisins, les
petits travaux des champs qu'on pouvait entreprendre.
Et puis il y avait derrière pas mal des grévistes des
petits paysans de leurs familles qui leur apportaient
des légumes.

Le patron avait un locataire qui était ancien chef de
section principal pour la construction des chemins de
fer du P.-L.-M. actuellement en retraite; il lui avait
loué un logement pour lui et sa femme. Cet homme
détestait les ouvriers. Sa femme, qui des salons des
sous-préfectures où elle était reçue avait gardé un
vernis mondain, soupirait en regardant par les jalousies
les défilés de protestataires. Le soir, on jouait au whist
chez le patron. Le fils aîné, celui qui était conseiller
municipal, son père, et le locataire. Sa petite fille de
douze ans une fois couchée, la mère venait bavarder
avec la femme du locataire. Il régnait autour de ces
assemblées l'atmosphère des derniers jours de Versailles. Des récits sanglants, les souvenirs de la Terreur,
de la Commune, faisaient les frais de la conversation,
bien qu'aucune violence jusqu'alors ne se fût produite
à Cluses. La peur grandissait.

Les quatre grands fils du patron auraient été assez
facilement enclins à composer avec les ouvriers. Eux
n'aimaient guère cette suspension d'affaires : ils ne
pouvaient se contenter des rentes du père, qui leur
coupait leur argent de poche. Et puis il y avait l'avenir,
l'héritage, partagé en cinq, avec la mioche, et la mère
par-dessus le marché, qui, elle, n'avait pas de ces
accès cardiaques auxquels son mari était sujet. Les
jours qui passaient sans qu'on pût apercevoir la fin
du conflit accroissaient l'énervement de ces quatre

hommes jeunes, confinés avec ce père autoritaire, dans une atmosphère de guerre civile. A la nuit, de mysté-rieux personnages, par la porte de derrière, venaient rendre des comptes, rapporter d'insignifiants inci-dents.

La troupe campait au-dehors, inactive.

Les officiers étaient formels : on ne pouvait forcer les ouvriers au travail. Pour intervenir, il aurait fallu un fait tombant sous le coup des lois.

On avait failli l'avoir quand un jour, le 18 mai, la foule avait manifesté devant leur maison, et que des pierres avaient été jetées, cassant des carreaux. Mais un de ces imbéciles qu'on avait dépêchés d'Annecy s'était laissé voir lançant des pierres. On s'était refusé à en tenir les grévistes pour responsables.

Et les brutalités des gendarmes avaient révolté les officiers de ligne.

C'était vraiment un peu fort. Un échange de lettres avec le préfet n'amena rien de bon. Les pourparlers repris échouèrent parce que les grévistes eurent l'incroyable audace de refuser de payer les carreaux brisés. Ce n'était pas seulement la somme à quoi le patron tenait : mais à leur faire reconnaître ainsi les violences. Eux, pas si bêtes, le voyaient venir.

Tout de même, est-ce que cela allait durer toute la vie ? Les soirées se faisaient plus sinistres dans la maison patronale. Le whist était abandonné : cela rendait Eugénie nerveuse quand on parlait du mort. Les rapports avec les autres industriels de Cluses étaient assez réservés. Des rancunes, la concurrence. Et puis ils trouvaient assez intolérable que ce vieil imbécile, pour une histoire de chez lui, entraînât chez eux une grève interminable. L'un d'eux même proposa de payer les carreaux cassés. Mais l'autre s'obstina : il voulait que ce fussent les ouvriers qui les payassent, sur leur fonds de solidarité. Pourtant les autres patrons n'auraient pas mal vu une intervention gouvernementale, une manifestation de force. Naturellement pacifique. Mais pour montrer aux ouvriers ce qu'on pouvait faire. Les effrayer un peu.

Ce petit mouvement de grève restait local, assez tranquille. Aucune tendance à l'élargissement, rien de menaçant. Pourquoi les autorités se seraient-elles mises dans de mauvais draps? Le patron rétif était un homme de la droite, sa femme était toujours fourrée chez le curé. On retira les dragons et un des détachements d'infanterie. Des manœuvres du 14e corps d'armée en fournirent le prétexte.

Ceux des soldats qui restèrent après le 10 juillet, une centaine de lignards, connaissaient maintenant tout le monde dans la population : même si leurs officiers avaient été plus énergiques, on ne pouvait guère attendre grand-chose de ces gamins, qu'on voyait à la brune se balader avec les filles du pays.

La pétoiche grandissait dans la famille du patron. Les fils avaient des altercations avec leur père. Ils ne se sentaient plus en sûreté quand ils descendaient dans la rue, et on ne pouvait se confiner sans fin! L'un d'eux, le plus jeune, avait une liaison avec une paysanne, du côté de Marignier. Un mauvais coup est vite arrivé. "Vous êtes assez grands pour vous défendre!" hurlait le père, exaspéré. Et si les grévistes avaient des couteaux? "Armez-vous, et foutez-moi la paix!"

Cette idée fit son chemin pendant trois longs jours. Puis c'est le père lui-même qui donna à ses fils une adresse à Saint-Étienne où le conseiller municipal écrivit pour commander quatre fusils de chasse. Il devait y avoir un peu de confusion dans la tête paternelle, parce que cette fabrique ne faisait pas de fusils. Mais on reçut une lettre très polie, avec l'adresse et le catalogue d'une maison qui aurait sûrement l'affaire de ces Messieurs.

Ces Messieurs tout un soir discutèrent avec fièvre le modèle d'armes qu'ils allaient faire venir. Le whist était interrompu. Et le maire de Cluses, qui était ce soir-là en visite, fut consulté. C'était un grand chasseur. Il indiqua un modèle excellent pour le gros gibier. On chassait le sanglier en Savoie.

La sous-préfecture de Bonneville fermait les yeux, c'était on ne peut plus clair. M. le Curé qui se plaignait de la désaffection croissante de ses paroissiens disait que le gouvernement était complice du syndicat. L'ombre noire du petit père Combes dans les conversations ajoutait encore à la panique. La prochaine fois, ce ne serait plus des pierres qu'ils lanceraient, les émeutiers. Et maintenant, que la troupe est réduite, nos vies mêmes sont exposées.

Le 12 juillet, la mère d'un des grévistes rencontra M. le Maire près de l'école d'horlogerie. Il faisait très chaud. M. le Maire s'arrêta pour souffler, il était midi, et puis la bonne femme avait fait plusieurs fois la lessive chez lui, quand il avait ses cousins de Lyon pour les vacances.

"Alors, la mère, votre garnement fait toujours la mauvaise tête?" Elle répondait sans répondre :

on ne pouvait pas trahir les autres, et M. le Maire savait-il combien c'était dur pour les pauvres gens? Tout de même à son avis, au maire, c'étaient les femmes qui auraient dû la faire finir, la grève. Les mères, surtout. Parce que les jeunes, de nos jours, elles n'ont pas de cervelle, elles ne pensent qu'à la toilette.

La mère regardait son interlocuteur comme quelqu'un qui ne comprend pas très bien, et puis elle dit : "Mais est-ce qu'ils ne vont pas reprendre leurs ouvriers, ces gens-là? Il faudra bien." Alors l'autre éclata de rire, puis, très sévère, il raconta que ces Messieurs maintenant n'en pouvaient plus, qu'ils avaient acheté des fusils, et que si on les embêtait, dame! "Je vous dis ça, rapport à votre gars!"

Le 16 au soir, au whist, l'histoire de Mme de Lamballe, sa tête au bout d'une pique, fit à tout le monde une nuit de cauchemar.

Le 17, à 9 heures du soir, il y avait encore eu un rassemblement des grévistes, une réunion, un cortège. Et les gendarmes, comme on chantait un peu, se jetèrent à nouveau sur la foule, frappant, poussant leurs chevaux sur les femmes. De derrière les fenêtres, les patrons suivaient la scène. Il y eut une altercation entre le maire qui disait qu'à la fin il fallait en venir à la manière forte et un capitaine de la ligne, encore tout indigné de ce qu'il avait vu : "Je ne comprends pas, disait cet officier, est-ce qu'on les paie pour ça, ces gendarmes?"

Ces brutalités incomplètes avaient pour effet, c'était clair, de mieux souder le bloc des grévistes. C'était trop ou pas assez. Il fallait en finir...

Quand, le 18 juillet, un cortège se forma, et qu'on sut qu'il était en marche vers la fabrique, puisqu'il venait de tourner à gauche de l'hôtel de ville, sur la route de Scionzier, la mère, tragique, serrant contre elle sa fillette, dans la salle à manger, se mit à sangloter. Les locataires étaient là : la femme entraîna la petite et sa mère dans une chambre, et leur fit boire de la fleur d'oranger. L'homme et ses hôtes, tinrent un conseil de guerre, derrière les volets barricadés en hâte. Il fallait faire vite. On entendait le bruit de la foule, les chants.

Alors les quatre fils prirent leurs fusils, et le locataire les suivit dans le petit pavillon qui surplombait la route.

XII

C'était un enfant que ce grand cadavre auprès duquel Catherine était agenouillée, un enfant de son âge, peut-être un an de plus, dix-neuf ans? La tête petite, avec les cheveux presque rasés, au-dessus de l'immense corps affaissé. Un chapeau de paille, de ces chapeaux que portent les pêcheurs et qui coûtent quelques sous, en était tombé dans sa chute. Les épaules énormes, si larges, semblaient s'être enfoncées dans le sommeil en abandonnant toute leur force. Les bras nus, les manches roulées au-dessus des coudes, s'étaient crispés dans un geste de défense tardif, pliés, les paumes vers les meurtriers, et le visage renversé complétait ce

geste par une expression hagarde de protestation contre
la mort, la bouche et les yeux ouverts.

Deux balles l'avaient frappé : une dans la poitrine
qui avait ensanglanté la chemise, l'autre dans le cou
où béait une plaie horrible.

Catherine ne pouvait détacher ses yeux de cette
plaie. Elle n'avait vu de morts que de vieilles gens
dans les chapelles funéraires organisées par la piété
familiale dans une chambre d'appartement bourgeois.
Dans le plein soleil, la douleur peinte à jamais sur
ce jeune visage, à la peau encore enfantine, ce contraste
effrayant de la force et de la mort, tout cela la faisait
trembler et la figeait. Il y avait dans sa tête un grand
tumulte, qui couvrait les clameurs environnantes,
les allées et venues autour d'elle.

Toute son histoire des derniers jours venait tremper
ici dans ce sang répandu. Toute la révélation de l'amour,
cette espèce d'inconscience heureuse de l'été, Jean.
On venait de tuer un homme. Les taches de rousseur
près des narines étaient le plus navrant de tout. Elle
ne l'avait pourtant jamais vu que mort, ce garçon.
Ce n'était pas Jean. Mais c'était pire que Jean, un peu
plus que Jean. Et elle s'entendait lui répondre, à
Jean : *Ils ont raison!* Quelque chose naissait en elle, qui
dépassait la femme à peine née qu'elle était, et qui
faisait pressentir la mère : elle regardait ce front dans
la poussière, avec un désir infini de le laver doucement,
comme pendant la fièvre à un enfant qui délire.

Et c'est alors qu'arriva la vraie mère.

Avait-on été la chercher? Ou était-ce le bruit de
la fusillade qui l'avait tirée de chez elle? Elle n'avait
pas quarante ans, cette femme maigre, dont la peau

était tannée et ridée, sans suc, retirée sur elle-même,
de telle sorte que l'œil noir et profond avait l'air
enfoncé dans le squelette. Cinq grossesses, le travail,
l'avaient efflanquée et dans sa jupe noire, nu-tête,
sachant déjà le drame, écartant les assistants, pour
avancer tout droit d'une foulée puissante, jusqu'à
son petit, mort, ce n'était déjà plus une femme, mais
un cri qu'on attendait, et elle arriva devant le corps,
et elle le reconnut longuement, et le cri ne sortit
pas.

Elle s'agenouilla et ses doigts se posèrent sur le
visage du fils endormi. Soudain, elle les retira avec
horreur, ayant senti l'humidité visqueuse du sang.
Elle s'appuya tout naturellement sur Catherine, dont
elle acceptait la présence contre elle, sans poser de
questions.

Le médecin avait déjà regardé le mort, hoché la
tête et couru au plus pressé. Il y avait bien une cinquantaine de blessés, plusieurs morts. Deux hommes se
penchaient vers la mère et proposaient d'enlever le
corps. Des amis de son petit. Elle les reconnaissait.
C'était Baptiste, celui-là. Elle releva un visage où
comme dans un désert roulait une seule lourde larme.
Toute la fatigue de la vie inscrite aux plis de ce visage.
Elle remerciait des yeux. Ils prirent le mort l'un
par les pieds, l'autre sous les épaules. Les bras restèrent
pliés d'effroi.

En se relevant, la mère avait ramassé le chapeau
de paille, et Catherine s'était relevée avec elle, et
avec elle, le bras de la mère sur ses épaules, elle gagna
le logis misérable où on déposa le corps. Les hommes se
retirèrent, laissant le mort sur un lit. Catherine hési-

tait, la mère la retint. Elle avait un air traqué, peut-
être redoutait-elle d'être seule.

Une maison pauvre de village, avec des murs en
torchis et plus de place pour les bêtes que pour les
gens. Où étaient les autres enfants? Pour quelque
raison, la mère était seule. Morts, embauchés ailleurs? Le mari, qui était un maçon italien, fixé à Cluses,
était tombé d'un échafaudage il y avait de cela cinq ans.
Tué sur le coup. Elle, fille de paysan, n'avait jamais
cessé de cultiver un lopin de terre âcre, peu fertile,
d'où elle tirait de ces pommes de terre de Savoie qui
sont roses et aqueuses, et dont les étrangers ont le
dégoût.

La pièce nue avec le lit qui était toute la richesse,
un bahut pour la vaisselle de terre, l'armoire, et dans
un coin un petit établi, où le fils continuait le soir son
métier d'horloger, jusqu'à cette grève. Au mur, une
image de la Dame de la Salette.

Alors la mère commença à parler.

Elle racontait à Catherine comment c'était dans sa
famille quand elle était enfant, dans la montagne.
Douze frères et sœurs qui couchaient dans une pièce
où l'hiver on rentrait les moutons. Son père les menait
paître, sa mère cultivait la terre, comme elle. Elle
était la plus jeune. Il ne restait qu'une de ses sœurs
qu'elle n'avait pas vue depuis dix ans, qui habitait
au-dessus de Servoz. Les autres étaient tous morts.
Accidents, phtisie. Ce qu'elle avait travaillé dans sa
vie! Faire tous les vêtements et la nourriture d'un
homme et de cinq gosses. Les tenir propres. Sarcler
les mauvaises herbes dans le champ. Le retourner.
Semer. Arracher les pommes de terre. Il y a toujours

quelque chose à faire de ses mains, dans une saison
comme dans l'autre. Joseph grandissait, un beau gars.
Quand il avait été accepté à l'école d'horlogerie, elle
avait pensé qu'elle pourrait un jour ne plus rien faire
que coudre, et la lessive peut-être. Il était promis à
une fille de Bonneville, une ouvrière en horlogerie
aussi, elle ne savait pas ce qui se passait, elle était allée
à Annecy et ne reviendrait que le lendemain. C'était
pour des papiers pour le mariage.

Le récit coulait, coulait, sans cris, sans explosions,
comme si raconter avait permis de faire l'économie des
larmes. Montagnarde dure à elle-même. Ses mains
froissaient un peu le bas de son tablier noir.

Soudain, on frappa à la porte. Les deux femmes se
regardèrent. Toutes deux avaient peur que ce ne fût
la fiancée, par hasard. Catherine s'éloigna du lit et
ouvrit la porte. C'était Jean. Les voisins lui avaient
dit où trouver Catherine, il venait la chercher... il n'osa
dire pour manger, et se découvrit voyant pour la
première fois le mort. " Je viendrai plus tard ", dit
doucement Catherine et elle le mit sans cérémonie à la
porte.

La mère, maintenant, comme si cet intermède
avait enfin permis aux larmes de trouver leur chemin,
pleurait en silence, à gros ruisseaux. Son visage était
pareil au champ sec et cent fois retourné qu'elle avait
cultivé toute sa vie. L'eau y coulant n'entrait pas,
n'apaisait rien.

Elle pria Catherine de l'aider, et à elles deux elles
entreprirent la cérémonie de la toilette. Aucune
voisine ne se proposait : toutes étaient encore sur le
lieu de la fusillade, aux alentours de la fabrique en

flammes. Les yeux ne voulaient absolument pas se fermer.

Puis vint l'employé de la mairie, avec le médecin. La mère s'était assise près du lit et à voix basse chantait les chansons dont jadis elle avait bercé ses enfants. Catherine était toujours là.

Jean vint la réclamer. Elle sortit une minute avec lui pour lui demander s'il avait pris une chambre à l'hôtel. Deux chambres, il avait retenu deux chambres parce qu'on ne pourrait pas faire autrement que de voir le lieutenant qui était quelqu'un qu'on était appelé à rencontrer un jour dans la vie. Catherine le renvoya et revint à côté de la mère prendre la veille.

Cet étrange devoir qu'elle accomplissait lui donnait surtout, elle se l'avouait, la possibilité de rester loin de Jean, la possibilité de réfléchir, de mettre entre la vie telle qu'elle était ce matin encore et la vie telle qu'elle s'ouvrait maintenant la barrière de cette mort, dont elle éprouvait la présence.

Des fantômes la hantaient. Brigitte Josse... Paris... les soirées du cercle catholique... Régis. C'était cela, le cauchemar, et non pas ceci, malgré l'horreur. La vie. Qu'adviendrait-il d'elle d'ici dix ans? Entre ce jeune ouvrier mort et cette femme vieille avant l'âge, elle supputait son destin. L'appartement de la rue Blaise-Desgoffe qui constituait pour elle, pour sa mère, une sorte de pis aller, une déchéance, s'opposait naturellement à ce logis de Cluses où retentissaient de petits sanglots mouillés. Elle ne pouvait rien imaginer de sa vie future, rien. Un autre appartement, qui sait? Jean était effacé, mais alors totalement, de cette perspective. Des conversations avec des hommes plus ou moins intelligents. Des concerts. Le vide. Voyons, dans dix ans, nous serons en juillet 1914... Que se sera-t-il passé ? Quels bouleversements ? Un peu plus, un peu moins d'argent, suivant que M. Simonidzé aurait là-bas, à Bakou, une maîtresse un peu plus ou un peu moins exigeante, suivant que les puits de pétrole seraient généreux ou taris...

Et les gens d'ici qui auraient depuis tant d'années terminé la grève, ils feraient toujours de l'horlogerie pour des patrons, peut-être avec un nouvel outillage, et de nouvelles lois sociales qui n'arrangeraient rien. Est-ce qu'on les tuerait dans dix ans comme aujourd'hui ?

On frappa encore une fois à la porte, et ce fut encore Catherine qui ouvrit : elle se trouva en face d'un prêtre, revêtu de ses ornements, et flanqué d'un mioche sournois en surplis qui agitait une sonnette. Elle se retourna vers la chambre, la gorge sèche, révoltée de ce qu'elle allait voir, prête à fuir devant la religion, bien plus que devant la mort : " Le curé ! " dit-elle.

Les sanglots s'arrêtèrent de secouer les épaules maigres de la mère. Catherine la vit se dresser, se tourner vers l'image de la Vierge de la Salette, puis virer lentement vers la porte. Le prêtre entrait déjà, et l'enfant de chœur se hissait sur la pointe des pieds pour apercevoir le visage du mort. Des mots latins volèrent dans le calme de la chambre, comme un luxe dû au défunt.

Soudain la mère se saisit d'un balai de branchages qui était appuyé au mur, et noire, la bouche ouverte de fureur, les yeux secs, elle le brandit vers le prêtre qui tenait dans ses mains le ciboire plein d'hosties consacrées, et de l'autre main montrant la porte elle hurla.

Certes, M. le Curé de Cluses était un homme de taille à lutter avec une femme, mais devant un mort la simple décence le lui interdisait. Il battit donc en retraite, avec son gamin, qui dans sa terreur agitait sa sonnette à tout rompre, non sans tenter de se faire une alliée de cette jeune demoiselle, qui avait l'air de bonne société, en balbutiant quelque chose sur les sacrements de l'Église, les derniers secours aux agonisants, etc., et le caractère de son ministère. La porte claqua sur son dos.

Les deux femmes se retrouvèrent face à face. La mère crut nécessaire de s'expliquer :

" Joseph ne croyait pas à leur religion, il n'allait pas à l'église. Sauf parfois le 15 août pour chanter... " Elle se signa. " Moi, j'y crois bien un peu. Mais tout de même, quand on est mort, nous qui nous échinons toute la vie pour eux, ils n'ont qu'à nous foutre la paix, Sainte Vierge! Ça ils ne peuvent plus rien sur les morts! "

Là-dessus elle retourna vers le lit, et pleura. Elle caressait l'enfant endormi. Il faisait une chaleur suspecte. Le logement mal aéré était conçu pour l'hiver. Des gens commençaient à venir, se glissaient par la porte, des voisins, des amis, des inconnus, des travailleurs. Eux, la mère ne les chassait pas. Elle semblait simplement ne pas les voir. Ils s'approchaient, hochaient la tête. Certains repartaient. D'autres restaient là, gauchement. Catherine se sentait regardée. Une odeur fade, affreuse, commençait à monter du lit.

Un homme entra. C'était un des dirigeants du syndicat. On lui fit place. Il prit les mains de la mère et dit simplement : " Il ne reste rien de la fabrique, leur maison n'a pas été touchée. Quatre des canailles sont en prison. On ne sait pas ce que sont devenus les autres. "

La mère le regardait avec une intensité incroyable. Alors il fit ce qu'il fallait faire, il se pencha sur elle et il l'embrassa comme un fils.

Catherine se glissa au-dehors, en disant tout bas, pour elle-même : " Je reviendrai... "

XIII

Au hasard, dans la nuit, où va-t-elle ? Elle ne connaît pas cette ville, où sauf dans les lieux où veille la mort, finalement tout s'est couché, par une habitude plus forte que les bouleversements mêmes. Elle marche, Catherine, parmi les maisons, et elle ne craint pas de s'égarer, elle ne cherche pas l'hôtel inconnu où Jean l'attend sans doute.

Elle va vers la campagne, vers la solitude où retrouver ce calme qui ne sera jamais plus l'insouciance antérieure.

C'est ainsi qu'elle atteint une voie ferrée, qu'elle suit. Une lueur. La gare. Ici des gens veillent encore. Les cheminots qui parlent avec des soldats. Dans la clarté d'un fanal, l'éclair d'une baïonnette. On attend un train. Près d'un hangar rouge, sur une voie de garage il y a des wagons de marchandises. Encore un groupe de soldats.

"Hep! la petite demoiselle, on ne passe pas!"

Le soldat a reconnu Catherine. Il l'a vue tout à l'heure devant l'usine pendant la fusillade. Il lui parle. Oui, les patrons sont là. Dans un wagon à chaux. La mère et la fille qui se sont sauvées, comme elles étaient, en peignoir. Madame est en pantoufles, sans chapeau. Et le père? Tenez.

Un homme de cinquante et quelques années, hagard, nu-tête, surgit près des soldats. Un homme puissant, mais qu'a défait l'épouvante. A la lueur des lampes, le cramoisi de l'apoplexie près des yeux apparaît comme la craquelure d'une faïence. Les soldats ne lui parlent pas. Ils regardent au loin si le train d'Annemasse arrive, oui ou merde. Il fait sommeil.

L'homme jette des regards traqués autour de lui. Les baïonnettes ne le rassurent pas. Il dévisage avec terreur Catherine. Il s'assied sur le bord de la voie, et les mots sortent de sa gorge avec un raclement de faux col : "Je n'en puis plus. Je vais mourir ici."

Un des soldats se détourne : "Mieux vaut crever comme ça qu'autrement." Et sa main a un geste de guillotine. L'homme est reparti dans son wagon. On entend sangloter la femme.

Catherine ne peut plus supporter le spectacle de cette lâcheté. Un sifflet d'ailleurs annonce le train qui arrive en crachant son mépris de fumées. Elle a traversé la voie, elle est dans la campagne.

Étrange nuit, étrange nuit. Impossible de rien comprendre à ce splendide paysage sans lune où les sapins font des gestes de sorciers dans la brise chaude

encore du jour. Et les idées dans la tête de Catherine
sont comme les ramures alpestres, noires, chantantes, et
emmêlées.

L'appartement de la rue Blaise-Desgoffe, Jean,
l'amour, la solitude. De quoi a-t-elle peur cette Catherine qui riait tout à l'heure de pitié de la mine de ce
vieux lâche ? Car elle a peur, quand elle pense à l'avenir,
qui a pour elle invinciblement ce soir la teinte sanglante d'une tuerie sans fin. Tout à l'heure, si elle
s'est enfuie, ce n'était pas seulement de dégoût. Mais
ces jeunes soldats, elle ne pouvait pas les regarder
sans horreur, elle les voyait déjà morts, leurs bouches
ouvertes à jamais sur l'agonie, leurs yeux révulsés...
Il lui semblait qu'elle ne pourrait plus jamais regarder
un homme *vivant*.

Elle était morte de fatigue. Dans un champ où
il y avait des rocs, elle s'assit, avec ce sentiment extraordinaire de devoir qui ne prend jamais que les êtres
que le sommeil va saisir, qui se sentent coupables de
s'endormir, luttent et tout aussitôt succombent sous
le poids d'une nuit qui monte comme une marée en
eux.

Catherine dormait sur la terre. L'appartement de la
rue Blaise-Desgoffe. Jean...

... Combien y avait-il de temps qu'elle dormait quand
un bruit de voix persistant la tira de ses rêves ? Peut-
être un simple instant, peut-être un siècle. Un couple.
Un beau garçon, fort, et une fille de dix-huit ans peut-
être, brune, longue et effarouchée. Elle avait tout
l'amour du monde dans les yeux. Elle portait un
tablier, et un chapeau rond de paille noire. Une paysanne
riche sans doute. Ses mains couraient le long de son

amant. Elle ne disait pas un mot, elle : elle le vérifiait
vivant. Lui s'expliquait.

" Oui, quand ils nous ont sortis de la cave, il fallait
faire vite à cause de la foule, qui nous aurait déchirés.
J'ai tout de suite vu le parti à tirer de l'affaire. Dans
l'obscurité du bâtiment ils n'avaient même pas trop
compté leurs prisonniers. Quatre ou cinq, c'était tout
un pour eux. Je me suis jeté dans l'ombre du passage.
Et quand ils ont eu passé, tous, j'ai filé.

— Si les ouvriers t'avaient reconnu! " murmura
la voix féminine de l'ombre.

Ainsi c'était l'un des assassins, évadé. Catherine,
mollissante, mal tirée du sommeil, entendit des soupirs
et des baisers. La fille blottie dans les bras du jeune
homme maintenant parlait, folle de terreur. " Mais
pourquoi avez-vous tiré?

— Ils avaient des bâtons... "

Catherine revoyait la scène.

" ... et ils ont lancé des pierres. J'en ai reçu une, là,
dans la joue. "

Mensonge! Mensonge! Mais la femme avait mis
son doigt sur la joue lapidée. " Oh! tu es un brave
Marcel, tu es un brave! "

On aurait dit que Marcel répondait à une question
de Catherine : " Maintenant qu'est-ce que je vais faire?
Je voulais te voir, te parler, mon amour. "

Ce fusilleur disait *mon amour* avec une douceur
incroyable.

" Et s'ils me reprennent? Se cacher? Est-ce qu'on
peut se cacher longtemps? Ah! tous les deux ensemble,
par exemple. On se couchera dans un lit pour ne plus
penser.

— Chéri...

— Mes trois frères, et le vieil idiot, sont en prison. Tu comprends, il y a quelque chose d'impossible dans cette fuite. C'est contre eux, contre les miens...

— Tu ne vas pas te livrer?

— Pas cette nuit. Mais demain? Le jour d'après? Et puis qu'est-ce que j'aurais à me cacher? Qu'est-ce que j'ai fait de mal? "

Catherine, sur la terre dure, éprouvait comme un vertige : au fait qu'a-t-il fait de mal, Jean? C'est vers lui que s'envole un vaste désespoir. Et il a pris deux chambres, l'imbécile.

Les amoureux ont passé.

Parce qu'on ne sait jamais, le capitaine si on le rencontrait plus tard, dans la vie...

Catherine regagna la ville, l'hôtel, la chambre retenue qu'une sorte de petit monstre lui indiqua.

Le matin la surprit au réveil, honteuse d'avoir oublié cette image de la mort qu'elle ne croyait plus devoir quitter, de ce grand corps jeune et malhabile, avec du sang sur la chemise, du sang qui ne coule plus.

Quand elle descendit, une servante lui dit que monsieur attendait madame au café. Et elle s'y rendit, comme si c'était la chose la plus naturelle du monde.

Elle vit tout de suite que Jean n'avait pas dormi. Il y avait tout un tas de gens à sa table, et cela parlait.

"Permettez-moi, Catherine, de vous présenter le lieutenant X... Ma fiancée, Mlle Simonidzé. "

Catherine regarda Jean dans les yeux. Il pâlit. Il tenait à elle de toutes ses forces. Il ressentit comme un soufflet terrible, ce *non* irrémédiable, et dédaigneux, lisible dans les prunelles de son amie. Il y avait là le correspondant d'un journal socialiste. Tout ce qu'on faisait de plus rouge. L'officier du 30e de ligne, donc, que Catherine n'avait qu'aperçu la veille. Et des personnalités de Cluses. L'un des patrons de l'horlogerie clusienne, un homme très avancé pour son monde, un esprit assez large de toute évidence.

Catherine lui demanda ce qu'il advenait de la grève.

" Mais elle est finie! s'exclama-t-il. Il ne s'était élevé de contestations qu'entre ces messieurs et leurs ouvriers. Plus de patrons, plus d'usine! C'est le combat qui cesse faute de combattants. La cinquantaine d'ouvriers qui travaillaient dans la fabrique ne chômeront pas davantage, il faut l'espérer. Je pourrai en effet embaucher le personnel de mon collègue qui avait pour clientèle des marchands de Besançon qu'il fournissait de mouvements de montres. Je peux arriver à une entente avec les marchands et aussitôt que cette entente sera conclue, le travail reprendra. Il n'y a pas de raison pour que je ne les fournisse pas, ces marchands. C'est là une solution éminemment souhaitable! "

L'approbation universelle entourait ce petit discours. Catherine eut envie de boire. " Qu'est-ce que vous prenez? " Eux, ils buvaient tous de l'absinthe. C'était un peu long, avec tout ce micmac de la cuiller et du morceau de sucre. Enfin, tant pis. " Garçon, une absinthe! " Elle n'aurait pas regretté d'être ivre, un peu.

Elle sentait l'approbation donnée à cet industriel content de soi-même. L'approbation de Jean. Elle aurait pu discuter? Mais à quoi bon? Du moment qu'il ne sentait pas comme elle, d'instinct, l'affreux, l'intolérable de cette histoire. L'absinthe l'envahissait doucement. Et les propos de l'entourage. Un des fusilleurs, le plus jeune, s'était évadé, on ne savait pas trop comment. Les parents avaient fui à Genève ou à Annecy, on n'était pas fixé. Le locataire allait probablement être relâché, malgré le témoignage du secrétaire du syndicat des horlogers, affirmant qu'il l'avait vu recharger les fusils.

" Ça, disait le capitaine, je m'inscris en faux sur ce point. Je ne suis pas suspect de tendresse pour ces gens. Mais enfin il faut être juste... "

L'absinthe colorait toutes les choses. Jean remuait une jambe machinalement, c'était horripilant. Le procureur de Bonneville et un juge d'instruction étaient arrivés à Cluses. Le matin même il y avait eu un petit incendie dans un local où étaient cantonnés des soldats. Était-ce la malveillance ? La femme à qui appartenait la baraque disait que c'était une imprudence, mais pouvait-on la croire ? Enfin trois instructions étaient ouvertes : une contre les fusilleurs, deux contre inconnus, pour ce petit incendie, et pour l'incendie et le pillage de l'usine.

Comment ? on allait poursuivre les ouvriers ?

Une espèce de vertige emportait Catherine, la chaleur de midi montait de la rue. Tous ces hommes autour d'elle, la couleur des joues haussée par l'apéritif. Elle ne distinguait plus Jean des autres... des siens.

Toute la vie de Cluses maintenant passait dans les propos des buveurs. La terreur des habitants aisés pendant les deux derniers mois, le spectre rouge. Le juge de paix avait fait filer son argent en Suisse. Il n'était pas le seul. Il faut dire qu'évidemment les événements de la veille étaient horribles. Mais comme, dans ce qu'on ne peut plus éviter, il faut toujours voir le bon côté, on devait reconnaître que les coups de feu avaient assaini une atmosphère extrêmement chargée. Les coupables en prison, comme la grève, l'émeute n'avait plus de raison d'être. La vie normale revenait à Cluses. Les soldats y resteraient sans doute encore pour la forme... On se moquait du maire, un poltron qui avait aussi quitté Cluses, la veille dans la soirée. Évanoui !

Catherine n'écoutait plus. Et puis il y eut le déjeuner. Le lieutenant resta avec elle et Jean pour le déjeuner. C'était Jean qui avait insisté. Il avait pris deux chambres à l'hôtel...

Quand ils furent seuls vers le soir, quand ils eurent connu les détails de l'autopsie, le protocole arrêté pour les obsèques du lendemain, Catherine, assez lasse, essaya tout de même de dire ce qui la hantait depuis l'apéritif.

Cette histoire de la clientèle reprise par un concurrent... Eh bien ? Jean ne voyait pas le point. Enfin, est-ce que ce n'était pas abominable ? Abominable ? Je ne comprends pas.

Alors, il acceptait que tout, la grève, la lutte, l'héroïsme et finalement ces morts, tout cela aboutît à centraliser la clientèle, que cela profitât à un patron, à...

Jean trouvait Catherine trop exaltée. Et puis, il fallait bien qu'ils reprennent le travail, ces gens, qu'ils mangent. La vie doit continuer. De quelle façon imaginait-elle que les choses pouvaient tourner ? Non, décidément il ne voyait pas.

Catherine, plus que tout, souffrait de se sentir
absolument incapable, parce que c'était trop évident,
d'objectiver sa pensée, ses sentiments. Elle ne trouvait
pas les mots.

Et Jean s'éloignait d'elle par là même. Il était bien
d'un autre monde, un ennemi.

Quand il lui demanda si elle voulait rester pour les
funérailles, elle refusa. Ils prirent dans la soirée le
train pour Paris.

XIV

Un socialiste-révolutionnaire ayant tué le ministre
du tzar de Plehve le 28 juillet, le 29 il y eut une scène
entre Jean et Catherine, dans un petit restaurant où
ils avaient cru renouer doucement une liaison qui
s'en allait de partout, comme une étoffe.

Reprendre cette vie où l'on était des étrangers l'un
à l'autre n'allait pas sans un déchirement qui jetait
sur toute chose une lumière de vide et d'inutilité.
Catherine n'aimait pas Jean, certes, mais n'était-il pas
son premier amant? Elle ne pouvait se décider encore
à en choisir un second. Elle avait un peu peur aussi
que Jean prenne cela très mal, bien qu'il n'eût aucun
droit sur elle, elle le lui répétait sans cesse.

Il y eut des rechutes. Elle détesta ces chambres
d'hôtel, la bêtise de ces garnis parisiens, où viennent
des dames en voilette. Elle détesta Jean avec eux. Il
le sentait, il en souffrait. Il ne disait rien. Ils restèrent

quinze jours sans se voir. Puis il lui demanda d'être sa femme. Elle en aurait pleuré.

Cela prit des mois. Jusqu'à l'hiver. Quand elle lui raconta un jour que la veille elle avait couché avec quelqu'un, il devint assez pâle, mais dit : " Vous ne voulez pas m'épouser, Catherine ? "

Après cela, il fut entendu qu'ils étaient de grands amis. Jamais il ne se dédit de sa proposition de mariage. Elle le vit moins. Mais certains jours de tristesse, elle se souvenait de lui et il accourait.

Hélène était à Nice. Elle avait de la fièvre chaque soir, on craignait la phtisie. Mme Simonidzé l'avait expédiée sur la Côte d'Azur, et chaque sou qui pouvait s'envoyer était pour elle. A Paris, on était très pauvre, partant. Mercurot s'était déclaré. Dès qu'Hélène serait remise, le mariage aurait lieu. La famille Mercurot était hors d'elle. Cette intrigante ! Une étrangère, pensez donc, épouser un officier français !

Ce fut dans cette année 1905 où l'écrasement des Russes en Extrême-Orient et les nouvelles contradictoires des journées révolutionnaires firent à Catherine un horizon dont elle était hantée, que la jeune fille se sentit devenir femme. Liaisons ébauchées, à trois ou quatre reprises, liaisons abandonnées, toujours parce que le plaisir qu'elle avait d'un homme ne pouvait lui en cacher la vie, les idées, l'asservissement social. Une espèce d'explorateur, qu'elle avait connu par Brigitte. Devèze qui se faisait suppliant, avec lequel elle ne coucha qu'une fois et à qui elle dut fermer sa porte, parce qu'il pleurait et parlait de mourir. D'autres. Un étudiant, pris dans la rue.

Une espèce d'amitié nouvelle s'était nouée entre

Catherine et Martha Jonghens. Ces deux femmes, si dissemblables, que pas une idée ne liait, qui avaient, celle-ci de l'effroi, celle-là du mépris, pour les jugements que l'autre prononçait, se sentirent alliées par quelque chose, confusément. Cela devait être un certain goût des hommes; ou tout au moins, étaient-ce les choses de l'amour qui les rapprochaient. Martha savait, maintenant, sans confidences de la part de Catherine, qu'elle pouvait s'ouvrir à elle de tout ce qui touchait M. de Houten, que cela serait entendu, et elle parlait.

M. de Houten était marié. Il ne vivait point avec sa femme, bien que celle-ci partageât son appartement. Elle voyageait beaucoup, c'était une personne intelligente, mais sa vie était ailleurs. Elle avait un fils de son mari. M. de Houten faisait des affaires. Il jouait un peu à la Bourse, et cela donnait des soucis à Martha qui n'aimait pas le risque. Son frère Blaise, par exemple, qui maintenant menait grand train, il était évident qu'un jour ça tournerait mal.

Bien qu'elle fût de beaucoup la cadette de Martha, Catherine se sentait sur elle une supériorité de grande sœur : sans doute de ce qu'elle avait en une année pris plus d'expérience des hommes que Martha en six ans de liaison avec M. de Houten, sa seule passion. Comme elle parlait de lui! Des soirées qu'ils avaient eues à Montmartre, des dîners en cabinet particulier, le champagne, sa moustache. Et il y avait au fond de tout cela le panorama des voyages que son amant avait faits pour elle, la vie cosmopolite des grandes capitales, tout un monde effrayant et charmeur...

Martha sut-elle jamais que Catherine avait été la

maîtresse de son frère. Paul? C'est peu probable. Cela
se fit un jour, sur une décision bien mûrie de Catherine, qui voulait se débarrasser d'une obsession. Et
Paul pour toute sa vie eut, comme d'une défaite, le
souvenir de ces quelques jours d'où elle était sortie
au moment qu'il lui avait plu à elle, sans égard pour
lui, pour son humilité de chien battu, sa faim d'ogre
éconduit, ses rages, ses larmes enfantines.

Martha n'était pas jalouse de M. de Houten, il
était sa vie, elle avait en lui une foi aveugle. Elle
rapportait ses mots, ses jugements. Elle n'aurait
pas ouvert un livre qu'il avait condamné. Cela irritait
Catherine, mais en même temps le bonheur de Martha
lui allait au cœur.

Les affaires de la pension de famille n'étaient pas
mauvaises. Des jeunes filles y venaient de l'Illinois
ou de Hongrie, qui séjournaient à Paris à cause de la
Victoire de Samothrace ou de Mary Garden. Solange
Jonghens les conduisait aux cours du Louvre, ou
aux conférences des Annales. C'est ainsi qu'elle connut
Gaston du Bail.

Gaston venait d'hériter d'un oncle. De quoi se
mettre en ménage, ses dettes du quartier payées,
liquidée une petite amie assez bruyante qui l'avait
poursuivi une fois avec son revolver jusqu'à la porte
même des Jonghens. M. de Houten, consulté, avait
mis en rapport le jeune du Bail avec le préfet de
police. Lépine avait été charmant : on avait parlé à la
demoiselle, et elle avait consenti à quitter la France.

Gaston avait vingt-six ans. Il était terriblement
épris de Solange. Une jeune fille! Cela lui tournait la
tête. On hâta les fiançailles et le mariage.

Mais c'est vers ce temps-là que les affaires de Blaise Jonghens, brusquement, tournèrent à la catastrophe. Catherine était chez elle un matin quand Blaise débarqua à l'improviste. Il était dans un grand désordre, il n'avait pas dormi; où diable avait-il passé la nuit? Il était venu chez elle sans rentrer à son domicile, dès qu'il avait pu être dix heures.

"Pourquoi chez vous? Voilà : ma petite Catherine, si vous n'intervenez pas, je suis un homme mort, à moins que je ne préfère le bagne... Vous comprenez, Martha, elle me fiche le trac. Je ne saurais pas lui parler... Alors, vous. Vous êtes sa meilleure amie, et puis pas idiote. Enfin. Mon petit, donnez-moi la main et regardez-moi... "

Au milieu de tout ça, il jouait encore de sa carrure de géant, il l'enveloppait du regard. Maquereau, pensa-t-elle. En fait, chez son patron, il avait joué pour son propre compte avec l'argent des clients de l'agent de change. Cela avait marché pendant un bon temps. Puis il y avait eu du découvert...

Enfin si Martha le voulait, M. de Houten...

Catherine le regardait avec une espèce d'horreur. Maquereau, mais lâche avec ça. Il tremblait de fièvre à l'idée qu'elle allait lui refuser cette démarche. " Pourquoi ne parleriez-vous pas directement à M. de Houten, Blaise, si vous croyez qu'il peut vous tirer de là? "

Blaise se décomposait. Elle était toute sa chance, elle n'allait pas se dérober? N'est-ce pas, si M. de Houten savait de quoi il retournait, il ne donnerait rien. Mais si Martha demandait *pour elle-même*. " Vous comprenez, Catherine, le bagne. J'ai fait des folies.

Des choses écrites... des chèques... " Il s'embrouillait, il lui prit un poignet. Il essayait encore du charme : " Katioucha... " Il voulait l'embrasser. Paul avait dû lui dire... Elle eut un sursaut de dégoût.

" Pas de bêtises, Blaise, ça suffit comme ça. "

Bon, elle parlerait à Martha. Il pleurait dans les coussins de Mme Simonidzé.

Pour Martha, c'était le ciel qui s'effondrait. Elle disait bien tous les jours que ça tournerait mal avec Blaise, mais cela ne représentait pas grand-chose dans sa tête. Comment allait-elle parler de cela à Joris? Elle s'en faisait un monde. Et puis avec ça que c'était commode sans avoir interrogé Blaise... un tas de questions se présenteraient auxquelles on ne saurait pas comment répondre... Elle aurait bien vendu sa pension pour tirer son frère d'affaire... plutôt que de rien dire à Joris... mais, n'est-ce pas, elle n'était pas à elle seulement — Miss Baxton... Et demander à Joris, de l'argent! de l'argent! Au moment où Solange allait se marier! qu'est-ce que Gaston du Bail dirait? Catherine ne pouvait pas abandonner son amie, qu'elle reste avec elle pour parler à M. de Houten!

Tremblante Martha! Elle ressemblait à son frère dans la peur. Elle ne put jamais dire à M. de Houten, à son dieu, qu'une tare si effroyable avait marqué sa famille. Elle éclata en sanglots et murmura : " Parle, toi... " à Catherine.

M. de Houten fut très ennuyé, mais d'une correction parfaite. Diable, on ne trouvait pas comme ça cent mille francs dans le pas d'un cheval... enfin il allait voir. Évidemment il fallait éviter ce scandale, à cause du mariage de Solange. Il n'avait pas l'argent, mais si

Blaise était raisonnable, il connaissait quelqu'un qui, peut-être... Il lui parlerait lui-même.

Martha, absolument hystérique, se cramponna à Catherine après le départ de son amant. Où était Blaise? Non, elle ne lui parlerait pas. Catherine avait vu quel homme admirable était son Joris. Elle suppliait Catherine de rester dîner.

M. de Houten parla le lendemain avec Blaise. Il vint voir Martha, la rassura. Mais le surlendemain, dans un petit hôtel d'Auteuil, Blaise Jonghens fut trouvé avec une balle dans la tête.

" Ce sont les remords, expliquait M. de Houten, parce que tout était arrangé, fixé... La mort éteint les poursuites. Ma foi, je ne ferai pas pour Blaise mort ce que j'aurais fait pour lui vivant. "

Catherine avait été avec Martha à l'hôtel. Dans le décor banal de la chambre, ce cadavre d'homme jeune l'avait ramenée aux jours de Cluses. Mais ici le désordre des draps, le malheureux renversé sur l'oreiller dans une chemise de jour, et l'affreuse brèche de la balle dans le crâne, les bavures de cervelle sur le linge, la coulée du sang par la joue jusqu'au menton : tout avait un caractère de débâcle, aggravé par la montre, sagement posée sur la table de nuit, la veille au soir sans doute.

Cela ne fit pas grand bruit dans les journaux. Un fait divers, sans nom donné. M. de Houten avait vu le préfet, il lui avait parlé de Mlle Jonghens, de sa pension de famille.

XV

Le mariage de Solange était rompu. Gaston n'avait
pas trouvé possible d'entrer dans une famille qui ne
reconnaissait pas les dettes d'un des siens, fût-il mort.
Le train-train de la pension se poursuivait : des dames
roumaines prenaient des leçons de solfège, et vocali-
saient encore le matin, tandis que Miss Baxton comptait les petites cuillers.

Hélène, retour de la Riviera, guérie paraît-il, mais
maigre vraiment, passait ses journées en tête-à-tête
avec Mercurot. Il fallait en finir. Le médecin recom-
mandait le mariage. Pas d'enfants tout de suite, par
exemple ! Il y eut une messe à Notre-Dame des Champs,
et une messe à l'église russe de la rue Daru, Hélène
y tenait.

Ce mariage avait bien un avantage : la pension que
faisait M. Simonidzé à sa femme et ses filles, insuffisante
pour trois personnes, devenait presque large pour
Catherine et sa mère, restées seules.

Mais Catherine s'en était allée aux environs de Paris
pour ne pas voir ça. La petite localité où elle était
tombée était toute bouleversée par la campagne électorale de 1906. Sur les panneaux de bois aux portes de
la mairie, à chaque morceau de mur que ne mangeait
pas une fenêtre, les affiches contradictoires et gro-
tesques surgissaient. Le mépris de Catherine pour la
politique lui rendait ces batailles murales tout à fait

incompréhensibles, d'autant qu'elle ignorait ce que représentaient les étiquettes des partis : *Républicain progressif, Socialiste indépendant, Gauche démocratique*, qu'est-ce que tout cela voulait dire?

Ce qu'il y avait de certain dans cette période où jusqu'à la campagne était empoisonnée, c'étaient la relégation des femmes, l'importance accrue des hommes paradant sur les places, pérorant aux cafés, saouls tous les soirs, fiers de leur bulletin de vote, les imbéciles! Les titres gras s'écrasaient chaque jour sur de nouvelles affiches. *Je ne répondrai pas* disparaissait sous *Une infamie!* pour faire place à *Deux questions à M. Putois*. Dans les maisons, plus que jamais réduites à leur rôle de ménagère, les femmes allaient et venaient silencieuses.

Pourtant une affiche retint Catherine : *L'Électeur, voilà l'ennemi!* C'était une affiche anarchiste. On y déclarait que le seul moyen logique de supprimer les lois était de n'en pas faire. Il ne fallait pas élire des gens qui feraient des lois. Le député devait être supprimé, mais l'homme qui portait la responsabilité des faits et gestes du député, n'était-ce pas l'électeur? *Le criminel, c'est l'électeur!* Cette formule paradoxale répondait assez aux sentiments de Catherine pour qu'elle voulût connaître le journal *L'Anarchie* dont le nom était au bas de l'affiche.

Elle ne put le trouver qu'à son retour à Paris. C'était une feuille très pauvre que dirigeaient alors Albert Libertad et Anna Mahé. Il y avait bien dans l'extérieur de ce journal des choses qui étaient pour exciter chez Catherine un certain esprit critique. Ainsi les fantaisies orthographiques d'Anna Mahé, qui, sous prétexte d'*ortografe simplifiée*, écrivait *jalouzie*, *plaizir sexuel, hijiène du cerveau, un être intélijent*. Mais ce baroque, comme un certain disparate des idées, avait pour Mlle Simonidzé l'attrait du gilet rouge des romantiques. Tout de même, l'antimilitarisme était la dominante de *L'Anarchie*, et ce serait vite dire que de prétendre que Catherine y goûtait surtout une revanche contre le mariage de sa sœur. L'antimilitarisme chez elle était une révolte contre les hommes, contre tous les hommes, et pas seulement Mercurot ou Jean Thiébault. Ce sont les hommes qui sont soldats, ce sont les hommes qui sont électeurs. Catherine ne réclamait pas le droit de vote pour les femmes, comme les suffragettes anglaises.

A vrai dire, *L'Anarchie*, qu'elle lisait maintenant régulièrement, menait contre la guerre une propagande où tout n'était pas sans force. Ainsi Catherine peu à peu s'attacha aux articles de Libertad :

" Il en est qui parlent pour la paix, écrivait-il, moi je parle *pour la guerre*. Pour cette guerre qui ne jette pas les hommes aux frontières — la révolution n'en connaît pas — mais qui les dresse contre l'oppresseur de tous les jours, en tous les pays. "

Si on mêle quelques souvenirs de Cluses à cette agressivité envers les hommes, les maris, qui donnait à la conversation de Catherine le charme d'une bataille, on comprendra peut-être comment Catherine lisait ces mots : l'oppresseur de tous les jours. Elle était loin d'approuver tous les collaborateurs de son nouveau journal. Contre l'oppresseur, les moyens les plus violents lui semblaient bons. Elle se fâcha d'un article de Ferdinand Buisson. Suivant cet excellent homme, la

mère de famille devait inculquer de bonne heure à
l'enfant cette idée que les armes, qu'un sabre, un
fusil, un canon, sont des instruments que nous devons
regarder du même œil que nous considérons au château
de Chillon des instruments de torture employés il y a
quelques siècles. De tout cela, Catherine entendait
d'abord les mots *la mère de famille*, et cette formule la
mettait hors d'elle. Il y avait des mères de familles
pour les anarchistes maintenant! Et puis un revolver
n'était pas une arme archaïque, s'il abattait un tyran.
Enfin Catherine éprouvait l'envie de connaître ces
gens si divers, de voir ce qu'ils avaient dans le ventre.
Elle alla à un petit meeting qui se tint à la salle du
Commerce, rue du Faubourg-du-Temple; c'était au
lendemain de l'arrestation des vingt-six signataires
d'une affiche antimilitariste : *Aux conscrits*.

De cette petite salle enfumée, où se pressait un
public mi-ouvrier, mi-intellectuel, elle ne retint que le
pathétique et la bigarrure des gens. Les longs cheveux
de jeunes hommes qu'elle trouva beaux et mal tenus,
l'intéressèrent en fait tout autant que la présence d'un
certain nombre de femmes, bien qu'elle se fût surtout
proposé en venant là d'approcher des femmes qui lui
fissent oublier sa sœur, Brigitte et Solange. En fait,
elle ne vit guère là, après des orateurs dont le nom ne
lui disait rien, — Henri Lagné, Victor Dimitel, Jean
Goldsky, — elle ne vit guère là qu'un seul homme,
le directeur de *L'Anarchie*, Albert Libertad.

C'était un homme grand, à la tête comme une
broussaille, avec toute sa barbe et des cheveux bruns
retombant en arrière plus bas que le col. Si ses épaules
lui remontaient un peu, sans doute cela tenait-il à ce

qu'il ne marchait qu'avec deux béquilles. Avec son front immense et bombé, dégarni par une calvitie commençante, cet homme qui exerçait un grand attrait sur les femmes, par son regard et sa voix chantante de Bordelais, était un infirme. Vers le bas, son corps mourait. Cette volonté, cette rage se terminait par deux jambes molles qui ne pouvaient soutenir Libertad. Toute sa force était dans ses bras habitués à porter le corps. Cet être qui ne touchait pas la terre avait une fureur pathétique. Catherine ne pouvait détacher de lui ses yeux. Il parla.

"Depuis plusieurs semaines, quelques empanachés, disait-il, discutent afin de savoir qui aura le droit, des financiers français ou des capitalistes allemands, de voler les Marocains. Il paraît que si ces bonshommes pour une cause quelconque — maux de dents ou d'estomac, déboires amoureux, etc., — ont des idées maussades, les honnêtes gens de France et de Navarre massacreront les honnêtes gens de Prusse et de Bavière, et réciproquement. Pour nous, au moment où les gouvernements parlent de complications nouvelles, nous tenons à déclarer bien haut que nous ne marchons pas. Quant à ceux qui se contentent de mots ronflants, patrie, honneur, drapeau, pour se faire tuer ou tuer les autres, qu'ils aillent à la boucherie! Sur la terre débarrassée de ces résignés nous hâterons l'avènement de la société anarchiste où les hommes seront unis par leur amour pour la vie. "

Les mots n'étaient rien : il y avait la voix, la flamme, comme un embrasement de tout ce visage aux yeux clairs. Puis le mélange de la force et de la faiblesse, de la véhémence et de l'infirmité. Catherine regardait

cet homme qui portait une longue blouse noire de
typographe. Quelle maladie, quel accident avait fait
de lui un infirme? Il sortait de cette blouse deux jambes
ballantes, aux pieds nus dans des sandales.

Catherine s'approcha de lui, quand il fut venu
s'asseoir dans la salle, et elle lui parla. C'était curieux,
comme un vertige, ce besoin qu'elle avait eu de lui
parler. Elle ne se l'expliquait pas très bien. Ils n'échan-
gèrent que quelques propos sans intérêt, elle l'abordait
avec une certaine timidité. Elle sentait confusément
qu'il appartenait à un monde étranger, inconnu d'elle.
Non pas, pensait-elle, parce qu'il était ouvrier. Non,
non. Mais à cause de toute sa vie, comme un mystère.
Elle se demandait comment il passait ses journées, où
il dormait, de quoi il avait pu avoir l'air, enfant. Il
l'invita à venir aux soirées de *L'Anarchie*.

Martha fut extrêmement inquiète, le lendemain,
du récit que lui fit Catherine de cette innocente entrevue.

"Mon Dieu, Katioucha, tu n'es pas folle? Aller
dans des endroits pareils! Tu finiras par avoir des
histoires avec la police, d'abord. Et puis qu'est-ce que
cette curiosité pour cet homme?

— Voyons, Martha, tu ne penses pas que je suis
éprise de lui?

— Ah ça, par exemple, je ne l'imagine pas! Un
infirme! Mais pourquoi me demandes-tu ça? Mon Dieu,
tu es amoureuse de cet anarchiste!

— Je t'assure...

— Tu es amoureuse, c'est toi qui l'as dit! Mais
songe un peu à ce qui peut arriver! Quelle vie pourrait
être la vôtre? Tu ne vas pas l'épouser? "

Romanesque comme toujours, cette Martha! Cathe-

rine était prise de fou rire. Il y avait là trop de choses
à la fois : d'abord le comique de Martha qui n'imaginait jamais rien hors du mariage, malgré le beau Joris,
puis le comique de sa frayeur, cette sortie à propos de
rien, tout de suite une histoire d'amour! Cela fait mal
quand on rit trop, un peu comme de courir par un
grand froid : cela brûle.

Martha parla de l'affaire à M. de Houten. Il savait
qui était Libertad. Il savait tout, ce Joris. Martha
l'embrassa avec admiration.

" On dit bien des choses sur ce personnage, et vous
devriez, chère amie, faire comprendre à Mlle Simonidzé
qu'elle se fourvoie. Oh! je ne veux pas dire socialement... ce ne serait pas d'ailleurs pour la retenir. Mais
répétez-lui qu'il a couru des bruits très troubles sur ce
Libertad. Sans que je sache rien de positif. Vous tâche-
rez surtout de ne pas m'engager en répétant à votre
amie ce que je vous dis là. "

Catherine fut sur le point de mettre son chapeau et
de s'en aller au premier mot que lui en toucha Martha.
On disait que Libertad était de la police, on avait
arrêté des gens après une perquisition chez lui, et il
n'était jamais inquiété malgré ses discours incendiaires.
Ainsi lors de la visite d'Alphonse XIII à Paris, il avait
été bien arrêté sur le pont Alexandre et par Xavier
Guichard en personne : eh bien, il n'était jamais arrivé
au poste de police!

" Tu comprends, mon petit, ce que je t'en dis, c'est
pour ton bien. Joris me l'a raconté. Lui, ça lui est
égal, que ce Libertad soit de la police. Au contraire.
Il dit qu'il faut des gens comme ça, et que peut-être
sans eux, on l'aurait tué, Alphonse XIII. Ce qui serait

très ennuyeux. A Paris, tu penses! Pas que ça nous
fasse ouf, la mort d'un roi, et d'un roi d'Espagne.
Mais enfin qu'il s'arrange pour être tué ailleurs, et
pas chez nous. Son père était venu nous rendre visite
en habit de uhlan. Tu parles d'un manque de tact!
A part ça, celui-ci est jeune, et puis j'aime assez les
Espagnols. J'en ai connu un, non c'était un Argentin.
Ou un Brésilien. Je ne sais plus trop... "

XVI

C'était au 22 de la rue de la Barre qu'était le siège de
L'Anarchie. Dans l'ombre du Sacré-Cœur, Libertad
avait installé là une petite imprimerie. Il était typographe dans l'équipe de jour chez l'imprimeur Dangon,
rue Montmartre. Des camarades l'aidaient à faire le
journal. Il avait deux femmes, des institutrices, paraît-il.
Ce n'était pas un de ces anarchistes qui, réprouvant
le travail, vivent souvent du travail des autres. Pas
un fainéant. Le journal, les soirées, causeries ou
meetings, lui prenaient tout son temps, une fois quittée
l'imprimerie où il gagnait son pain. Cela rendait assez
improbables les imputations de Joris de Houten.

On se réunissait tous les lundis soirs à *L'Anarchie.*
Catherine devint une habituée de ces *Causeries populaires du XVIII*, où tout ce que l'anarchie comptait
d'étoiles, de Paraf-Javal à Libertad, défilait. C'était
pour Mlle Simonidzé ce qu'est le café pour bien des
hommes : un lieu où ils oublient leur ménage, les

tracas de l'existence, leurs gosses, leur femme. Elle
menait une vie double : l'une comme machinale, qui
n'était que la poursuite de ce que la vie attendait d'elle,
avec Mme sa mère, son beau-frère Mercuriot, Hélène;
des jeunes gens du genre de Paul Jonghens. Qu'est-ce
que c'était que cette vie-là? La chose la plus vide, la
plus inutile. Une façade. Pourquoi se lever chaque
jour? à quoi bon? La plupart des femmes vivent
d'abord dans l'attente du mariage, puis mariées, elles
sont les bonnes de leurs maris. Mais Catherine!

Elle avait donc une seconde vie, où les figurants de
la première n'avaient aucune part. Le lundi soir,
elle allait rue de la Barre. Cet aliment intellectuel
qu'elle y trouvait était comme une drogue pour elle,
une drogue à la fois exaltante et déprimante. On l'y
avait tout d'abord regardée avec une certaine inquiétude. Puis elle avait été adoptée. Elle avait de longues
conversations avec Libertad. Les pressentiments de
Martha ne se vérifièrent pas. Il n'y eut pas entre eux
de roman. Mais à vrai dire il y avait assurément quelque
chose à quoi la personne de Libertad n'était pas étrangère dans la fascination qu'il exerçait sur Catherine.
Souvent elle allait le voir chez Dangon. Elle l'attendait
au tabac à côté. Il venait prendre un verre avec elle,
et des vendeurs de journaux, des typos, se mêlaient à
la conversation. Le monde agile et bizarre de la rue du
Croissant tournait autour d'eux. A ces heures où la
sortie des journaux du soir enfièvre le quartier, où
s'arrachent au déballé de l'imprimerie les mensonges
crépusculaires de la presse, toute une population
surgit là, où foisonnent les chômeurs, les habitués
d'une vie hasardeuse, et d'extraordinaires clochards.

Avec cela, la chaufferie du jeu, car nulle part comme
dans ces cafés qui entourent les imprimeries des
journaux, la passion des courses ne sévit davantage.
Les bookmakers des milieux ouvriers ne ressemblent
pas à ceux des bars de l'Étoile. Pour Catherine, tout
cela c'était en gros le peuple.

Il est certain que Catherine éprouvait comme une
tare, comme une sorte de péché, cette impossibilité
à se déclasser véritablement, qui l'attachait à l'univers
borné de la rue Blaise-Desgoffe. C'étaient de drôles
de rapports que ceux qu'elle avait avec Libertad. Il
lui semblait qu'elle jouait les princesses en excursion
dans les faubourgs. Pourtant elle était plus proche
de cet homme que de Mercurot. Mais tout entre eux
s'arrêtait à un certain point. Et avec d'autres, c'était
pire encore.

Une des grandes choses dont Catherine était reconnaissante à Libertad, qui la mettait à l'aise, c'était
qu'il la mît à l'aise sur la question des classes. La
conception socialiste qui coupe le monde en deux
comme une pomme, avec d'un côté les exploités,
de l'autre les exploiteurs, l'avait toujours irritée. Où se
situer ? Elle n'exploitait personne, mais elle n'était pas
une ouvrière.

Libertad disait, lui, que cette distinction était absurde.
Il y a deux classes, ceux qui travaillent à la destruction
du mécanisme social, ceux qui travaillent à sa construction. Par conséquent, on trouve des ouvriers et des
bourgeois dans les deux classes. Catherine, du fait
qu'elle venait rue de la Barre, se sentait dans le bon
panier. Confort intellectuel.

Elle trouvait aussi un appui dans la violence des

diatribes de Libertad contre les socialistes. C'était quand il se fâchait contre eux peut-être qu'il trouvait le plus d'éloquence. On disait à *L'Anarchie* que c'était là la source des accusations dont les socialistes se faisaient les échos, et qui présentaient Libertad comme un policier. On y affirmait que c'était la manœuvre classique du ministère de l'Intérieur envers les vrais révolutionnaires. Les noms de Blanqui et de Bakounine étaient à cet égard invoqués.

Seul Paul Lafargue trouvait quelque grâce auprès de Libertad. Oh! tout est relatif! Il le tenait pour intelligent, alors qu'il disait de Jaurès que c'était une buse. On injuriait Lafargue un peu moins qu'un autre, voilà tout, et même *L'Anarchie* reproduisit parfois ses articles.

Catherine se retrouvait encore avec ses nouveaux camarades sur un point très précis : le mépris des revendications immédiates. On était pour la Révolution, et non pas pour la journée de huit heures.

Pour être juste, Libertad se prononçait pour la journée de huit heures, à la différence de certains de ses amis, qui voulaient qu'on demandât la journée de quatre heures, et de ceux qui voulaient la journée de douze heures pour exaspérer l'ouvrier et le pousser dans la rue. Mais, disait-il, la journée de huit heures n'est intéressante que si on considère qu'en gagnant deux heures sur la journée de dix heures, on entend consacrer ces deux heures à une grève générale. La grève générale quotidienne de deux heures... Cela supposait qu'aucune infraction ne serait tolérée, interdiction de faire des heures supplémentaires gratifiées.

Il n'y avait pas qu'avec les socialistes et les syndicalistes que Libertad et *L'Anarchie* luttaient : l'ennemi c'était, pour Libertad, essentiellement le libertaire.

" Je suis anarchiste, criait-il, moi! Les libertaires, ces triples abrutis, considèrent comme une cause la liberté. La liberté en soi. Une liberté posée sur ses pieds de putain comme la République de Dalou. Un principe, une statue. Au commencement était la liberté. Ceci posé, ils se considèrent comme libres, et combattent la société, en tant qu'entrave à ce don du ciel. Nom de Dieu de nom de Dieu! C'est bête à couper au couteau. Moi, je suis anarchiste, et je considère la liberté comme une fin. Je sais très bien que je ne suis pas libre. Et le déterminisme alors! "

En arrivant à ce point scientifique, Libertad agitait ses larges manches noires.

"Non, continuait-il, je ne suis pas libre. Mais je veux être libre. La liberté est une fin. Voilà pourquoi je suis anarchiste. Et non pas libertaire. Le courant libertaire de l'anarchisme est un grave danger, il fait prendre l'ombre pour la proie. Nous ne sommes pas nés libres. Qu'est-ce que c'est que ce genre Jean-Jacques Rousseau? Moi, je n'adore pas la liberté, je ne suis pas *libérâtre*. Parce que je veux être libre, moi, je sais que j'aurai à en opprimer d'autres. La Révolution est un acte d'autorité de quelques-uns contre quelques-uns. "

Son sujet de conversation préféré était la question sexuelle. Son cynisme, en fait, intéressait très peu Catherine, et c'était là qu'elle trouvait son grand homme un peu faible. Elle avait eu pas mal d'amants, elle en avait toujours, et traitait assez cavalièrement d'une question qui n'était pas pour elle un problème. Les

discours sur les vices, les perversités l'ennuyaient.
Elle n'était pas lesbienne, et le reste c'étaient des
histoires d'hommes. La polygamie de Libertad ne lui
en imposait pas. Elle la désapprouvait, comme une
sorte d'aggravation du mariage. Ils se disputèrent à
ce sujet, à quatre, eux deux et les deux femmes. "Le
plaizir sexuel!" criait Anna Mahé, avec l'aigu de sa
voix.

Lors des révoltes des viticulteurs, il y eut de violentes discussions entre les collaborateurs de *L'Anarchie*.
Le 17ᵉ régiment d'infanterie s'était mutiné, refusant
de tirer sur la population civile. Était-ce bien assez?

"La crosse en l'air! Voilà mon mot d'ordre",
disait Sébastien Faure. Libertad répliquait : "Si
on donne aux soldats l'ordre de tirer, ils ont trois
possibilités. Exécuter l'ordre. Mettre la crosse en
l'air. Tirer sur ceux qui ont donné l'ordre. Je suis
pour la troisième solution!"

Catherine ici était profondément d'accord. Elle
ne voyait pas comment elle aurait pu n'être pas d'accord. Elle fermait les yeux et elle voyait comment
Jean Thiébault, dans une grève, le bras levé, avec
l'épée, criait : *Feu!* Et c'était lui que les soldats couchaient en joue, *Feu!* lui qui tombait, dans la boue,
dans le sang. Elle avait déjà vu mourir un homme.
L'idée de Jean n'était jamais très loin d'elle. Elle le
détestait.

XVII

Les minotiers de Saint-Jean-d'Angély avaient été pris la main dans le sac. Ils falsifiaient la farine avec du talc. Les cent kilos de cette denrée valaient trois francs dix au lieu de trente à trente-cinq francs la farine, ils avaient consommé cent mille kilos de talc en dix-huit mois. Ou plus exactement, ils les avaient fait consommer au public.

Cela fit quelque bruit et un procès.

Libertad commentait cette histoire en fulminant.

" L'opinion s'indigne contre les industriels, disait-il, mais sont-ils les plus coupables ? Pendant dix-huit mois le talc leur a été livré par des ouvriers et des ouvriers sur leur ordre l'ont mélangé à la farine. Les plus coupables, ce sont les ouvriers minotiers, les employés des gares et sans doute les mitrons.

— Ils ne faisaient qu'obéir, protestait Catherine.

— Oui, et sans doute était-ce seulement le pain des pauvres qu'ils fabriquaient ainsi. Le pain des riches, sur l'ordre du boulanger, ils le faisaient d'une autre pâte. Voilà le crime, le crime ouvrier, le plus grave. "

Il apparaissait bien à Catherine une exagération en ce point : bon, elle consentait à accuser de complicité le mitron, mais en profiter pour oublier le patron ! N'était-ce pas lui le fauteur principal ?

D'une façon générale, ce raisonnement complétait

la sociologie de Libertad et sa négation des classes.

"Le bourgeois qui consomme sans produire rien, jamais, disait-il, n'est pas un danger plus grand que l'ouvrier consommant sans produire jamais rien d'utile. Le capitaliste, qui amoncelle des actions les unes sur les autres, est à détruire au même titre que l'employé de métro, faisant des trous dans du carton toute une journée. En fin de compte ne faut-il pas que l'ouvrier producteur les nourrisse, les habille, les loge et satisfasse à leurs besoins? Tout homme improductif est à détruire, sans haine et sans colère, comme on détruit les punaises, les parasites... "

Ainsi toute la force, la rage de Libertad, égalant le bourgeois et l'ouvrier, se tournait en réalité contre celui-ci. Il lui en voulait avec une violence imprécatoire de ne pas faire immédiatement la révolution. Les malheureux contrôleurs de métro! A eux, il en avait tout spécialement. Il pouvait parler une heure sur ce sujet. Il refaisait en parlant le geste de la main qui serre la machine perce-tickets. Il préconisait, comme remède à tous les maux sociaux, la grève des gestes inutiles : "Le contrôleur des finances et celui des chemins de fer, le bourreau et le fonctionnaire de la banque, le tisseur de chasubles et de rubans de la Légion d'honneur, le correcteur et l'imprimeur du Code et de l'Évangile, le chercheur d'or et de diamants peuvent disparaître écrasés par le tourbillon du progrès, sans que je fasse un mouvement pour empêcher rien! "

De là sa haine de la C. G. T. Comment, cette association ouvrière organisait, pour vivre au mieux dans la société actuelle, les travailleurs de toutes les professions! Mais elle ne songeait donc pas à détruire les professions nuisibles, les métiers inutiles? Qu'avait donc besoin l'ouvrier de peindre des réclames, des enseignes, de fabriquer des compteurs à gaz, d'estamper des billets de banque? Il se rendait le complice de la compagnie du gaz, de l'État déprédateur, du commerçant voleur. Et la C. G. T. prétendait défendre les revendications de ces gens-là. Mais il valait mieux qu'ils crèvent de faim, qu'ils meurent, qu'il n'y ait plus un peintre d'enseignes, etc.

Dire qu'il y a des gens qui fabriquent des cartes de visite!

C'était là ce qu'il appelait le travail antisocial, et cette conception l'amenait à lutter tout autant contre les syndicats, le parti socialiste que contre le militarisme par exemple.

"Ah! parlez-moi des militaires! D'abord nous avons une armée démocratique, tout le monde a été soldat, tout le monde a été complice. Mais si les militaires n'avaient pas d'armes, ils ne feraient pas long feu. Or qui donc leur fournit des armes? Les ouvriers. Prenez une ville comme Saint-Étienne. Toute la ville vit du travail de la manufacture d'armes. Toute la ville travaille pour la guerre. Si on veut y fermer un atelier, y diminuer la production des armes, la population ouvrière se soulève. Tenez, Briand, député socialiste de Saint-Étienne, est intervenu pour protester contre des licenciements... "

Ici Catherine acquiesçait. On était en 1908, Briand était au pouvoir. Briand issu de la classe ouvrière, porté par elle. Il avait fait usage contre les ouvriers des armes que fabriquaient ses électeurs. Le peuple avait le gouvernement qu'il méritait. Le chômage n'était pas une excuse : "Le vieux cri de 1848 : *du travail!* disait Libertad, on y croit encore et c'est celui des ouvriers qui se proposent pour forger leurs propres chaînes! Les ouvriers acceptent de faire des gestes de mort : ils fabriquent des canons, des fusils, des sabres, de la poudre, des cuirassés, des torpilles, et quoi encore?... Des villes entières sont bâties et vivent du chancre militaire, de la pourriture patriotique, de l'élaboration croissante d'un travail de mort. Et l'on rencontre de par les rues des villes, dans tous les pays, des gens gorgés d'alcool ou de patriotisme, qui crient : Vive l'armée, vive la syphilis, vivent les soldats, vivent les morpions, vive la crasse, vive l'honneur! "

Quand il se lançait dans un développement semblable, Libertad n'avait plus aucun égard du lieu où il se trouvait. Sa voix se faisait oratoire, il se levait sur ses béquilles, il criait. Et cela dans la rue comme au café. Dans une certaine mesure son infirmité le préservait.

Un des désaccords de Catherine avec lui, c'était le machinisme. Sur ce point, ce béquillard lyrique avait des vues qui choquaient en elle ce vieux goût de Rousseau, qui jadis l'avait unie en quelque chose à Jean Thiébault.

"Les hommes, expliquait Libertad, s'en prennent à la machine comme l'enfant qui se coupe s'en prend au couteau. "

Mais toujours, mais ici encore, pour lui le fautif était l'ouvrier même : il devait s'en prendre bien plutôt à sa maladresse, à son ignorance, ou à sa faiblesse. Le watmann du métro, esclave pendant dix heures de sa machine, que ne met-il simplement à sa place pendant cinq heures le contrôleur, qui est là à percer ses tickets... Libertad refaisait le geste du contrôleur avec une expression outrée, dont s'amusait un peu Catherine.

Quel que fût le plaisir qu'elle prît des propos de Libertad, la ferveur et le courage souvent des hommes bizarres qu'elle rencontrait dans son entourage, l'espèce de renouvellement perpétuel de ce milieu, où c'était une règle d'accueillir n'importe qui sans jamais demander d'où il venait, le passage dans ce milieu d'étranges et fugitives figures, des fous, des criminels et des êtres sans nom, sans destin, sans but... rien ne pouvait combler le vide abominable de la vie de Catherine Simonidzé.

Elle avait bien essayé de la musique, la seule chose qui lui fît vraiment oublier le monde et sa vie. Elle s'était payé ces leçons de piano que Mme Simonidzé lui avait refusées, enfant. Elle s'y était jetée avec dérèglement. Elle apprenait aussi le chant. Mais il était trop tard maintenant : elle comprenait que jamais elle n'atteindrait à la maîtrise qu'elle aurait eue si elle avait commencé vers dix ans cette étude. Elle se lassa.

Bon, il y avait des heures qu'elle pouvait passer ici ou là, mais le temps ne coulait pas. C'était comme une fontaine gelée. Tout de même elle avait des paniques devant une soirée, un après-midi. Lire... Encore un livre de plus! Et pour les aventures, c'était la même chanson : un homme de plus. Bon, elle avait essayé de se prendre à ce jeu-là. Elle avait terriblement désiré de jeunes garçons, comme un homme a envie des actrices. Pour leur corps. Pour leur force. Des joueurs de tennis, et pis que cela. Des espèces de maquereaux. Pas un d'entre eux avec qui elle pût parler. C'était comme un divorce de ses désirs. Il n'y avait que des sortes de brutes ou des beaux garçons bêtes qui eussent de l'attrait à ses yeux, et ceux à qui autre chose qu'un lien physique eût pu l'attacher, c'étaient des êtres malingres, des hommes déshérités du charme dont elle ne pouvait faire à des idées l'abandon. Tout de même, elle n'aurait pas pu aimer Libertad.

Même pour faire passer le temps.

L'année 1907, par exemple, il valait mieux ne pas y penser : une horreur, ça avait été une horreur. Quelque chose comme une arête dans le gosier.

XVIII

1908 ne valait guère mieux. Catherine chaque jour sentait peser davantage l'inutilité, l'absurdité de sa vie. Ou de la vie, comme elle disait. Possible que depuis des siècles que les femmes trouvent normal d'être assises à faire de la broderie derrière les brise-bise des fenêtres ou à se balancer d'un réverbère à l'autre à un coin de rue, attendre les hommes fût la fin dernière de leur existence. Catherine ne pouvait s'y résigner.

Sa part d'illusion avait été bien courte : quelques

jours de juillet en Savoie, avant la fusillade de Cluses.
Quand l'espoir, l'insensé, le vague espoir renaissait
en elle, c'était l'idée de l'amour qui tout à coup s'empa-
rait de Catherine. Ah! si elle eût aimé quelqu'un!
Mais soudain, il lui apparaissait dans l'amour toute la
tromperie du monde. Aimer! Brusquement se trouver
à la merci d'un homme, et ce serait bientôt pour elle
comme pour toute autre, l'esclavage, les longues
heures, la broderie derrière les brise-bise. Eh bien,
non.

En attendant, elle remontait le cours des heures, des
jours, des semaines, avec une lassitude épouvantable.
Encore une saison d'épuisée! Le plus beau printemps
du monde, l'été le plus torride s'éteint après tout un
jour, et c'est le raisonnable automne, l'hiver sans
hypocrisie. Vous qui vous êtes bien ennuyés les jours
fériés, peut-être comprendrez-vous toute la vie de
Catherine. On ne sait pas pourquoi, mais on veut
profiter d'un jour de liberté, on s'en va avec des gens
qu'on connaît, de la famille dans un lieu de pauvres
arbres et de poussière. Cela s'appelle la campagne. On
marche un peu plus loin parce que ça sera mieux là-
bas. On croise d'autres groupes du même genre qui
ont fait le même raisonnement en sens inverse. On
parle. Les gens ne s'étonnent pas de parler. Conversations. A l'émerveillement près, la conversation est
un jeu qui ressemble au kaléidoscope. Vous secouez
un homme, et ses mots forment de nouvelles étoiles
idiotes. Avec le soir vient lentement la fatigue, et il
y a un long chemin pour s'en retourner chez soi.
Sous les trains de banlieue qui reviennent à la nuit,
comment se fait-il que l'on ne se jette pas davantage

avec les stupides bouquets de branchages du désœu-
vrement?

Catherine avait ce qui s'appelle des amis. Elle
allait chez eux, elle s'asseyait dans une bergère. On
posait des petits fours près de chacun sur des tables-
gigognes. Les pensées et les paroles tournoyaient
dans une lumière d'abat-jour roses. Il y a au milieu de
la pièce un grand désert ou une prairie, un tapis de la
Savonnerie avec des fleurs pâles. Des femmes sont
accrochées au décor suivant la disposition des chaises,
avec des robes intéressantes, laissant tomber de leurs
épaules l'étole de martre, ou le renard sitka. Elles
tournent leur buste gainé et leur chapeau pareil à un
saint-honoré, penchant soudain tout l'édifice sous le
poids d'une histoire racontée. Un brouhaha dans
l'antichambre annonce de nouvelles visiteuses.

Il y avait aussi les Grands Magasins où pourtant
s'épuise si bien le temps des femmes. Il y avait les thés,
et la musique. Catherine ne détestait pas les concerts.
C'était même à peu près tout ce qui lui donnait la force
de continuer cette étrange vie habituelle, qui ressemblait au macramé, alors à la mode. A force d'ennui,
Catherine allait même au jour de sa sœur.

Alors tout d'un coup ça la prenait comme une
fièvre. Elle se mettait à regarder un homme, le premier
qui lui plaisait. Elle était belle, Catherine. Et cela faisait
quelques jours de romance tzigane. Tout de même,
en fermant ses bras nus sur un nouvel amant, elle
n'oubliait jamais tout à fait l'entresol du rendez-vous,
la garçonnière, la chambre d'hôtel, tout le cadre social
grotesque, comme un pantalon retiré sur une chaise,
quand on le regarde du lit, après l'amour.

L'intérêt des causeries populaires du XVIIIe s'était beaucoup épuisé pour Mlle Simonidzé. Elle avait espacé ses visites à Libertad. Une impression de stérilité et de mort la saisissait aussi bien parmi les anarchistes que chez Martha Jonghens. Tout de même, le bizarre, le baroque, la lassaient. Le soin que la plupart de ces révoltés apportaient à leur propre personnage, dans le vêtement ou le port du poil, à la fin l'irritait comme les chapeaux des dames ou les statuettes sur les cheminées des salons. L'orthographe d'Anna Mahé, on pouvait en pleurer, à ses heures. Il y avait du bavard chez Libertad, et puis Catherine ne partageait pas sa haine des contrôleurs de métro. Des hommes comme les autres, après tout.

Pourtant vers le milieu de novembre, après une aventure écœurante avec un petit imbécile qu'elle avait rencontré au Palais de Glace, Catherine eut le désir de revoir Libertad, de l'entendre encore parler. Du culte des morts, par exemple, un de ses thèmes favoris. Comme il secouait la tête, furieux, parlant des enterrements, des statues, des cimetières! Elle prit le Nord-Sud et descendit à la station Abbesses, vers le soir.

Quand elle arriva rue du Chevalier-de-la-Barre, il y régnait une animation extraordinaire. Des cris montaient. Catherine tombait dans une bagarre. La police dispersait un rassemblement. Les flics comme une nuée s'étaient abattus sur ce coin de Montmartre, dans les escaliers idylliques, chers aux chansons du *Chat noir*. Ces brutes râblées, bien nourries, avec la nuque rougeaude, qui sort du col réglementaire, étaient en pleine action, les gens fuyaient sous les coups de matraque, et au centre, quatre ou cinq vaches s'acharnaient sur un homme à terre.

C'était Libertad.

L'infirme, couché sur le dos, se défendait avec ses béquilles, on les voyait tournoyer en l'air. Leur pèlerine roulée sur le bras, les flics essayaient de lui arracher ces armes improvisées, et de toutes leurs forces ils envoyaient des coups de pied sur l'homme tombé. Catherine voyait les jambes brisées de Libertad, avec les pieds nus et sans force dans les sandales, comme une sorte de pitoyable chiffon. Elle n'apercevait pas son visage. Elle entendit sa voix. Elle se précipita vers lui.

A ce moment elle reçut un coup de poing au menton, et elle perdit connaissance. Elle revint à elle au commissariat des Grandes-Carrières, un des plus ignobles de tout Paris. On l'y interrogea sur son nom, son adresse. Pourtant on ne fit pas de difficulté pour admettre qu'elle s'était trouvée là par hasard. Il semblait que quelque chose gênât le commissaire. Il était pressé, il avait peut-être du monde chez lui ce soir-là. Enfin il ne semblait pas tenir à avoir de grands détails sur la scène à laquelle avait assisté Mlle Simonidzé. On la renvoya chez elle.

Elle ne put pas le lendemain remonter rue de la Barre pour prendre des nouvelles de Libertad, elle avait promis sa soirée à Martha. Ce fut là tout au moins l'excuse qu'elle donna à sa négligence. Le surlendemain, elle passa à l'imprimerie, rue Montmartre. Libertad n'y était pas. Un de ses camarades de travail apprit à Mlle Simonidzé que le directeur de L'Anarchie était mort.

Il avait succombé à la suite des coups reçus rue du Chevalier-de-la-Barre. Une hémorragie intestinale l'avait emporté.

L'Anarchie du 19 novembre mentionna ce fait en passant, dans une petite note pour annoncer le changement de direction. Aucun détail sur la mort, pas d'article nécrologique. N'est-ce pas, Libertad détestait cela, il appelait cela *le culte de la charogne*. Un homme tombe, le monde continue à tourner.

Le même jour, Catherine et sa mère dînaient chez les Mercurot. Martha Jonghens et Joris de Houten vinrent après le dîner, et Catherine se souvint de ce que Martha lui avait rapporté des propos de Joris sur Libertad. Assurée qu'il avait été trompé, elle voulut lui en infliger la démonstration, et le prenant à part elle le mit au courant de ce qui s'était passé. Joris, frisant sa moustache, eut surtout l'air d'entendre ce qui touchait Mlle Simonidzé. Pourquoi Mlle Simonidzé allait-elle s'exposer ainsi? Que voulait-on, la police n'est pas un jeu. Catherine s'en était tirée à bon compte cette fois.

Mais Libertad, Libertad, dont Joris avait dit qu'il était de la police! M. de Houten secouait sa tête, et regardait Martha à la dérobée. Ravissante, un peu bavarde, pourtant. Il lui avait bien dit d'avertir Mlle Simonidzé, mais pas de sa part. Il soupira, enfin! "Que voulez-vous, chère mademoiselle, la police parfois peut être amenée à frapper les siens... "

Phrase horrible, qui révolta Catherine au point qu'elle ne se demanda pas quel intérêt M. de Houten avait à s'acharner ainsi sur le malheureux infirme, tombé sous les bottes policières. Elle ne se demanda

pas pourquoi il fallait absolument à Joris de Houten,
l'élégant ami de Martha, que la mémoire même du
typographe Albert Libertad fût salie, et qu'au sang du
martyr se mêlât la boue immonde de la Préfecture.

XIX

Un soir d'août au Bois de Boulogne. Le jour se
traîne dans le commencement de la nuit. La chaleur
insupportable de l'après-midi ne s'est pas tout à fait
éteinte, et des airs tziganes tournent sur les mangeurs
de glaces, à Armenonville, au Pavillon Royal, et au
Pavillon Chinois. Ce sont les Parisiens qui n'ont
pas quitté la capitale malgré la saison, hommes que
leurs affaires retiennent, et qui le soir, alors que leurs
femmes villégiaturent à Sainte-Adresse ou à Houlgate,
s'en viennent ici seuls, ou avec des amies rieuses, dont
les chapeaux immenses donnent à la nuit près du lac,
disent-ils, un fantastique de conte de fées.

Catherine, dans les contre-allées, est comme une
épave que les bancs se rejettent. Triste et fatiguée.
Fébrile. Elle se sent au bout de cette journée d'été,
comme au soir d'une vie, comme la foule de Saint-
Cloud qui s'attarde en pensant aux tramways empilés
par quoi se termine immanquablement la débauche
d'un dimanche au soleil.

Elle a fui ses pensées, ses amis. Elle a attendu
l'ombre. Toute sa lassitude s'abat dans l'artificiel
étrange de cette forêt sur mesure où se prolonge

Paris. Des couples passent, d'autres stationnent. Il y a des racolages au détour des sentiers. Elle n'a pas le cœur à suivre ces manèges, Catherine. Elle écoute en elle-même une terreur grandir. Et un point dans le dos lui rappelle avec une précision épouvantable ce qui l'écarte des lumières naissantes, cette réalité dont il faudra prendre l'habitude. Sa main sur son front sent une petite sueur. Ah! mieux vaudrait en finir, que cet avenir de châles... Catherine se lève parce qu'un monsieur avec un canotier et des moustaches avantageuses s'est assis, très près d'elle, sur le banc.

Elle a lu des livres de médecine tout le long du jour. Elle sait ce qui l'attend. Des mots nouveaux ont pris une importance dans sa vie. Le mot *géode* par exemple.

Elle pense à sa sœur, à la vie prudente de sa sœur. Elle s'est soignée, Hélène, encore maintenant son mari prend garde qu'elle ne se surmène pas. Mercurot... La vie qu'elle aurait pu avoir avec Jean, Catherine s'en fait le tableau dans le ménage de sa sœur. Sans doute Jean est-il d'une espèce autre que son beau-frère. Mais, après tout, un Mercurot supérieur. A quoi bon? Tout doit passer maintenant si vite. Quand on est enfant, six mois semblent une vie. Comme on dit adieu à l'été par exemple, chaque année! Maintenant... deux ans! Vrai, cela ne vaut pas la peine d'en parler. Deux ans. Le temps de ne rien voir, de ne rien faire. Deux ans. C'est trop ou ce n'est pas assez. En deux ans, qu'y aura-t-il de changé dans le monde? Rien. Partir sans avoir rien vu de ce qui doit venir.

On jouait une valse au Pavillon Chinois. Des ombres s'agitaient, suspectes, sous les arbres du

voisinage. Il y avait eu un crime juste à cet endroit
le mois précédent. Catherine se rappelait très bien les
détails de l'affaire, à quoi les journaux s'étaient complus.
La victime portait un chapeau champagne avec des
plumes bleu pastel. Une fille sans doute. On lui avait
arraché son sac. La musique empêchait qu'on l'entendît
crier. Catherine songeait à la drôle de tête qu'on ferait
dans l'entourage de Mercurot si elle était tuée ainsi ce
soir.

Un type vint lui parler. Elle eut une espèce de gri-
serie. Elle le jaugeait. Quelque souteneur. Vingt-trois,
vingt-quatre ans, des dents éclatantes. Un panama,
la cravate énorme, à raies. Très beau, somme toute.
Exactement ce que d'autres veulent. Ce n'est pas
l'obscénité des propos hachés, précis, de la demande
qu'il lui faisait, qui avait l'air d'un ordre, qui l'effa-
roucha. Si elle bondit soudain vers le réverbère, en
pleine lumière, c'est simplement parce qu'il l'avait
touchée, et non pas prise dans ses bras.

Il la suivit. Il y avait un va-et-vient d'ombres.
Une très vieille putain se balançait dans la lumière.
Un couple s'approchait, bizarre, dont Catherine
regarda la femme, très fardée. Le souteneur la rejoi-
gnait. Catherine n'avait pas peur. Mais elle n'avait
pas l'envie d'une scène. Elle redoutait le bruit.

Soudain des sifflets déchirèrent la nuit. Des gens
se mirent à courir, il y avait des femmes qui fuyaient
dans l'allée, venant des Acacias vers la Porte Dauphine. L'homme, à côté de Catherine, sembla s'éva-
nouir. En un clin d'œil, il y eut une trentaine de personnes rassemblées sur le bord de la chaussée, entre
deux barrages d'agents. La rafle.

La première pensée de Catherine fut pour les Mercurot. Un joli scandale en perspective. Le troupeau des femmes apeurées et jactantes se pressait autour d'elle. Inspecteurs en civil et police habillée bousculaient tout ce bétail traqué. Certaines, des habituées, avec des voix traînantes, protestaient pour la forme : " Tu ne vas pas encore m'embarquer, non ? " Et des jurons, des claques sur les fesses. Au milieu de tout cela des hommes hagards, avec toute la honte du lendemain sur le visage, un couple de pédérastes surpris, bégayant.

Un brigadier s'approcha de Catherine : " Allons, ouste ! Qu'est-ce que c'est que celle-là ? Une nouvelle ? " Il la prenait par le poignet, avantageux. " Vous me faites mal, vous vous trompez… " Elle sentait l'inutilité de toute protestation. D'autant que le type qui lui avait parlé sous les arbres était reparu là, un indicateur sans doute, et renseignait : " Elle m'a accosté tout à l'heure, je la reconnais, je parie qu'elle n'a pas sa carte. "

L'ordure ! Catherine ne put s'empêcher de crier : " Menteur ! " Déjà, ça se gâtait. Les flics l'entouraient. Quand une voix s'éleva, très tranquille, par-derrière elle : " C'est une méprise, messieurs, mademoiselle était avec moi… " Le grand type au panama ricanait. Le brigadier lui imposa silence. L'homme qui avait parlé, Catherine le reconnut. C'était celui dont elle avait remarqué la femme, tout à l'heure, si fardée. Un homme tout rasé, avec quelque chose d'étrange dans le visage, très pâle, et la bouche mince, mis avec une certaine recherche, et s'appuyant sur une canne pour marcher.

Le brigadier, et tous les agents, devaient le connaître. Il avait, néanmoins, pris sa carte de visite dans sa poche. Comme pour quelque mondanité. Catherine le vit s'avancer jusqu'à elle. Sa compagne à son bras. Une femme brune à l'expression tragique. Très belle. La main de l'homme, gantée, petite pour un homme, se posa sur le bras de Catherine. Et la femme entraîna la jeune fille, en disant d'une voix chantante : "Venez donc, chérie, n'ayez pas peur, ils ne vous toucheront pas. N'est-ce pas, messieurs ? " La police s'écartait devant eux; ils s'éloignèrent avec Catherine, tandis que du groupe des femmes quelques injures partaient.

Ils marchèrent d'abord en silence. Puis, comme on approchait de la Porte Dauphine, Catherine murmura des remerciements embarrassés. "Ne nous quittons pas encore, dit la femme, tant que nous sommes dans le Bois. " Ils en sortirent. Devant la gare de Ceinture, Catherine s'arrêta. "Vous m'excuserez, monsieur, c'était si aimable à vous... sans rien savoir. Mais je suis dans un de ces soirs où on ne sait guère ce qu'on dit. Je ne sais comment vous exprimer... " La femme avança son visage aux yeux immenses, où le cerne du fard contrastait avec les dents.

"En montant prendre un peu de porto avec nous. Nous habitons tout près. "

Catherine eut comme une confusion qui s'éleva en elle. Un peu fâchée d'avoir pris cette intervention pour de la philanthropie. Fâchée contre elle-même. Elle regarda l'homme et la femme. Des gens riches assurément. Sous son feutre clair, l'homme avait une absence étrange de jeunesse. La pâleur du teint était

faite de poudre, à vrai dire. Il y avait dans la femme
quelque chose d'avide, et comme un air de désespoir.
Ils semblaient tous deux, se tenant par le bras, attendre
sa réponse à elle, et leur silence insistant avait une
nuance de prière. La nuit était chaude, et à travers
les arbres arrivaient les accords assourdis de l'orchestre
du Pavillon Chinois.

Catherine eut une espèce de dégoût d'elle-même.
Quoi donc? Voilà qu'elle avait d'absurdes idées de
petite fille bien élevée maintenant? Pourquoi ces gens
l'auraient-ils tirée des mains de la police si ce n'était
qu'elle leur avait plu? Et elle allait s'étonner d'une
demande... Qu'est-ce que je suis de plus qu'une
putain? Les yeux démesurés de la femme ne la quit-
taient pas.

"Vous nous feriez très plaisir en acceptant de
rester avec nous quelques instants. Il y a des soirs,
mademoiselle, où l'on se sent soudain lié à des inconnus plus qu'à des amis de toujours. Il y a des
soirs où l'on ne peut parler qu'à des inconnus...
Voulez-vous rester avec nous quelques instants? Il
y a peut-être là, dans cette prière, quelque chose
d'incorrect, à quoi je vous supplie de ne pas vous
arrêter... "

La voix de l'homme n'était ni belle ni persuasive.
Mais Catherine n'en retint qu'un accent singulier sur
les mots : *Il y a des soirs*. "Volontiers ", s'entendit-elle
répondre, avec un peu d'étonnement.

Ils marchèrent dans l'avenue sur le côté cavalier.
Les pieds s'enfonçaient dans le sable meuble. Presque
pas une parole n'était possible entre eux. Les plus
indifférents des mots semblaient scabreux. Que sa-

vaient-ils les uns des autres? Catherine avait un vague
sentiment de connaître le visage de l'homme, ce
quelque chose de mongol dans les yeux. Le chemin
de la gare au coin de l'avenue Malakoff, à petits pas,
comme si de l'empressement eût été de l'indélicatesse,
dura toute une éternité. Les voix des promeneurs
montaient dans le silence avec une blancheur fausse,
qui trahissait au-delà des mots d'autres pensées.

Ils passèrent sur le bas-côté de l'avenue. " C'est
ici ", dit la femme. Ils franchirent le petit jardin devant
un immeuble de rapport. Puis la porte. Le jeu de la
minuterie. Quelques marches. L'ascenseur.

Quand le manteau noir de la femme s'ouvrit, Catherine aperçut qu'elle portait un collier d'opales.
L'homme surprit son regard, sourit, et, à la porte de
l'appartement, il dit montrant sa compagne : " Elle
est le Malheur ! "

Catherine entra dans l'antichambre.

XX

C'est à la rue du Chevalier-de-la-Barre, et à la mort
de Libertad, qu'invinciblement pense Catherine dans
cet appartement où le luxe se teinte d'un arrière-goût
de l'art, au-delà du confort. Il y a dans ce cadre d'une
vie dont Catherine a le sentiment d'avoir surpris
quelque chose au Bois de Boulogne, tout à l'heure,
avant la rafle, comme un débat d'éléments disparates.
Dans le premier moment, ce n'est qu'une idée confuse

en elle, et c'est plus tard en y resongeant que Catherine se précisera cette lutte mêlée au décor, dont
l'homme et la femme que voici ne sont pas les seuls
acteurs.

La richesse. Depuis le cristal de Lalique jusqu'à
la Perse soyeuse des tapis. L'âme lourde des lamés
de Liberty sur le sofa jonché de coussins. Dans tout
cela, déjà les yeux de Catherine ont aperçu le piano
ouvert, une merveille. Un étrange mélange de l'art,
du goût pour l'art, avec la sensualité. Tout n'est-il
pas ici comme si cette sensualité avait fui cet homme
maigre dont le grand front dénudé ne s'anime qu'aux
tempes d'un battement d'artères prophétique d'une
mort singulière, pour s'incarner dans la femme, debout au milieu du salon, son chapeau à la main, le
manteau pendant, qui regarde Catherine avec une
intensité incroyable; et ses regards se portent ensuite
sur l'homme, dont les doigts fins s'emmêlent déjà
à des flûtes de verre.

" Il y a de la glace, n'est-ce pas, mon amie? Par
un soir pareil, on ne peut prendre que du champagne. "

Catherine a ressenti le même obscur frisson quand
il a dit *par un soir pareil* que tantôt pour *il y a des soirs*.
Cet homme a une manière à lui de charger de sens
des mots d'une banalité gênante.

Il y avait de la glace.

Au mur, et sur un chevalet, des peintures médiocres.
Des portraits. Des fleurs. Il y en a d'inachevées.
Apparemment, Catherine se trouve chez un peintre.
Un peintre dont les moyens assez pauvres contrastent
avec le somptueux de l'appartement. Tout cela se
noie assez, avec la curiosité de la jeune fille, dans la

pénombre des lampes basses à trois ou quatre endroits
allumées.

La fenêtre est ouverte sur l'avenue du Bois, et
maintenant une espèce de brise en vient, avec le
dernier époumonement d'une odeur de seringas. Il
y a dans les yeux de Berthe (c'est ainsi que *lui* l'appelle)
une interrogation qui pèse sur Catherine. Ce n'est
pas la jalousie, c'est l'inquiétude. Celle-ci encore...
mais sera-t-elle celle qui ne s'en ira pas?

"Vous ne ressemblez pas, jeune fille, dit l'homme,
aux femmes qu'on rencontre solitaires dans notre forêt.
Et puis il y a dans votre gorge le chant d'un pigeon
qui n'est pas de nos pays... Géorgienne? J'ai connu
une princesse de là-bas qui est morte pour avoir
trop aimé... peut-être l'avez-vous rencontrée...

— Je ne rencontre pas de princesses. "

La femme eut un rire clair : " Animal farouche ! "
Le champagne froid lui mettait dans les yeux des
pointes d'or. Catherine, sentant autour d'elle une
conspiration de pensées, voulut l'écarter en parlant.
Elle était lasse d'un secret porté depuis le matin.
Elle se répétait les paroles de tantôt : *Il y a des soirs...*
Ses yeux tombèrent sur une statuette terrible : c'était
un être dont les jambes vivaient encore mais dont
le corps nu se dépouillait en montant de ses chairs,
de ses muscles tombant en lambeaux, pour n'être
plus qu'un squelette émergeant du cadavre, et qui
tenait dans ses mains décharnées un cœur. "Petite
fille trop fière pour fréquenter les princesses, ceci
est une copie maladroite d'une merveille qui est à
Bar, sur la tombe d'un duc de Lorraine. L'âme qui
se dégage de la matière...

— Je ne fréquente pas non plus les âmes ", dit-elle...

Ils en vinrent tout de suite à parler de la mort. Lui, n'était-ce pas sa marotte? Ce qu'il cherchait en toute créature n'était-ce pas le son cristallin de la mort, cette hantise du sépulcre, dont il y avait dans son physique même comme une légitimation?

Berthe versait le champagne.

Et Catherine parla de *sa* mort.

Une histoire très simple, mais où il y avait tout le mystère de la jeunesse et de la tombe. Cette inconscience de la vie jusque-là, comme d'une chose due. Cette quête d'autre chose que soi-même qui l'avait poussée à des hommes plus différents que les jours de l'hiver de ceux de l'été. L'impossibilité de se borner à celui-ci ou celui-là. Le monde comme une cage qui est autour de chaque homme. La féminité qui se révolte. L'attrait au-delà de ces vies bornées d'un univers qu'elles ignorent. L'immense pays ouvrier qui dépasse toutes les frontières, et au-dessus duquel se jouent les comédies mondaines. La vraie force à laquelle, femme, elle croyait. La certitude un jour de voir sauter ce monde. Et puis...

Et puis une petite toux sèche, qui dure. Une fatigue jusqu'alors inconnue. Un point dans la poitrine. Un jour une saveur étrange dans la bouche. Le sang. Inutile de dramatiser. Un matin, elle s'était mise aussi simplement que possible, sachant que la vérité n'est que pour les pauvres. Elle avait été à Laënnec, à la consultation. Ce n'était pas très loin de chez elle, et à Necker elle aurait craint de rencontrer un ami, interne. Elle avait su. On ne lui avait pas mâché les

mots. Des cavernes des deux côtés. Rien à faire.
Avec des soins, évidemment ça se prolonge. On lui
en avait donné pour deux ans; trois avec de la chance.
Voilà. Elle avait passé le jour à lire des dictionnaires
de médecine à la Sainte-Geneviève. Le soir, sentant
la fièvre, elle n'avait pas voulu rentrer chez elle, parler
avec sa mère, et Dieu sait qui! Elle avait dîné dans
un petit restaurant près de la Seine. Puis le métro,
et elle était venue au Bois.

"Vous m'avez prise pour une grue, n'est-ce pas?
Vous savez, il n'y a pas là pour moi d'injure..."

Berthe lui caressait les mains. L'homme accoudé,
la tête renversée, jouait de ses lèvres minces : " J'ai
été condamné par les médecins, dit-il. Vous voyez,
je n'en suis pas mort. Mais aussi sais-je ce que cela
veut dire, un beau jour, de ne plus regarder le temps
devant soi comme une longue plaine... Qu'est-ce que
vous avez décidé? "

Question stupide! Mais Catherine se surprit à y
répondre. En quoi quelqu'un qui croyait jusque-là
à la survie, s'il cesse d'y croire, modifie-t-il l'emploi
de ses jours? Catherine, en parlant, pensait à Libertad,
infirme. Si on sait qu'on en a pour peu de temps,
n'y a-t-il pas des manières de mourir qui valent mieux
que l'agonie? Anarchiste? Oui, elle était anarchiste,
parce que toute autorité, tout gouvernement, tout
droit, tout état, c'était toujours le pouvoir de l'homme
sur la femme. Deux ans devant elle! Deux ans qu'elle
occuperait à dominer les hommes, à infliger un dé-
menti de chaque instant à la loi masculine... Elle
aurait des amants tant et plus. Ce n'était pas la mort
qui pouvait la dégoûter de la vie. Et chaque minute

de ces deux ans-là serait un défi à l'ordre qu'ont inventé les hommes. Pour ce qu'il y aurait au bout, elle ne pouvait pas garantir de ne pas rater sa sortie, mais ce n'était pas là le principal.

Tout à coup Catherine reconnut son hôte. Ou plutôt un portrait de lui au mur qu'elle avait vu dans un salon l'année précédente. Henry Bataille. L'écrivain commentait ses dernières paroles, elle l'interrompit. " Je vous demande pardon, mais il faut que vous sachiez que je connais votre nom. "

Cette franchise fit tourner la conversation sur elle-même comme une porte grinçante. La glace fondait dans le champagne.

Bataille maintenant parlait de lui-même.

" Oui, j'ai vécu longtemps dans l'idée de ma mort. J'ai considéré ce monde qui m'entoure comme un feu brillant qui va s'éteindre. Cette certitude n'est point disparue avec la certitude revenue de vivre encore, quand on m'a tenu pour guéri d'un mal qui avait été si longtemps l'ossature même de ma vie. Je sais que tout ceci doit périr, qui m'entoure. Le mal n'est pas dans moi, mais dans ce monde auquel j'appartiens, qui tourne et qui m'entraîne. Et c'est ce monde qui va disparaître. Et c'est ce drame que j'exprime, et c'est ce drame qui est mon théâtre et ma vie. "

Il y avait dans toute l'atmosphère d'été de la chambre un parfum d'inquiétude où rôdaient les yeux de la femme, de cette Berthe Bady qui était à la fois l'interprète de ses pièces et la femme de sa vie. Désir d'opérer la synthèse de sa vie et de son art, cet homme à qui il semblait que tout fût à la fois donné et refusé,

dont les succès étaient si grands dans ce Paris insen-
sible, mais n'étaient jamais ceux sans doute qu'*artiste*
jusqu'au ridicule de ce mot, cet homme riche et
malade enviait.

"Nous sommes au bout d'une époque, au seuil
d'un monde. Nous autres, fils de Byzance, qu'y pouvons-nous? Nous maudissons ce monde pourri qui
est notre chair même. J'appelle de toute ma force
cet avenir dont le visage sérieux parfois m'apparaît.
Vous parliez, jeune fille, du monde ouvrier. Je salue
de tout ce que j'ai jamais écrit l'aube du socialisme.
Mais la malédiction est sur nous, est sur moi. Je suis
partie intégrante de cet univers qui meurt. Comme le
patricien de Rome qui lit dans les yeux des esclaves
la condamnation de la société païenne, j'use ce qu'il
me reste de jours aux fêtes sanglantes de Néron...
Non, vous ne savez pas à quel degré de conscience
on peut arriver dans cet appartement de l'avenue du
Bois, au début du xxe siècle. Un jour viendra où des
hommes nouveaux liront mes œuvres avec des yeux
dessillés. Ils verront combien j'ai haï le navire qui
m'emporte, et comme dans la voiture j'appelais le
naufrage, et comme les feux des diamants ne m'ont
jamais distrait des étoiles!"

Catherine était-elle ivre? Le champagne tiédi faisait
à ces paroles l'accompagnement d'un orchestre en
sourdine. Les préoccupations de la jeune fille se
mêlaient au décor. Le souvenir de Cluses hantait
étrangement cette nuit, aussi chaude qu'alors, qu'alors
dans la petite chambre pauvre, où une mère parlait
auprès d'un grand enfant mort. Cet homme riche,
ce produit, cet aboutissant d'une civilisation tout

entière, au milieu des témoignages du luxe et du raffinement, qu'il montrait autour de lui, comme les vivants symptômes de la mort, trouvait les mots prophétiques qui retentissaient jusque dans le cœur de Catherine.

Est-il bien sûr qu'il pensât, qu'il vît ainsi chaque jour toute chose? Peut-être y avait-il surtout en lui une espèce de féminité, qui lui faisait dire ce qu'attendait de lui cet être ramené dans les ténèbres, et qu'il s'agissait de ne pas décevoir, qui devait emporter de cette nuit une image, sur laquelle, à ses propres yeux, Bataille, poète, jouait une fois de plus son vatout.

Elle voyait en lui pour l'heure une manière de meneur de mascarade, le violoneux de mauvais goût qui conduit une danse de mort. Il lui semblait comprendre ce qu'il allait chercher sous les arbres transplantés du Bois de Boulogne. L'écrivain parlait de cette soirée où ils s'étaient rencontrés. N'avait-il pas les mœurs et les folies de l'univers où il s'était développé? Jusqu'à la bague qu'il portait à son doigt, tout en lui n'était-il pas l'aveu de ces folies et du même coup une gifle à l'hypocrisie sociale, qui détourne les yeux de ce qu'elle produit? Le salut tout à l'heure très bas de la police, qui ne se risque pas à le traîner dans un scandale, à cause de son nom, de sa fortune, une horreur, n'est-ce pas? Mais aussi une victoire. " Je suis, dit-il, un scandale vivant. " Catherine n'avait sans doute jamais été au poste avec des prostituées? Il aurait pu lui dire comment cela se passait. Et le panier à salade. Il n'y a rien de triste comme les petites putains que ça n'ennuie même plus d'être embarquées.

L'ombre rouge des Révolutions s'évanouissait :
Bataille parlait de l'amour, et des ruptures. Le navire
sans doute insensiblement le remportait.

Catherine s'était simplement endormie.

XXI

S'il ne vous reste plus à vivre qu'un temps que
chaque jour mesure, à quoi le donnerez-vous? Catherine, à cette lueur nouvelle, se découvrait plus semblable à sa mère qu'elle n'aurait cru.

Plaire! C'était presque son seul désir maintenant
que la vie s'enfuyait d'elle. Plaire, et à n'importe
qui, à tous. Le désir des hommes lui semblait une
espèce de victoire sur la mort. Elle n'était ni
une prude ni une vierge. Elle ne se suffisait pas
de le susciter. Elle eut tous les amants qu'il lui
chanta.

Elle ne se soignait pas, elle avait l'horreur de la
prudence. Il lui fallait s'étourdir. Ce furent des mois
de musiques et de fleurs. Elle prenait cette habitude
naturelle aux femmes qu'elle avait méprisées, de considérer sa présence comme un paiement : elle se laissait
emmener dans les restaurants, dans les boîtes de nuit,
par des hommes qui soudain lui prenaient la main
sous la table. Elle riait. Elle se sentait devenir une
fille, mais puisqu'elle allait mourir!

Qu'est-ce que c'était que cet homme près d'elle
chez Maxim's ou ailleurs? Il ne pouvait aucunement

durer, elle ne risquait pas d'y tenir. Alors qu'importait qu'il fût un ennemi? Pourvu qu'il fût beau ce jour-là. Au fond, elle les préférait même bêtes. Revanche de la femme. Et les chasser, dès qu'ils sont fiers qu'on leur ait cédé, les brutes. Elle haïssait les hommes, et elle aimait *leur* amour.

Quand Brigitte se maria, il y eut comme une rupture entre elle et Catherine. Brigitte avait épousé un jeune magistrat qui avait sa carrière à faire. Les dames Simonidzé ne plurent pas au nouveau marié.

Le commandant Mercurot était impuissant à faire des remontrances à sa belle-sœur. Et puis, il eut sa nomination au fond d'une province tranquille où il se contenta de ne pas l'inviter. D'ailleurs Hélène n'y tenait guère.

Catherine voyageait. Elle retrouva à Genève des amis de sa mère, vieux émigrés russes, qui se scandalisèrent de son aspect, de son maintien. Les uns, parce qu'ils étaient des républicains qui souhaitaient voir s'établir chez eux une démocratie à l'image française, et elle les tint pour des bourgeois. Les autres, des socialistes, parce qu'ils avaient en médiocre estime le monde avec lequel elle s'affichait, et l'un d'eux lui dit tout crûment que le mouvement ouvrier n'a que faire des prostituées.

Des ennuis qu'elle eut dans une ville de province, quelque chose comme Nancy, à propos d'une femme qui était venue frapper à la porte de l'hôtel où elle était avec le mari de la dame, un jeune industriel de l'Est, et la police s'était mêlée de l'histoire, et voulait savoir de quoi elle vivait, la forcèrent de télégraphier à Jean Thiébault. Il remua ciel et terre, au ministère, et parla même à ce sujet à M. de Houten qui en toucha discrètement un mot au préfet, et tout fut arrangé.

Mais quand Catherine rentra à Paris, Jean lui demanda une fois de plus de l'épouser, et cela la fit presque rire. S'il voulait coucher avec elle, il n'avait pas besoin de cela. Maintenant cela n'aurait plus d'importance pour elle...

Il éprouva vraiment qu'elle voulait le payer et rougit terriblement. Il se sentait triste à mourir.

Là-dessus le général Dorsch le fit venir chez lui, parce qu'il avait été un camarade de son père :

‘ Assieds-toi là, Jean. Ce que j'ai à te dire, tu le prendras comme tu voudras... comme tu voudras... Remarque que tu es libre. Absolument libre. Tu m'entends bien ? Libre. ”

Le capitaine Thiébault se demandait où le général voulait en venir. Le général racontait ses campagnes. En Annam, il avait eu une petite amie, hum! Enfin gentillette. Il faut que jeunesse se passe. Jeter sa gourme, c'est l'expression que je cherchais. Bien entendu aucune analogie, aucune analogie. A Madagascar, c'était une créole... mais enfin tout n'a qu'un temps, nous sommes les serviteurs de la France. Un jour appelés ici, le lendemain là. Jean avait devant lui une carrière hors ligne. Il serait un niais de la gâcher.

Tout ça avec du café et un petit verre d'armagnac.

Si Thiébault voulait se marier, rien de plus facile. Les partis ne manquaient pas. Si, si. Cette idée, un beau garçon comme toi! Ah! mon gaillard.

Naturellement il était libre de choisir. Mais comme **vieil** ami de son père, le général Dorsch se permettait

de lui conseiller de ne pas faire de bêtises. La demoiselle Simonidzé...

Thiébault s'était levé, et mis au garde-à-vous. Il
coupa court avec beaucoup de netteté à ce discours
paternel. Sa vie privée était sa vie privée. Si sa carrière
devait souffrir de... "Allons, ne dis pas de bêtises!
s'écria le général. C'est donc vrai qu'elle veut se faire
épouser, cette... personne? "

Thiébault eut toutes les peines du monde à rétablir
la vérité. Et bien entendu ce n'est pas au général
Dorsch qu'on pouvait faire croire que des filles de
ce genre refusent le mariage. Enfin, il avait donc
eu raison de parler à cet écervelé, qui disait qu'il
épouserait Mlle Simonidzé, le jour qu'elle le voudrait, au premier signe.

Le général essaya de lui expliquer que c'était le
préfet de police lui-même qui s'était ému qu'un officier français se fourvoyât ainsi avec une... étrangère.
Il avait parlé de l'affaire au cabinet du ministre.
Mlle Simonidzé fréquentait les milieux anarchistes. On
savait l'attachement de Thiébault envers elle. Bref,
on avait pensé que Dorsch, comme supérieur, mais
aussi comme ami...

Thiébault prit très cérémonieusement congé et s'en
fut. Plus jamais de toute sa vie il n'eut avec le général
Dorsch autre chose que des rapports de service.

Mais un jour, rue Blaise-Desgoffe, Mme Simonidzé
étant sortie, on sonna. Catherine vint ouvrir. C'était
un monsieur fort évidemment mal à l'aise dans ses
vêtements civils, avec des gants de peau qui s'arrê-
taient très court sur le dos de la main épaisse, un
peu rougeaud, avec une brosse blonde sur la lèvre.

Il enleva son chapeau melon avec une certaine affectation, comme si l'on avait dû s'attendre à ce qu'il ne l'enlevât pas, et il entra, tout de suite fureteur.

Enfin c'était bien un policier, mais un policier militaire, et il faut distinguer. Il venait expliquer à Mlle Simonidzé qu'elle constituerait dans la vie du capitaine Thiébault un véritable handicap. Le mot lui plaisait sans doute, car il le répéta plusieurs fois : un handicap. Le plus bel avenir s'ouvrait devant cet officier d'élite. On savait qu'il se considérait comme engagé avec Mlle Simonidzé. Naturellement la galanterie l'empêcherait de revenir là-dessus. Et bien entendu, jamais, au ministère où on avait dans le capitaine une confiance aveugle, aveugle, on ne pourrait confier au mari de Mlle Simonidzé les postes qui attendaient le capitaine Thiébault. Mlle Simonidzé comprendrait certainement. Les nécessités de la défense nationale... Une étrangère restait tout de même une étrangère, et puis les opinions politiques de Mlle Simonidzé... Évidemment le capitaine Thiébault ne connaissait peut-être pas tous les détails de la vie de Mlle Simonidzé. Il serait si bien, si élégant, de la part de Mlle Simonidzé de comprendre, de prendre les devants, de dire au capitaine...

Catherine laissait parler son visiteur. Elle était partagée entre la rage et le dégoût. Soudain elle le mit à la porte; sur le palier il avait repris de l'insolence, il lui disait de *bien* réfléchir.

Elle fit venir Jean chez elle, et elle lui raconta la scène. Il devint extrêmement pâle. Que pouvait-il faire? A qui s'en prendre? " Croyez-vous, dit Catherine, que je vais avoir des ennuis à cause de vous?

Pour le plaisir de vous voir? " Et le chassa tout comme
le policier.

Jean ignora toujours qu'à cette minute il avait
manqué sa chance : s'il avait alors dit, seulement *dit*,
qu'il quitterait l'armée, peut-être l'aurait-elle aimé.
Mais voilà, il y avait la Patrie, n'est-ce pas? Le devoir.

XXII

Solange, à nouveau, se mariait. Avec un garçon
assez riche, un industriel du Nord, trente ans, déjà
maître de la fortune paternelle; fils d'un ami de jadis
des Jonghens. Enfin un mariage assorti. On s'était
retrouvé par M. de Houten. Un hasard.

Pierre Lefrançois-Heuzé avait eu à Paris une jeunesse orageuse, ainsi du moins s'exprimait Martha.
Maintenant il s'agissait de retourner près de Lille,
dans le château de briques d'où il pouvait diriger
son usine. Il garderait un pied-à-terre à Paris, pas
loin de la pension de Martha. Il avait deux autos.
Il connaissait les femmes. Solange serait heureuse.

Ça ne traîna pas. En deux mois l'affaire fut bâclée.
Catherine qui n'avait rien à faire ce jour-là, assez
lasse d'ailleurs, elle ne savait pas ce que c'était, un
genou qui faisait mal, vint au Champ-de-Mars pour
la réception qui suivit la cérémonie à l'église.

Joris de Houten ne put assister à la réception parce
qu'il avait dû aller quelque part pour affaires; il téléphona pendant qu'on mangeait des petits fours au

buffet dressé dans le salon, par les soins de la maison Gagé (avenue Victor Hugo), et Martha fut extrêmement contrariée, extrêmement.

Le vol de la Joconde formait le fond de la conversation.

Catherine examinait avec curiosité le *marié* qu'elle voyait pour la première fois. C'était un homme un peu bouffi, mais pas mal, rompu à tous les sports. Une petite cicatrice dans une joue à cause d'un accident de chasse, un plomb perdu... Il riait en l'expliquant. Les mains belles, quoique molles. Catherine en le regardant pensait invinciblement à la façon dont se tiennent les ouvriers qui ont une épaule ployée par l'habitude de fléchir sous le sac à outils.

Elle le détaillait, M. Pierre Lefrançois-Heuzé. Un parfait spécimen d'homme sans tare. L'oisif que rien n'a marqué... sauf le petit plomb de chasse. Ce qu'une mère de famille qui n'a pas été très contente de son mari peut souhaiter à sa fille. Exactement. Avec les représentations maternelles que cela suppose. Catherine le détaillait d'une façon qui déshabille. Et M. Pierre Lefrançois-Heuzé en oubliait un peu que, le jour de son mariage, on n'est galant qu'avec sa femme. Catherine en éprouvait une espèce de lassitude. Elle savait si bien comment sont les hommes, leurs gestes au bout du compte.

Martha lui avait demandé de ne pas fumer, parce qu'il y avait des gens de la famille de son nouveau beau-frère, qui étaient un peu province, et qui n'auraient pas *compris*.

Au milieu de tout cela, Brigitte et son mari. Celui-là, ce qu'il devait être drôle au lit! Il portait la barbe, les cheveux en brosse. Ses cols n'étaient pas tout à fait comme ceux de tout le monde. Il avait les façons furtives des hommes qui ont toujours eu peur que les femmes ne leur coûtent de l'argent.

Les amis des Jonghens et ceux des Lefrançois-Heuzé se valaient. Familles. Hommes déjà éteints, jeunes gens gauches. L'ennui. Tous des candidats à on ne sait quelle sinécure. Des hommes qui feront semblant de mériter leurs moyens d'existence, des femmes qui trembleront toute leur vie de perdre ces hommes, et avec eux deux ou trois domestiques, un appartement, des robes. Un sous-lieutenant, avec un nom double, il était à Saumur, fit la cour à Catherine avec une timidité curieuse pour un cavalier. Au milieu de tout cela une figure très pâle, une jeune fille, habillée en noir. Ce qui ne se fait pas. Une vague cousine du marié, Mlle Judith Romanet; elle *faisait* de la sculpture.

Cela suffisait pour intéresser un peu Catherine. Une jeune fille qui avait au moins la velléité d'une vie indépendante. Elle essaya de lui parler. Ce n'était pas très facile. Judith Romanet se défendait. Répondait par monosyllabes. Absente. Vraiment pâle. Il y avait quelque chose qui la possédait.

Une espèce de lueur éclaira des yeux bruns, et petits, quand Catherine se permit d'ironiser légèrement sur la vie qui attendait les nouveaux mariés dans le Nord, et d'une façon générale la vie des gens mariés. Elle n'aimait pas Solange, c'était visible. Peut-être aimait-elle son cousin.

La petite fille que nous avons connue cinq ans plus tôt à Morneville est devenue une femme, sinon

une beauté. Personne ne prend grande attention à
elle. Son père qui vient de se remarier a quitté le
ministère : il est entré dans le conseil d'administration
d'une grosse affaire d'armes et de cycles. Sa compagnie est une des plus fortes sur le marché français.
Les relations de M. Romanet dans les divers services
du ministère de la Guerre lui sont fort utiles maintenant. La nouvelle Mme Romanet est très mondaine.
Elle aime la chasse, elle monte à cheval, et elle a eu
le premier prix à Trouville pour son maillot de bain.

Judith tendait une coupe de champagne à Catherine, et Paul Jonghens avec des sandwiches sur un
plat les plaisantait de fuir les hommes, quand la coupe
chavira et Judith se trouva mal. Cela fit un petit
remous. Les gens s'empressaient. "Laissez-moi !"
Judith écartait le monde. Elle avait encore l'air étonné
des gens qui ont senti leur mort. Elle n'était pas
tombée tout à fait, à cause de la table du buffet et
de Paul.

Dans la chambre de Martha, où elle resta seule
avec Catherine, dans les coussins du lit, soudain elle
leva vers l'étrangère des yeux qui se décidaient à
l'aveu. Catherine le reçut comme un choc dans le
cœur.

"Je suis enceinte", dit Judith.

Elle avait deviné Catherine. L'alliée. Oui, naturellement, c'était Pierre Lefrançois. Stupide. Simplement elle était si seule, et il embrassait bien. Un homme
tout à fait idiot. Non, elle n'avait pas voulu *faire sa
vie* avec lui. L'horreur. Et puis tout d'un coup cette
chose en elle.

Pierre... Tout de même à l'idée de le perdre, elle

avait froid par tout le corps. Elle le méprisait, mais elle avait de lui un besoin d'intoxiquée. Et puis cet enfant. Elle se moquait de ce que les gens allaient dire. Mais son père ne lui donnait rien. Elle travaillait, ne gagnait pas grand-chose... Elle ne voulait pas de cet enfant. Elle avait vingt-deux ans; c'était comme la fin de sa vie. Cela faisait trois mois, si elle ne se trompait pas.

Une complicité s'établit entre Catherine et Judith. Catherine donna à sa nouvelle amie *L'Unique et sa propriété* de Stirner, et un livre intitulé : *Malthusianisme et Maternité*. Elles se rencontraient à Montparnasse où Judith fréquentait des peintres. Le genou de Catherine n'allait pas mieux.

Catherine se souvenait d'un étudiant en médecine qu'elle avait connu chez Libertad, et qui avait débarrassé d'un gosse qui tombait mal la compagne d'un camarade. Elle eut quelque peine à retrouver celui-ci. A Romainville les anciens amis du typographe avaient maintenant des locaux, où on se réunissait comme jadis rue du Chevalier-de-la-Barre, et où se faisait maintenant *L'Anarchie*.

Elle y trouva des nouveaux qui la soupçonnèrent un peu de n'importe quoi. On ne savait pas ce qu'était devenu le carabin. Embourgeoisé. Mais on avait une adresse. Dans le jardin, il faisait beau, on était à la fin du printemps. Catherine retrouvait avec une espèce d'émotion étrange ces braves types, qui avaient comme elle leurs difficultés avec la vie et les idées, des gens si différents de tous ces hommes avec lesquels elle passait maintenant ce qu'il lui restait d'une vie limitée. Elle en éprouvait une certaine honte. Typographes, anciens ouvriers, tailleurs, ajusteurs, mécaniciens, menuisiers, des intellectuels.

Tout ce qu'il y avait en eux qui l'écartait, là au milieu des arbustes de banlieue, tandis qu'au fond l'amie d'un des camarades faisait des cartons à la carabine sur une cible, était comme un remords pour Catherine. Ils continuaient, ces hommes, leur bizarre combat. Dans la maison on entendait le bruit de la presse. Une odeur d'encre et de papier humide se mêlait à un timide parfum de lilas. Il y en avait un, garçon épicier ou quelque chose comme ça, mais depuis longtemps on avait oublié son métier, qui regardait Catherine avec de grands yeux. C'était un malingre, avec la raie au milieu des cheveux un peu longs sur l'oreille, faisant une mèche sur le front. Celui-là, elle ne le connaissait pas, c'était un nouveau venu, un petit. C'était drôle, Catherine avait l'impression qu'il suivait en elle les progrès d'un malaise contre lequel elle se débattait depuis un moment sans savoir bien ce que c'était. Les yeux du jeune homme avaient l'air de comprendre, eux.

Elle parlait à voix basse avec un des anciens lieutenants de Libertad. On n'avait pas gardé mauvais souvenir d'elle, ici, faut croire. Elle était un peu en dehors du monde qui était le leur, mais n'est-ce pas? Des anarchistes n'ont pas le préjugé des classes. Catherine pensait cela avec une certaine amertume à l'égard des milieux socialistes qu'elle avait plus ou moins connus. On lui donnait l'adresse demandée, quelque part rue Lepic. Catherine avait toujours mal au genou.

Tout d'un coup, voilà que tout se brouille. Elle a une espèce de chaleur. Un brouillard. Une toux qui la secoue, qui la casse, et dans la bouche une eau qui monte, une marée. Inconsciemment ses doigts tâtonnent dans son sac si difficile à ouvrir, vers un mouchoir. Sa bouche est pleine. On la regarde. Le petit avec la raie au milieu s'est précipité vers elle. C'est vrai qu'elle vacille. Elle veut parler. Qu'est-ce qui coule comme ça des lèvres? Sa main devine le sang. Elle se sent partir.

Elle se retrouve dans la maison, dans une petite chambre sur le lit; une femme jeune est près d'elle, et hoche la tête. Le corsage de Catherine est gâché, du sang est tombé dessus. Le petit nouveau est là. Il la regarde toujours: "C'est la première fois? Répondez pas. Seulement avec les mirettes. Parce que je sais, moi, j'ai ça. Faut pas parler pendant quelque temps, pour pas se secouer. Déjà d'autres? Aussi fort? Non? non. Vous avez vu les médecins?"

Il y a quelque chose d'extraordinairement doux et fraternel dans la voix de ce petit. Elle se sent très faible. Tout tourne. Ça a dû être énorme... énorme. Maintenant elle a les yeux humides, des larmes. Le petit reprend: "Allons, faut pas pleurer! J'ai eu ça, trois, quatre fois, je sais plus. Moi, ça a commencé là-bas, à Fresnes. Alors, c'est moins drôle. Ils ne voulaient pas me porter malade. Quand je suis sorti, j'avais une de ces binettes. A Saint-Maurice, qu'ils m'ont mis. Ça ne valait pas mieux que la prison."

Il parlait très vite, comme s'il voulait l'empêcher de placer un mot. Elle comprit qu'il avait peur que ça lui reprît, et qu'il ne voulait pas qu'elle bouge, même la langue. Il était laid; mais il était bien gentil.

Après deux heures de repos, on la laissa partir.

Le retour ne fut pas très drôle. Par bonheur, Mme Simonidzé était sortie. Catherine avait craint les questions sur les taches de son corsage. Elle eut le temps
de se changer.

Le médecin de la rue Lepic habitait dans trois petites
pièces sombres, dont l'une faisait cabinet gynécolo-
gique. Ça n'avait pas l'air très propre. Un *David vain-
queur de Goliath* en bronze sur une cheminée à dessus
de peluche avait perdu le sabre qu'il faisait mine de
remettre dans son fourreau. Mais un petit paquet de
coton à ses pieds rappelait le caractère médical du
lieu.

La femme qui ouvrait la porte, habillée en infirmière, très familière avec le docteur, introduisit Catherine et Judith. Le Dr Planté était un petit gros, blême,
avec les mains agitées, et une barbiche sale. Les réfé-
rences de Catherine lui firent instantanément quitter
ses manières de praticien protocolaire. Il tutoya ses
visiteuses. Il n'y avait pas de doute, la gosse était
enceinte, et même assez avancée. Fallait la débarrasser
tout de suite parce que sans ça, cela ferait du vilain.
Catherine toussait : la gêne sans doute.

Cela n'alla pas tout seul d'arranger où Judith irait
en sortant de chez le Dr Planté, le jour de l'opération.
On ne pouvait se fier à personne. Il y a des gens, ce
n'est pas manque de confiance, mais on ne peut pas
leur demander de prendre ça sur eux. Tout se passerait très simplement, le médecin l'avait dit. On ne
pouvait demander à Martha d'héberger Judith, à
cause de Solange. Et puis ça l'aurait gênée, pour ses
pensionnaires. Finalement, on se décida de prendre
une chambre dans un hôtel derrière le cimetière Mont-

parnasse. On arriverait en taxi, avec des bagages, comme si Judith venait de Suisse. Elle avait une cousine qui s'occuperait d'elle. Une petite provinciale, éperdue et romanesque, qui était à Paris pour faire des études de droit.

Tandis que dans l'appartement du médecin, on préparait tout pour l'opération, Catherine brusquement, malgré l'inquiète Judith, et l'infirmière fardée qui mettait de petites housses blanches sur les meubles, sous le prétexte invraisemblable de l'asepsie, se tourna vers le D⟨r⟩ Planté et demanda : "Docteur, est-ce que vous ne voudriez pas m'ausculter?"

Le moment était mal choisi, mais le docteur ne voyait aucun inconvénient à donner un coup d'oreille. Toussez, là... respirez maintenant. Il tripotait un peu les seins de la malade, en écoutant. Pure habitude, sans signification aucune.

Il faisait une espèce de moue sérieuse en se relevant, et fourrageait sa barbiche. Il tournait autour du pot. Quand il vit que Catherine connaissait son mal, il n'y alla plus par quatre chemins : "Une de ces petites cavernes, je ne vous dis que ça. Je vais vous donner un mot pour Cadiou. C'est une canaille. Mais le meilleur spécialiste pour la tuberculose des os... j'ai été dans son service comme stagiaire... "

L'opération, comme on s'y attendait, réussit pleinement. Judith avait bien la bouche pincée, et le regard vague, mais dites donc! Catherine emportait la carte du D⟨r⟩ Planté dans son sac.

Était-ce l'atmosphère de l'avortement qui avait donné à Catherine comme une idée de la mort? Elle se précipita chez Cadiou. Il habitait un petit hôtel particulier place Malesherbes. Il y avait un Renoir pendu dans le hall, et des chinoiseries partout. Le cabinet florentin avec des tentures était tout ce qu'on fait de mieux comme confessionnal moderne.

L'examen ne prit pas longtemps. Le diagnostic non plus.

Il fallait changer d'air. Chaise longue tous les jours. Régime sérieux. Si Mlle Simonidzé ne voulait pas avoir des saletés... parce que claquer, ma petite, ça passe encore... mais avoir un mal de Pott, des abcès, enfin tout le tableau... et ça vous guette. Le mieux serait de vous faire au genou un petit plâtre léger, dès maintenant. Immobiliser ça. Ce qu'il faut au bacille de Koch c'est l'immobilité. Évidemment, le poumon droit. Mais avec de la chaise longue. Au bon air. Tenez, à Berck.

Le professeur Cadiou croyait tellement à la salubrité de l'air de Berck qu'il y avait placé tout son argent. Il avait là-bas une clinique, et il était actionnaire d'un hôtel et du Casino. Il envoyait tout le monde à Berck, les tuberculeux, et préventivement les autres.

Judith se remettait très bien. Elle avait un peu de fièvre, ça traînait. Elle était de mauvaise humeur et, au fond, elle regrettait maintenant le gosse. Catherine était révoltée.

Elle arrangeait son départ. Non, elle voulait bien mourir, mais pas ces horreurs. Passe pour Berck. Par une agence elle engagea une petite villa de trois pièces. Elle ne voulait pas de l'hôtel. Elle voulait être chez elle. Mme Simonidzé qu'il avait bien fallu mettre au courant, s'était mise brusquement dans le rôle de la bonne mère : insupportable. Catherine brusqua le départ. Elle alla prendre congé de Judith, elle ne la trouva pas bien. Il y avait là dans un coin la petite cousine, l'étudiante en droit, qui lisait *Claudine à l'école*. Catherine, soudain inquiète, lui donna son adresse à Berck et lui dit à mi-voix : " Si vous avez besoin de moi, télégraphiez... je reviens. "

XXIII

Catherine n'eut pas à revenir. Le télégramme qu'elle reçut deux jours après s'être installée ne lui en laissait aucune raison : Judith, transportée d'urgence dans une maison de santé, n'avait pas supporté l'opération qu'on avait dû pratiquer. Elle était morte. Il vint après le télégramme une longue lettre de la petite cousine, mêlée d'horribles détails directs, et de toutes les phrases que cette enfant avait toujours vues dans sa famille, pour les décès, qu'il fallait mettre dans une lettre pareille : " *Je ne peux pas y croire... je me réveille la nuit et je me demande si je n'ai pas rêvé...* "

La villa Baisedieu qu'avait louée Catherine était en réalité formée de deux parties indépendantes, dont la seconde restait l'habitation de M. Firmin Baisedieu, le propriétaire. M. Baisedieu était un ancien croupier du Kursaal d'Ostende. Belge de cœur comme de naissance, il avait projeté de s'établir à cinquante ans quelque part sur la côte vers Blankenberghe. Car il lui fallait l'air marin. Mais il avait trouvé par hasard

à Berck-Plage cette espèce de double chalet pour une
bouchée de pain. Les affaires sont les affaires. M. Baisedieu avait donc passé la frontière et s'était établi là
avec Mme Baisedieu. Il louait la moitié du local et
la moitié du jardin. Une haie de buis coupait la propriété en deux, et il avait fait ouvrir dans la grille
au bout du jardin une seconde porte peinte en blanc.
Comme ça, chacun avait son entrée. C'était aussi sa
femme de ménage qui faisait le ménage des locataires, et avec Catherine la tradition fut observée.
Mme Baisedieu ne trouvait pas cette demoiselle à
son goût. Elle s'habillait en velours à Berck, je vous
demande un peu.

M. Baisedieu en gardant ses plates-bandes regardait à travers le buis les visiteurs de Mlle Simonidzé,
et il hochait la tête, et pinçait les lèvres.

Malgré sa jambe raide, à cause du plâtre au genou,
s'appuyant sur une canne, Catherine s'était vite liée
à des gens sur les sables des dunes. Connaissances
de hasard qui faisaient fureur huit jours puis qu'elle
distançait. Mais bientôt elle eut des relations diffé-
rentes : une affiche de meeting l'avait amenée à une
réunion anarchiste. Cinquante personnes peut-être
dans la salle, des gens venus de Lille, des employés,
des ouvriers de Berck-Ville. Le thème de la soirée
avait peu d'importance pour Catherine. (Pourtant il
était de taille, il s'agissait du droit de grève, on débattait de la liberté de l'individu en face d'une grève
syndicale. A-t-il le droit ou non de continuer à travailler?) Catherine était venue là plutôt à la recherche
d'êtres humains que d'idées. De gens dont elle ne
se sentît pas isolée par tout le monde des idées.

C'était une étrange chose que ce besoin, tout en niant l'existence même des classes, qu'avait Catherine de parler avec les ouvriers, et en même temps c'était une étrange chose aussi qu'elle ne pût le faire qu'avec des ouvriers anarchistes. Il y avait entre eux et elle comme une culture commune, un langage; de Proudhon à Nietzsche, quelques propositions sur lesquelles on s'entendait.

Cet été-là fut tout bouleversé par l'envoi du croiseur *Panther* à Agadir. Les Allemands, affirmait le croupier Baisedieu, cherchaient la guerre. Il applaudit à la fière attitude du président Fallières qui avait déclaré à Toulon, dans un banquet : "Il y a des héritages auxquels on ne renonce pas sous peine de déchoir." Les Allemands d'ailleurs avaient dû avoir sacrément peur : au début de septembre, près de Berlin, ils avaient été plus de cent mille à manifester contre la guerre et la politique de Guillaume au Maroc. La guerre était évitée : Vive la France! Mais, dans une époque aussi troublée, c'était, fichtre! désagréable d'héberger chez soi, même pas gratis, une donzelle comme cette Simonidzé, une étrangère acoquinée à ce que Berck avait de plus antimilitariste, à de sales éléments en un mot. Et on était à peine tranquille du côté du Maroc, que ça se mettait à brûler du côté des Balkans. Qu'allaient devenir *nos* intérêts en Orient? Au café, les amis de M. Baisedieu hochaient la tête.

A la fin de 1911, la villa Baisedieu était donc le siège d'allées et venues qui ne plurent ni au couple des propriétaires ni à la police. On s'inquiéta, à Berck, de cette étrangère qui se liait avec tout ce qu'il y

avait de plus instable dans la population. Un rapport
fut envoyé à la préfecture d'Arras. D'Arras, on écrivit à Paris, et les renseignements qui en vinrent sur
Mlle Simonidzé firent hocher la tête au préfet. Mais
on n'avait pas de faits précis pour intervenir : ce
n'est pas un crime que de recevoir des ouvriers chez
soi. La demoiselle payait régulièrement la location
de sa villa. Il ne semblait pas qu'elle s'adonnât à la
prostitution. Ce n'était pas assez non plus qu'elle eût
pris part au meeting qui avait suivi les journées Ferrer
à Paris.

Fin octobre, un inspecteur pourtant, là-dessus, passa
chez M. Baisedieu et l'entretint longuement de sa
locataire. Mlle Simonidzé n'était-elle pas mêlée à l'agitation contre la guerre turco-bulgare, qui avait éclaté
soudain? Évidemment on ne pouvait rien dire à ce
sujet, c'était son droit d'avoir son point de vue sur
la politique des Balkans. Ce n'était pas comme s'il
se fût agi d'un conflit franco-allemand. Mais M. Baisedieu en conçut une haine très vive pour Catherine.
Il n'y a pas de feu sans fumée. Un de ces jours si sa
maison sautait? On ne sait jamais, une bombe.

Mais Catherine avait loué pour un an.

Elle se soignait. On lui enlèverait bientôt son
plâtre. Elle commençait à douter, avec des crises de
panique parfois, du pronostic à brève échéance fait
il y avait déjà dix-huit mois, un matin à Laënnec.
Elle ne répondait pas aux lettres de Jean Thiébault,
qui venait de passer commandant.

Les journées d'automne étaient froides. On se chauf-
fait avec du coke, villa Baisedieu. Catherine traînait
longuement au lit, fumant des cigarettes, lisant.

A vingt-cinq ans, sa vie commençait à ressembler à celle de sa mère à quarante ans passés. Mélanie, la femme de ménage, trouvait mademoiselle très belle, et tout le mal qu'elle en entendait dire chez son patron la lui rendait plus mystérieuse et plus aimable. Elle venait pour le plaisir chez Catherine, et elle ne comptait pas les heures qu'elle y faisait.

Elle se donnait un mal du diable pour économiser l'argent de la demoiselle. La vie était très chère, cette année-là : au marché il y avait eu des bagarres, les ménagères entendaient contrôler les prix. Elles avaient formé un comité. Mélanie y était entrée. Elle racontait longuement ses histoires à Catherine, comment on avait refusé d'acheter ci et ça la veille, et comment les marchands avaient capitulé le lendemain.

Elle rapporta à la jeune femme tout ce qu'on disait d'elle chez les Baisedieu. Elle lui demanda si c'était vrai que mademoiselle fabriquait des bombes. Elle était une fille de pêcheurs, sept enfants : deux de ses sœurs qui avaient mal tourné. On ne savait pas où elles étaient. Peut-être bien dans des maisons. Sa cadette était mariée à un mineur d'Anzin. Elle, elle était trop laide. Alors elle avait de la religion. Oh! pas beaucoup. Elle riait. Si elle avait été belle comme mademoiselle, elle aurait eu tous les hommes après elle, et ils auraient su ce que ça leur aurait coûté. Comment allait le genou de mademoiselle? Ça devait lui sembler tout drôle, maintenant sans plâtre. Et quand on la massait? Mélanie frottait. Il n'y avait qu'une chose qu'elle désapprouvait en Catherine. C'était cette façon de jeter les bouts de cigarettes n'importe où.

Le 25 novembre, Mélanie apporta le lait et les journaux comme à l'habitude. Mademoiselle était au lit, et elle se mit à lire. Mademoiselle avait encore fait des saletés partout, avec ses crédieu de mégots, que c'était pis qu'une bique. Mélanie maugréait. Soudain elle vit Catherine se dresser dans sa longue chemise de soie, et sauter à bas du lit, et jeter à terre le contenu des tiroirs, remplir une valise.

Cela ne prit pas plus d'une heure et demie pour que Catherine fût dans le train. Elle relisait le journal : un jeune couple, M. et Mme Lefrançois-Heuzé, avait été trouvé sans vie à son domicile parisien, dans des circonstances mystérieuses. Catherine ne songeait qu'à Martha.

TROISIÈME PARTIE

VICTOR

I

Solange et son mari avaient été trouvés chez eux dans un état qui faisait hésiter entre l'hypothèse du suicide et celle de l'accident. Des éclaircissements bizarres que donnaient les journaux, il ressortait que la mort était due à une drogue qu'on ne précisait point. Les journalistes étaient plus prodigues de détails en ce qui concernait les familles des défunts, présentées avec quelque exagération comme la fine fleur de l'aristocratie industrielle des Flandres. On parlait à mots faussement couverts de la pension de Martha, du rôle qu'y jouait Solange avant son mariage, présenté comme une idylle du XXe siècle, avec sa fin tragique, qui donnait l'occasion de citer Baudelaire, une audace.

Martha était sortie, et ce fut Miss Baxton qui reçut Catherine débarquant de la gare. L'Anglaise, avec ses cinquante ans, son col droit et un jabot mi-empesé, se montra fort circonspecte dans ses propos. Il y perçait pourtant, plus que de la pitié pour les défunts, de l'inquiétude pour la renommée de l'établissement que dirigeait cette demoiselle. Il y avait une feuille qui racontait que lorsque Solange était censée accompagner les jeunes étrangères de la maison aux cours du Louvre ou aux Annales, en réalité elle allait retrouver des messieurs, et même pis. Des allusions à des maisons de rendez-vous où la morte aurait été parfois

avec les pensionnaires de Martha et de Miss Baxton
mettaient celle-ci tout à fait hors d'elle. La découverte de ce passé aurait déterminé le jeune marié à
l'acte de désespoir dans lequel il avait entraîné sa
femme. Et ainsi de suite.

Catherine s'inquiétait surtout de Martha. Est-ce que
M. de Houten n'aurait pas pu, comme il l'avait fait
pour la mort de Blaise Jonghens, arrêter tous ces
propos en disant un mot au préfet, avec lequel il
était si lié. Comme elle disait cela, Catherine pour la
première fois établit un rapport entre la démarche
qu'avait faite le Hollandais pour elle, lors de l'affaire
de Nancy, et la visite du policier rue Blaise-Desgoffe.

M. de Houten! Miss Baxton pinçait les lèvres.
C'était bien là le plus ennuyeux. Il était peu probable
que M. Lépine fît quelque chose pour lui dans ces
conditions. Quelles conditions? Mlle Simonidzé ne
savait pas, au fait. Oui, ce matin même, *à l'improviste*,
on avait perquisitionné chez M. de Houten. Miss
Baxton mettait sur cet improviste une emphase à
croire que dans la bonne société on prévient avant
d'aller perquisitionner chez les gens.

Mais quel rapport? Ah! cela, Miss Baxton l'ignorait
totalement. Il semblait pourtant que la mort du jeune
couple ne fût pas étrangère à cette perquisition. La
police avait trouvé un paquet, que M. Lefrançois-
Heuzé avait confié à M. de Houten, qui en ignorait
naturellement le contenu. De cette chose bestiale. Des
stupéfiants, enfin. Mais Martha allait rentrer, elle dirait
elle-même à Mlle Simonidzé. Elle avait été à la Morgue.

Martha n'était pas reconnaissable. Une vieille femme.
Sans couleur, le visage raviné par les larmes. Dans

un état d'agitation extrême, et d'abattement alterné.
Elle se promenait à travers les chambres. Elle évitait
ses pensionnaires. Miss Baxton évidemment assurait
le train-train quotidien. Martha parlait comme si c'était
elle-même qui fût morte. Toutes ses phrases au passé.
Dans son bouleversement, elle associait Blaise et Solange, comme s'il se fût agi d'une seule mort, comme
s'il n'y eût pas eu des années d'un désastre à l'autre.
Elle parlait de Solange comme d'une toute petite fille
qui a encore fait une sottise. Mais par-dessus tout elle
avait un souci, une terreur : Joris. Allaient-ils arrêter
Joris? Enfin, c'était insensé! que lui voulait-on à
Joris? C'était une machination. Est-ce qu'on ne savait
pas qu'il avait rendu de grands services à la France?
Le 14 juillet précédent, on l'avait fait chevalier de
la Légion d'honneur. A titre étranger, bien entendu,
mais enfin. Et alors, parce qu'il avait eu l'imprudence
de prendre chez lui un dépôt, confié par son beau-
frère, à elle, un homme du monde, un homme bien,
un filateur!... Est-ce qu'il pouvait s'imaginer, Joris?
Même si cela n'avait pas de suites (il était convoqué
pour le surlendemain, lundi, chez le juge d'instruction),
cela serait tout de même du joli pour ses affaires!
Martha se sentait responsable.

Catherine n'avait jamais approfondi ce qu'étaient
les affaires de M. de Houten. Elle posa la question,
plutôt pour entraîner l'esprit de Martha loin des deux
cadavres qu'on lui avait montrés avant l'autopsie, et
auxquels elle s'était remise à songer avec de petits
sanglots.

Joris servait d'intermédiaire entre des banques
étrangères et des particuliers qui cherchaient des capi-

taux pour des entreprises. C'était ainsi qu'il avait obligé le gouvernement français lors d'un emprunt. Et puis il faisait toutes sortes d'affaires : exportation, importation. De quoi? De n'importe quoi. Il avait un véritable don. Tout lui réussissait. Aussi Martha avait-elle toujours pensé qu'un mariage arrangé par Joris, comme celui de Solange, ne pouvait qu'être parfaitement heureux. Et maintenant que croire? Elle tournait vers Catherine des yeux implorateurs : " Dites-moi que tout ce qu'on dit de cette enfant est faux, faux! Solange! "

Elle enfouissait sa tête dans les coussins : car l'horreur n'était pas que Solange fût morte, mais qu'elle l'ait trompée pendant des années, qu'elle ait été une créature... Catherine pouvait-elle y croire? Ce qui laissait Martha stupide, ce qui la confondait au-delà de tout, c'était la drogue. La drogue dont l'irruption soudaine, irréfutable, puisque deux êtres en étaient morts, restait quelque chose d'impossible à expliquer. Si Solange avait eu cette habitude, on s'en serait aperçu. Alors c'était Pierre... mais Joris qui le connaissait de longue date affirmait n'en avoir jamais rien su. Joris! Mon Dieu, pourvu qu'on ne lui fasse rien! Un inspecteur de police était venu chez Martha et l'avait interrogée sur Joris. Quelle honte!

Martha pleurait doucement contre l'épaule de Catherine. Sa vie avec Joris était une espèce de zone merveilleuse et réservée où elle n'avait jamais laissé entrer personne. Brusquement, brutalement, le policier lui posait des questions, des questions! Cet ignoble individu! Ne lui avait-il pas dit tout à coup : " Est-ce que vous allez prétendre que vous ignoriez que Houten est un trafiquant de stupéfiants?"

Rue Blaise-Desgoffe, quelle chance! Mme Simonidzé était partie chez Hélène, l'aider à son déménagement, Mercurot étant envoyé à Paris. Catherine était revenue en hâte pour Martha. Mais il y avait dans toute cette affaire quelque chose d'horrible qui lui faisait désirer de passer la soirée toute seule.

Cette insignifiante Solange, et son mari, à cause de qui la petite Judith était si bêtement morte, elle ne pouvait pas se faire à l'idée qu'ils fussent les héros d'un drame. Qu'est-ce que ça pouvait bien lui faire à ce bellâtre que sa femme ait eu des amants avant lui? Était-ce bien pour cela qu'il l'avait tuée? La figure de Joris de Houten flottait au milieu de tout cela, ses relations policières, et l'accusation de l'inspecteur.

Catherine avait bien souvent songé à se tuer depuis qu'elle était malade. Naturellement elle avait une très haute estime des gens qui se tuent, et la réprobation *bourgeoise* qui entoure les suicides la révoltait. Mais il y avait cette fois, autour de cette double mort, trop de trouble, et aucune grandeur.

Le dimanche 26 novembre, qu'elle passa chez Martha, au milieu des souvenirs, des anecdotes puériles, des traits déjà idéalisés de la morte, dont, elle, Catherine, ne pouvait oublier les yeux sournois, et l'extrême, l'absurde futilité, le dimanche 26 novembre s'éteignit dans cette atmosphère de gâchage et d'inexplicable désastre, où le qu'en-dira-t-on tenait une place piteuse et primordiale. Vers le soir, une débâcle aussi, celle de la liberté du dimanche, elle revint à pied chercher le métro à La Motte-Picquet-Grenelle. Il y avait dans les rues une épouvantable et triste traînerie de gens, avec une petite pluie qui ne se décidait pas. Sous le métro aérien, des couples échouaient sur les bancs dans l'ombre, parce que les chambres sont trop chères, dans les ignobles petits hôtels à deux étages du boulevard. Au pied de la station, un violon et un accordéon et un chanteur attroupaient une cohue frileuse autour d'un tango, qui parlait de pampas.

Catherine s'attarda comme les filles, les marins, les soldats qui se traînaient vers la caserne Dupleix, les petits boutiquiers. Puis soudain cela devint intolérable, atroce : les musiciens jouaient une chanson gaie, le dernier succès de Fragson. Catherine monta les escaliers du métro.

Elle avait acheté un journal du soir en passant à la marchande, pour ne pas faire la queue au guichet des tickets. Dans le métro, vers Cambronne, elle le déplia. Par les fenêtres, les lumières clignotantes des sinistres petits bordels et des bals dansaient au milieu des masses noires des maisons.

Voilà comment Catherine apprit que ce matin-là, 26 novembre 1911, Paul et Laura Lafargue avaient mis volontairement fin à leur vie.

II

Catherine ne connaissait guère de Lafargue que *Le Droit à la Paresse*. Elle l'avait aperçu, lui, un jour, à un meeting. Mais, parmi ses amis anarchistes, il était l'un des très rares chefs du mouvement ouvrier qui ne fût pas l'objet de la haine et de l'acharnement de tous. Aussi la persistance à ses côtés de cette Laura, fille du vieux Marx, et sa collaboratrice de toute une vie, avait pour Catherine un charme et un attrait comme un symbole du rôle des femmes dans la société de l'avenir. Et voici qu'ils avaient voulu mourir ensemble.

Ils se l'étaient promis depuis de longues années. Ils avaient vécu avec cette assurance mutuelle contre la décrépitude, la déchéance des vieux jours. Ils s'étaient fixé le soixante-dixième anniversaire de Lafargue comme terme de leur vie. Quelles que fussent alors leurs santés à tous deux. Au milieu des combats, depuis les jours lointains de la Commune, quand Lafargue venait à Londres, jeune créole dont les écarts de langage fatiguaient parfois Karl Marx, et qu'il se lia pour la vie avec la paisible et ferme Laura, dont le père ne pensait pas sans humour qu'elle saurait mettre au pas ce que son gendre avait de méridional; poursuivis, pourchassés ensemble; et Paul transcrivait dans un langage, romantique peut-être, mais plein d'ardeur, cette pensée que Laura patiente

traduisait des œuvres paternelles par grands et fidèles
lambeaux; à travers les années, ils avaient vécu avec
cette certitude entre eux, cette conspiration contre
la vieillesse.

Donc, au jour depuis longtemps assigné, ils étaient
partis. Dans une petite maison de campagne, laissant
au jardinier le texte par avance écrit et signé de son
nom du télégramme qui annoncerait leur mort.

Tout le monde que Catherine portait en elle trouvait dans cette histoire immense et simple une réso-
nance étrange et profonde. C'était comme au matin
d'une nuit d'insomnie le chant terrible et perlé des
oiseaux. Il s'opposait, ce suicide réfléchi, raisonnable,
à la fin sinistre des deux jeunes bourgeois, où le hasard semblait avoir joué avec les préjugés et la drogue
sa partie d'orchestre narquois.

Catherine, qui sentait en elle depuis bientôt les
deux ans prédits cette mort qui n'est rien, si elle ne
vient encore avec un long cortège de purulences et
de pharmacie, éprouvait directement comme une
leçon la fin des époux Lafargue. Elle y puisait une
espèce de certitude amère, et rien ne pouvait l'en
défendre, parce que tout en elle était respect du suicide, et sans armes contre son prestige noir.

Elle ne pouvait être frappée de la contradiction
qu'il y avait eu en réalité entre cette mort volontaire
et la vie et les idées des continuateurs de Marx. Car,
bizarrement, elle était atteinte par ces idées, par cette
vie justement en fonction de cette mort qui était le
lieu commun lyrique où elle se retrouvait avec eux.
Une espèce de plaque tournante aux confins de l'anarchie et du socialisme. Qu'ils se fussent tués les rendait

humains pour Catherine. A vrai dire des gens de sa classe. Catherine passa toute la soirée à lire ce qu'elle avait pu trouver d'eux chez elle, une traduction du *Manifeste communiste* par Laura, un discours sur Victor Hugo par Paul.

Elle s'endormit tout habillée sur le sofa, avec la tête pleine de ces phrases qui ont appelé depuis 1848 les prolétaires à l'organisation et à l'insurrection armée. Elle avait oublié le suicide et la mort.

Mais au réveil, dans le petit matin froid, il n'y avait pas de chauffage central rue Blaise-Desgoffe, et la salamandre s'était doucement éteinte; ce fut à Solange et à Pierre, tout défaits de leurs espoirs, de leurs plaisirs, dans l'agonie blême de la drogue, que Catherine pensa tout d'abord. On entendait dans la rue, sous les porches, vider les boîtes à ordures sonores, et les laitiers faisaient un tonnerre de fer-blanc sur le pavé.

Impossible de ranimer le feu. Une longue journée commençait.

Il n'y a rien de plus interminable que ces heures du matin, quand on s'est réveillé prématurément et que le sommeil est chassé d'une façon irrémédiable. Il faut attendre que le paresseux univers à son tour revienne à la vie. Catherine, glacée par l'hostilité de sa propre demeure où traînait le désordre de sa mère absente, préféra sortir. Elle n'avait pas de baignoire chez elle, elle prit un petit sac avec le nécessaire pour sa toilette dans un établissement de bains. Mais il était trop tôt, il fallait patienter jusqu'à l'ouverture.

Par les rues elle se mêla d'abord à cette première agitation pressée des gens qui se rendent au travail.

Rue de Rennes, elle s'attarda devant une boulangerie.
Ouvriers, employés, passaient près d'elle avec cette
indifférence de la hâte. Les pains frais et dorés rete-
naient comme des mouches les yeux de Catherine.
Toute cette vie de chaque jour, cette pièce de théâtre
donnée chaque matin, et à laquelle jamais elle ne
participait... Catherine toussait. Elle ne pouvait détacher ses regards des longs pains entassés dans une
corbeille qu'une femme au tablier bleu sombre allait
pousser par les rues.

Puis il y eut moins de monde au-dehors. On était
entre deux heures de rentrées. Dans les cafés, les
chaises se désempilaient, tandis qu'au comptoir, à
petites gorgées, des hommes et des femmes buvaient
un liquide trop chaud. Catherine tournait autour de
Saint-Sulpice. Dans les magasins de bondieuseries, le
peuple des statues de plâtre l'irrita : encore un commerce qui marchait bien. Des concierges balayaient
à leurs portes. Patiemment, dans les chaînes de la
place, des gens pauvrement mais méticuleusement
vêtus attendaient le tramway. Chacun son tour.
Comme des rats, de vieilles femmes entraient dans
l'église.

Catherine, avec son sac où dormaient le savon, le
gant de crin et un paquet de sels, s'assit un instant
à l'intérieur d'un tabac près de Saint-Germain-des-
Prés. On lui servit un café et des croissants tandis
que le garçon poussait presque dans ses pieds la ser-
pillière au bout d'un balai. Elle suivait machinalement
le mouvement de va-et-vient du laveur. Sa tête bour-
donnait des phrases retenues, de cette traduction de
Laura Lafargue, sur laquelle elle avait rêvé cette

nuit. Allons! elle crèverait sans avoir vu la fin de ce
monde où la femme n'a d'autre rôle *que celui de simple
instrument de production.* Ils étaient morts, Paul et Laura
Lafargue, et les employés du Bon Marché se hâtaient
toujours vers le square Boucicaut. Des cloches sonnaient. Huit heures. Catherine allait pouvoir prendre
son bain rue du Four.

Elle y resta longuement, mais même en repassant
par chez elle, où elle s'attarda, elle se retrouva dans
la rue à neuf heures et demie. Il fallait espérer que
Martha dormait encore. Au fait qu'est-ce qui l'attachait à Martha? Dans la vie de celle-ci, il n'y avait
de place que pour M. de Houten, même la morte ne
préoccupait au fond cette amante inquiète que dans
la mesure où sa mort pouvait bouleverser la vie de
son Joris. Catherine, qui venait de passer des mois
de solitude à Berck, s'épouvantait pour la première
fois devant le désert d'une matinée. Sa vie! Bien la
peine d'y tenir. Elle qui avait toujours accepté sans
y songer la mensualité irrégulière que M. Simonidzé
envoyait de Bakou, voici brusquement qu'elle en
avait honte, peut-être à cause de tout ce monde qu'elle
avait vu se hâter dans l'aube. Elle retrouvait des
pensées qui s'étaient formées en elle dans cette nuit
de Cluses, il y avait déjà huit ans de cela, après la
fusillade, et qui s'étaient endormies, on ne sait comment. Avec qui était-elle? Avec Martha, et ce louche
Joris qui avait l'oreille de la police, et qui sans doute
trafiquait de l'argent si ce n'est des drogues? Avec
Solange et Pierre? Fantômes médiocres, acteurs d'un
drame stupide. Avec ces anarchistes qu'elle avait
fréquentés comme une étrangère à Paris, comme à

Berck ? Un visage s'éclairait au fond de sa mémoire, celui de la mère dont on vient d'assassiner l'enfant, dans la petite chambre savoyarde... Elle pensait à Bakou, d'où chaque mois venait une petite formule chargée de signes, et où il y avait des ouvriers, qui ont aussi des mères ; et à toutes les mystérieuses opérations, qui, de là-bas jusqu'à Paris, permettent à travers des bureaux, des surveillances, grâce à des contrats, des louages, que la feuille débarque un beau jour par la poste, par le facteur qui s'est levé très tôt, jusqu'à cet appartement où Mme Simonidzé fume et songe, et songe et fume depuis des années on se demande pourquoi.

A travers ce brouillard de pensées, les geignements de Martha et les journaux bavardant sur *l'affaire*, et l'interrogatoire de M. de Houten, et les heures de l'après-midi passèrent. Catherine se retrouva seule vers le dîner. Elle avait un peu songé à aller voir Jean Thiébault. Puis une espèce de rage profonde l'avait saisie. Assez de celui-là. Elle dîna dans une crémerie chaude près de l'École Militaire.

III

Catherine ne pouvait se décider à rentrer chez elle, malgré un point qu'elle sentait dans son dos et qui lui rappelait cette maladie dont à l'arrière-plan de ses pensées revenait le refrain menaçant. Il n'était pas très loin de neuf heures, les soldats rentraient à la caserne des Invalides. Des chansons éraillées de phonographes sortaient des bistrots, où les derniers retardataires s'arrachaient au billard, ou à la compagnie des filles.

L'esplanade s'ouvrait toute vide sous un vent froid. Catherine gagna les quais. Elle les descendit vers l'Alma. Cette partie de Paris est déserte, comme une zone du luxe. En face, au Cours-la-Reine, il y a un va-et-vient équivoque, une prostitution qui tient encore de la vie. Mais sur la rive gauche, on dirait simplement ici que la ville a gelé, et l'eau de la Seine est plus noire qu'ailleurs.

Le parc d'attractions de Magic-City rendait un son triste de plaisirs promis. Lundi soir. Cela devait être vide. Des musiques, la bouffée des parades, le bruit des carabines dans les tirs, sûr que c'étaient les employés qui usaient les balles... Catherine passa tout cela, et le bruit en rafale du scenic-railway. Au-delà du Pont de l'Alma, la nuit était plus claire. C'est ainsi qu'on arrive au pied de la Tour Eiffel. La Seine coulait, indifférente, pleine de noyés.

Qu'est-ce que Catherine suivait ainsi à la traîne du fleuve? Il bruinait. Deux métros, comme pour une cérémonie de lumières, se croisèrent au-dessus de l'île des Cygnes où une république courte sur pattes figure la démocratie des chalutiers. Plus loin, plus loin. Elle avait enlevé son chapeau, Catherine, et se souciait très peu de l'humidité glaciale. Ses cheveux humides étaient aussi sombres que les eaux de la Seine à la lueur rare des réverbères.

Au Pont Mirabeau, elle abandonna le quai comme si elle voulait gagner la rive droite. Mais sans doute

qu'elle voulait surtout voir couler la nuit fluviale,
car elle s'accouda au parapet vers le milieu du pont,
du côté de l'aval. De sous elle, les eaux tourbillon-
nantes se précipitaient. On connaît en rêve cette sensation du plancher qui fuit. Les pensées de Catherine
descendaient le courant en en épousant les méandres.
Remous obscurs, venus d'en arrière, des jours de
son enfance, jusqu'à ce jour-même, ce long, cet interminable jour...

Tout à coup, sans précisément avoir prémédité ce
geste, elle avait lancé son chapeau dans le vide. Il
tournoya, s'enfonça dans le cœur des eaux. Elle ne
le vit pas disparaître vers la mer hypothétique et
lointaine. Elle restait ainsi décoiffée dans la nuit. Son
imagination à la dérive suivait le chapeau léger dans
les tourbillons. Elle était toute, entièrement au souvenir de Cluses, de cet avortement de sa destinée;
il lui semblait que c'était alors que quelque chose
en elle s'était irrémédiablement brisé, là dans la foule
agitée en tous sens, tandis que les blessés étaient
dans la poussière, que les soldats se portaient vers
la maison en flammes avec leurs fusils, et que le soleil
dansait sur un petit chien jaune.

Oui, à ce moment-là, elle s'était trouvée à une
croisée de routes. Elle avait été retranchée des siens,
elle pensait même fortement, elle *voulait* penser de
sa classe. Mais elle n'avait pas su prendre son parti
de cette rupture, elle ne s'était pas attachée ailleurs.
Elle avait eu des curiosités de voyageuse, et rien de
plus. Jamais elle n'avait pu se lier avec les autres,
avec *l'ennemi* des siens, de ceux qu'elle avait l'horreur
aujourd'hui encore de reconnaître comme les siens.

C'est qu'elle avait gardé de sa vie passée les commodités, même dérisoires. Il lui avait répugné comme à une fille de ne pas avoir de quoi acheter une robe. Sa liberté, le grand mot dans la vie qui l'avait menée à la remorque, cela avait toujours été ce misérable pouvoir de ne pas travailler, de flâner, et c'était cela même, le petit mandat de Bakou, qui l'avait maintenue (qu'elle le voulût ou non) dans les rangs dont elle croyait sortir.

Les eaux noires roulaient toujours, et le chapeau devait avoir fait un chemin fou. La tache de lumière, que les yeux de Catherine avaient sans doute empruntée aux réverbères, dansait devant eux, au-dessus du fleuve, pareille au petit chien jaune... Il avait eu très peur des coups de feu, le petit chien jaune, il s'était caché derrière Jean... La pensée de Jean était ce qu'il y avait de pire. Il serait général, Jean, un jour, à moins que d'autres coups de feu... Mais c'était un ouvrier mort, avec du sang sur la chemise, et de la terre dans les cheveux, qui hantait la mémoire de la jeune femme, et non pas Jean.

Comme tantôt, pour le chapeau, le geste fut tout naturel, et sans débat préalable. Elle monta sur le parapet et passa une dernière fois ses deux mains sur ses cheveux.

Mais voilà qu'elle se sentit prise à bras-le-corps et ramenée à terre. Un homme solide la tenait, un chauffeur, à en juger par la vareuse et la casquette.

"Pas de ça, Lisette, dit-il, d'une voix profonde et vulgaire qui ne s'accordait pas très bien avec un air de grande jeunesse. Je voyais bien que made-

moiselle allait faire des bêtises. D'abord le chapeau.
Une pitié. Vous plaisait pas, peut-être? J'étais là au
coin du quai. J'ai quitté ma voiture. Allons, qu'est-ce
que c'est? On chiale, maintenant. Allons, allons. Ça
se passera. Non, je ne vous lâche pas. Faudrait qu'une
fois... Non? c'est fini? Promis? "

Il ne la laissait pas tout à fait libre. Elle toussa.

" On prend froid? Ça fait du temps qu'on est là,
et ça mouille. Faut venir se réchauffer quelque part. "
Il se méprit au geste de dénégation de Catherine :
" Ah! ça, un verre ne se refuse pas, ma petite! C'est
vrai qu'on ne se connaît pas. Enfin, je m'appelle
Victor... "

Elle essuyait son visage. Peut-être remarqua-t-il
alors qu'elle était jolie. " En tout cas, je ne vous
lâche pas, l'enfant. L'envie pourrait vous reprendre.
On s'éloigne d'ici. J'ai une voiture au bout du quai.
On fait un saut jusqu'à l'Alma où il y a un bistrot
tranquille. Un grog n'est pas de refus, ou du vin
chaud. Vous êtes toute blanche. "

Et c'est ainsi que Catherine connut Victor.

IV

Jeanne Dehaynin était enceinte quand en 1886
éclatèrent à Decazeville les graves incidents à la suite
desquels Dehaynin décida de quitter le pays où le
Comité des Houillères refusait tout travail à ceux
qui avaient pris une part active à la grève, ou qu'on

supposait avoir trempé dans le meurtre de l'ingénieur
Watrin.

Il la mena à Paris où elle avait une cousine blanchisseuse, et l'y laissa le temps de ses couches, pour
chercher du travail et la faire venir. Elle ne devait
plus le revoir. Aux mines de la Loire, il fut tué dans
les premiers jours. Il avait vingt-trois ans.

Le petit Victor Dehaynin se trouva donc parisien
par raccroc.

Il poussa tout simplement dans le bas de la rue
de la Roquette, près de la Bastille, où sa mère travaillait chez la cousine Adèle. Jeanne vers 1890 s'était
mise avec un cheminot, chauffeur sur les express,
qui ne faisait pas de mauvaises journées. Mais il revenait à la maison mort de fatigue. On habitait dans
le bout de la rue des Boulets, presque au faubourg
Saint-Antoine. Quand Victor eut dix ans, on se disputa
ferme à la maison parce que Jeanne l'aurait bien envoyé au catéchisme, histoire de lui faire faire sa communion, comme aux autres, mais le chauffeur criait
que c'était une honte et qu'il la quitterait si elle faisait ça à son gosse. Joseph l'aimait bien, Victor. Une
fois, celui-ci l'avait emmené en cachette sur la loco-
motive. En 1897, il fut tué dans un accident. Paraît
que c'était la faute du mécanicien, et peut-être bien
aussi celle de Joseph. En tout cas, comme Jeanne
n'était pas mariée avec lui, elle n'eut droit à aucune
pension, pas plus que pour Dehaynin, d'ailleurs, qui
était, lui, son légitime. Elle retourna à la blanchis-
serie, et Victor fut mis en apprentissage chez un
charron de la rue des Pannoyaux.

En fait d'apprentissage, il eut surtout à laver le

plancher et les voitures, à faire les courses, donner
un coup de main au ménage du patron, vider les
ordures, porter l'eau. Il faisait douze, treize heures,
mais aussi il était nourri. Il ne regrettait pas l'école
d'ailleurs où il avait été jusqu'à onze ans.

A treize ans, il était grand et fort pour son âge,
et, par la cousine Adèle qui lavait le linge d'un gros
camionneur des Halles, il trouva une place chez celui-
ci. Il nettoyait toujours des voitures, mais aussi il
apprit à soigner les chevaux, et même à conduire.
En 1901, on lui confia une bagnole. Il allait dans la
nuit chercher des légumes dans les épandages d'Ar-
genteuil ou dans la banlieue sud, et il revenait, au
petit pas exténué des deux bêtes, ramenant son butin
aux Halles, où il le déchargeait sur le carreau. Il dormait ensuite jusqu'à midi, mais l'après-midi il devait
être à la boutique; il travaillait quinze à seize heures.
A son âge, ça ne lui faisait pas de mal, pas vrai? N'em-
pêche qu'à dix-huit ans on le flanqua sur le pavé,
parce qu'il s'était battu avec le fils du patron, un
baveux, qui voulait le faire trimer des heures de sup-
plément à l'œil. N'était que de se trouver comme ça
n'avait rien de drôle, Victor était assez fier de sa
force essayée : le mec avait fait plutôt piteux devant
sa boutique, descendu d'un coup, d'un seul. Et le
monde s'était attroupé.

En attendant mieux, il fit le débardeur aux Halles.
On l'embaucha chez un équarrisseur. Foutu dehors
pour une réponse. C'est dans ces occasions-là qu'on
regrette de ne pas avoir un métier, ce qui s'appelle
un métier. Victor en avait marre des chevaux : ceux
qu'on conduit, ceux qu'on abat. Et puis il croyait

aux destinées de l'automobile. Le dimanche, il allait
voir les courses. Il se lia avec des mécanos. On l'embaucha dans un garage à Saint-Cloud pour faire le
gros ouvrage. Il avait son idée de derrière la tête. Il
lavait les voitures, mais il se les faisait expliquer. Il
apprit même à conduire. Il eut son permis juste avant
de partir au régiment.

Il aurait dû être dans la cavalerie ou l'artillerie.
Mais les chevaux, il ne pouvait plus les blairer. Il ne
mentionna pas ses capacités de ce côté-là, et à tout
hasard on le flanqua dans la ligne, et il se trouva
du faible contingent parisien d'un régiment du
Midi.

Il était au 17e d'infanterie à Béziers quand celui-ci
se mutina et fit cause commune avec les vignerons.
Victor Dehaynin qui avait poussé n'importe comment, qui ne s'était jamais même syndiqué, dans ces
journées extraordinaires où dans le régiment même
on se demanda si le gouvernement ne ferait pas fusiller
les soldats en masse pour leur rébellion, découvrit
cette solidarité des travailleurs qui transforma pour
lui totalement le sens même du travail. La légende
de son père et des batailles des mineurs prit soudain
à ses yeux un sens qu'elle n'avait jamais eu quand
on la lui contait dans son enfance. Il s'instruisit de
l'histoire du mouvement ouvrier. A la caserne, on
lisait en cachette les journaux socialistes. Quand, par
une trahison bien digne de Clemenceau, le 17e après
les journées de Béziers, contre toutes les promesses,
fut parqué dans des locaux pénitentiaires, Victor
devint, à la faveur des liaisons qu'il y noua, un véritable militant de sa classe. De retour dans la vie civile,

il fut accepté comme chauffeur à la Compagnie Générale à Paris et prit aussitôt sa carte du syndicat. En
1909, il était entré au parti socialiste.

Dans sa petite Wisner rouge et cahotante, il avait
emmené Catherine, ce soir de novembre 1911, parce
qu'il ne pouvait pas la laisser comme ça près de la
Seine, avec la tentation de l'eau. Avec ça, il était en
retard, il allait à un meeting à la Bourse du Travail
et l'affaire était sérieuse. Mais quand ils se furent
attablés avec la petite, elle était vraiment jolie, et
puis une femme comme il n'en avait pas l'habitude,
il la laissa doucement parler d'elle-même, de sa vie.
Ça l'intéressait. Ils buvaient du vin chaud, et elle
parlait de son enfance, et du Luxembourg à quinze
ans, et de sa mère, et de ce monde étrange où les
gens ne travaillent pas, comme si le bifteck tombait
du ciel, avec des mandats postaux tous les mois, et
les puits de pétrole à la cantonade.

Ce qu'il voulait savoir, lui, c'est pourquoi elle avait
voulu comme ça sauter dans la Seine. C'était lui
demander toute sa vie. De Cluses à Berck, de la mort
d'un jeune ouvrier horloger à celle des Lefrançois-
Heuzé, au suicide de Paul et Laura Lafargue. Qu'est-ce
donc qui rendait possible cette confession? Un regard
peut-être, l'espèce de robustesse de Victor, plus que
tout sans doute les brèves réflexions qui coupaient
le récit de Catherine, et lui faisaient sentir à quel
point cet homme, cet inconnu si totalement étranger
à tout ce qu'elle avait voulu fuir, comprenait d'une
façon directe, immédiate tout ce dont elle n'aurait
jamais pu souffler mot à Martha, par exemple. Ou à
sa mère : le grand événement de la vie de Mme Simo-

nidzé n'avait-il pas été le percement du boulevard Raspail?

Ce n'était pas ce qu'on appelle un joli garçon, Victor. Un grand type carré avec les traits marqués, qui auraient été réguliers, sans la bouche qui gâtait tout, trop mince, et très large. Blond comme les Jonghens, un Flamand aussi. Mais quelle distance d'eux à lui! Celle de deux classes. Ni le regard du financier ni celui du catholique. Habitué à regarder la vie en face, un regard de boxeur. Déjà, à vingt-six ans, le cou se marquait, tanné, rougi vers la nuque. Il y avait dans le fond du teint ce coup de feu du grand air qui vient du travail et qui ne se confond pas avec le hâlage raisonné des sports.

Il regardait de temps en temps la pendule. Le meeting! Mais ça ne fait rien, quand elle parla du suicide des Lafargue, il ne put s'empêcher de discuter le coup, parce que là-dessus il avait des données. Il avait lu *L'Humanité* le matin. Et il trouvait que son journal n'avait pas une position bien nette dans cette affaire.

" Qu'est-ce que vous voulez, ça me chiffonne, moi, cette histoire-là. Et, tenez, quand je vois l'effet que ça a sur vous. Bien entendu, ça vous a fait cet effet-là parce que vous y étiez toute prête. Enfin, on peut, on doit critiquer un chef de la classe ouvrière qui déserte son poste. Naturellement, vous protesterez, vous. Vous trouvez ça très beau, très grand, et patati et patata. Moi, pas. Je trouve ça simplement lamentable : pourquoi faut-il que la fille de Karl Marx ait fait cela? Pour vous, je ne sais pas trop ce que ça dit, Karl Marx. Mais pour nous, vous comprenez, pour

nous autres prolétaires... *Prolétaires de tous les pays...*
Eh bien, non, nom de Dieu, des phrases comme ça
ne permettent pas qu'on se tue un beau jour, ni vu
ni connu, je t'embrouille! J'ai tout le respect qu'on
voudra pour Paul Lafargue : ça a été un militant du
mouvement ouvrier, qui a donné toute sa vie à notre
classe, et qui ne l'a jamais trahie. Mais il ne nous a
pas donné sa mort. Sa mort n'a rien à voir avec la
lutte des ouvriers. Sa mort n'a rien à voir avec sa vie,
avec ce qui fait que je lui tire tout de même ma casquette. C'est ça qu'elle n'a pas dit, *L'Humanité*, et
c'est un tort. Un fichu tort. "

Il frappait la table du poing. Catherine, avec cette
voix douce et surprenante pour les Français, essaya
de défendre non pas seulement Paul et Laura, mais
le suicide. Que c'était un préjugé chrétien... Victor
l'interrompit avec violence : " Qu'est-ce que vous
me chantez-là? Enlever à la Révolution des forces,
parce qu'on craint la maladie, ou l'âge, ou n'importe
quoi, un préjugé que j'ai contre? Un préjugé de
classe, oui, et de ma classe, de celle qui va à la bagarre,
et qui ne veut pas laisser distraire des combattants.
Le suicide, c'est renâcler devant l'obstacle. Qu'est-ce
que craint tant un prolétaire qui sait qu'il est un
prolétaire, c'est-à-dire un militant de sa classe, pour
qu'il veuille contre lui-même, c'est-à-dire contre un
morceau de sa classe, donner raison à l'adversaire,
à la bourgeoisie, en se supprimant? Ce sont les bourgeois qui se tuent.

— Il y a, murmura Catherine, des chômeurs qui
se tuent.

— Tout d'abord, ceux-là, on les pousse à se tuer,

ça ressemble autant à l'assassinat qu'au suicide. Et
puis, s'ils se tuent, ces copains-là, c'est parce qu'ils
ne savent pas comment lutter contre la misère, qu'ils
croient qu'on ne peut rien changer au monde, alors
ils foutent le camp. C'est vous qui leur avez mis dans
la tête à force de résignation, chrétienne ou pas, cette
idée-là, et ils en crèvent. Mais s'ils ont conscience... "

Catherine l'écoutait parler. Elle ne protesta pas
contre le *vous* qui l'englobait dans la bourgeoisie,
elle songeait aux mandats de Bakou. Elle subissait
cette violence faite à ses idées, par cet homme qui ne
lui devait rien. Elle avalait en silence de longues
gorgées de vin chaud.

"Onze heures! Et je bavarde, je bavarde. Il faut
que je sois à la réunion avant le vote. Tenez, si vous
étiez dans la bataille, vous ne penseriez pas à faire
le plongeon. Croyez-moi, si Lafargue s'est tué, c'est
d'une façon ou d'une autre qu'il s'était éloigné de
la classe ouvrière. "

Quelle emphase il mettait, chaque fois, à prononcer
ces mots, la classe ouvrière! Catherine, à l'idée de
rester seule, eut une sorte de pincement au cœur.
Elle allait lui demander de l'emmener avec lui quand
il dit : "Avec tout ça ça m'embête de vous laisser
comme ça, par-derrière, la tête bourrée d'idées noires.
Je vous ai pas empêchée de faire la bête, pour que
vous recommenciez quand j'aurai le dos tourné. Et
puis je me dis que qui sait? Si vous venez avec moi,
ça vous donnera honte; et ça vous les changera, les
idées? "

V

Que savait Catherine des ouvriers? Rien. Ce n'était pas d'avoir fréquenté quelques anarchistes, pour la plupart recrutés parmi les typographes, c'est-à-dire dans une catégorie qui a ses particularités, où s'est développée déjà une culture bien spéciale, et avec elle des traits idéologiques de la petite bourgeoisie, ce n'était pas d'avoir connu Libertad et quelques autres qui l'eût familiarisée vraiment avec les ouvriers.

Ils lui étaient au fond aussi lointains qu'à Mme Simonidzé, aussi parfaitement étrangers. Est-ce qu'elle se faisait une idée quelconque de leur vie? Non. Elle ne savait rien de l'enfance ouvrière, différente de celle qu'elle avait eue, comme le cauchemar d'un sommeil calme; dans son monde, l'être humain rarement avant vingt ans acquérait ce sentiment de responsabilité qui fait l'adulte; tandis que, garçons ou filles, dans le monde ouvrier la vie, à proprement parler l'enfer, commence bien avant l'achèvement de la croissance, avant même la puberté. Cela creusait encore entre Catherine et *eux* un fossé de différences. Il y avait aussi *les problèmes*, les importants problèmes qui se posaient pour elle, et qu'elle avait l'impression toujours, parlant avec un ouvrier, que celui-ci ne comprenait pas : non pas tant qu'il n'en trouvât pas la solution, mais comme s'il ne fût même pas arrivé à se les poser.

Cela, se masquant derrière des difficultés de langage, de vocabulaire, en imposait à Catherine pour une infériorité de leur part. Elle ne voyait pas que, bien souvent, tout était à l'inverse : c'était elle qui avait encore à discuter ce qui n'était en réalité que vestiges d'un autre siècle, et c'est peu dire, d'un autre monde. Et ils n'avaient pas des heures non plus à donner aux arguties, ils avaient leurs problèmes à eux, autrement pressants et immédiats.

Catherine ne se faisait aucune idée de ce qu'est la journée de travail. C'est peut-être ce qui sépare avec la plus grande netteté la bourgeoisie du prolétariat. Les bourgeois parlent avec abondance de ceux d'entre eux qui travaillent. Mais le travail au bout duquel la subsistance n'est pas seule assurée, le travail dont on ne sort pas avec juste le temps nécessaire pour récupérer les forces de la journée de travail du lendemain, le travail de celui qui possède, en un mot, de celui qui amasse ne peut être comparé au travail ouvrier que par l'effet d'un abominable jeu de mots.

Il y a particulièrement ce travail de l'usine, où l'homme de la sirène de l'entrée à la sirène de la sortie, est possédé par le minutage, et les longues heures ainsi débitées à un geste près... Il y a le retour à la maison, mot ironique, et le dénuement, les difficultés de chaque chose, le long désir de chaque objet nécessaire; il y a enfin la non-garantie du lendemain, l'orage toujours possible, la boîte qui ferme, le chômage. Cette chose incompréhensible et soudaine.

Catherine, qui trouvait abominable qu'il y eût des exploités et des exploiteurs, ne savait pas à quel point elle avait raison de trouver ça abominable. Sa vie,

à elle, constituait le plus grave obstacle à la connaissance d'hommes dont la vie était si différente. Il y
avait entre elle et eux le petit mandat de Bakou.

Rien d'extraordinaire donc à ce qu'elle ignorât
aussi profondément le mouvement ouvrier que la vie
ouvrière. Elle n'avait jamais pu, dans ses accès de
curiosité passagère, s'attacher aux questions vitales
d'une classe dont elle ne connaissait pas les réelles
conditions de vie. Les débats autour desquels se
jouait l'histoire, les luttes par exemple des réformistes,
des anarcho-syndicalistes et des guesdistes en France
lui étaient lettre close. Le mot syndicat n'évoquait
pour elle qu'un monstre d'ennui, et de préoccupations
bureaucratiques qu'elle dédaignait. Tout pâlissait,
dans ces combats de l'organisation quotidienne, devant les feux de la Révolution auxquels elle ne manquait jamais de les comparer. Les attentats politiques,
l'éclat d'une bombe dans un lieu public, avaient à
ses yeux toute la force lyrique, le prestige, qu'elle
reprochait avec une moue à tout "ce socialisme"
d'ignorer.

Victor était pour elle un type humain absolument
nouveau. Sa façon de parler, si choquantes que fussent
ses idées, elle y voyait quelque chose d'exceptionnel,
n'ayant jamais rencontré ces militants qui sont l'avant-
garde de la classe ouvrière, rompus dès la jeunesse
à la parole et à l'action.

Enfin, c'était peut-être un homme que Catherine
suivait ce soir-là, dans sa Wisner, vers la Bourse du
Travail. Ils eurent de la peine à la ranger pas trop
loin de la rue du Château-d'Eau, il y avait partout
des taxis abandonnés le long des trottoirs. Dans

les petits cafés du voisinage, on discutait ferme :
des chauffeurs sortis un instant se restaurer. Victor
serra des mains en passant. La grande salle de la
Bourse était pleine à craquer. Un bain de vapeur.
Les gens y fumaient depuis près de trois heures.
Un orateur parlait au milieu du tumulte. Une foule
de chauffeurs debout, dans ce costume de travail qui
tient de l'uniforme et de la livrée, mais que le goût
individuel fait varier avec d'infinies ressources. Des
vieux, qui avaient été longtemps cochers de l'Urbaine, et qui appelaient à la sagesse. Derrière la tribune, des hommes fatigués, à la voix cassée, les yeux
vifs. Catherine tombait en pleine bataille.

Elle craignait, suivant Victor à travers les travées,
au milieu des chauffeurs debout parmi lesquels quelques femmes dont l'aspect contrastait singulièrement
avec le sien, d'exciter la curiosité, et peut-être davantage. Mais on n'avait guère le temps de prêter attention à elle. Quelques regards des plus voisins. Un
léger étonnement sur un visage. Victor, arrivé avec
elle au pied de la tribune, dit rapidement à quelqu'un :
"Une camarade", puis ils se mirent très vite l'un
l'autre au courant. Catherine ne pouvait pas suivre
la conversation. Un chiffre y revenait, qui sonnait
aussi à la tribune. 33 %... 33 %... Quelque revendication sans doute.

Il y avait dans le pourtour de la grande salle de
perpétuels va-et-vient. Sur le plateau, derrière la tribune, surgissaient des émissaires, mystérieux pour
Catherine. Il ne semblait pas que l'orateur, qui était
certainement le centre de la colère des spectateurs,
fût celui de leur intérêt. Catherine en route n'avait

même pas demandé à son conducteur le sujet du
meeting. Elle arrivait à peine à Paris. Le mot de grève,
qui volait de bouche en bouche, ne la toucha point
d'une façon directe. Elle s'intéressait davantage à
l'aspect des gens, à la colère subite d'un chauffeur
qui, de sa place, désignait à trois rangs plus loin, un
grand diable aux épaules carrées : " Je vous dis que
je le connais! C'est pas un chauffeur, nom de Dieu!
On n'a pas besoin de flics ici! " Sous les huées, l'orateur venait de disparaître. On applaudissait celui qui
lui succédait, un des dirigeants du syndicat. Victor
cria : " Vive Fiancette! " et reprit avec un petit chauffeur rougeaud une conversation où il était sans cesse
question du garage de la rue de Charonne et de la
Métropole, la grande inconnue dans toute l'affaire.
A la Française, ça marchera.

Il était près d'une heure du matin quand le président du meeting, au milieu d'un bruit fantastique,
se leva pour lire un petit papier. Dans l'étrange silence
tombé tout à coup sur plus de deux mille chauffeurs,
la décision de grève pour le matin même fut mise
aux voix. Elle fut votée d'enthousiasme, et la salle,
debout, chanta l'Internationale.

A la sortie, Catherine, que le spectacle avait dis-
traite d'elle-même, se sentit brusquement dans cette
foule ballottée, étrangère. Elle allait retomber à la
nuit. Une détresse la prenait de se séparer de Victor.
Elle lui dit : " Où allez-vous, maintenant? — Pardi,
au pieu! Il n'y a pas grand temps pour dormir pour
être à six heures aux piquets de grève. "

Quelque chose se brisait en Catherine. Elle avait
honte aussi un peu de ses pensées. Qu'est-ce qu'elle

était allée s'imaginer? Maintenant c'était la bataille,
Victor avait ses tâches de gréviste, et elle... "Dites-
moi, camarade, est-ce que je ne puis pas être bonne
à quelque chose? Dans la grève? Il n'y a pas pour
une femme qui donnerait son temps... " Victor hésitait, ne voyant pas. Catherine insistait. Elle se mettait
à la disposition des grévistes. Il y avait dans sa voix
une supplication. Cela, Victor le sentit bien, et c'est
peut-être pourquoi il dit : "Eh bien, venez ce matin
vers neuf heures rue Cavé, à Levallois, à la maison
des syndicats. Peut-être bien... " Lui, il devait garer
sa bagnole avant de rentrer. Pourtant il lui proposa
de la déposer chez elle. Sans conviction, à vrai dire.
Elle eut tout juste le sens de refuser.

Quand la petite Wisner rouge partit, Catherine
resta sur le trottoir à la regarder s'éloigner vers Barbès. D'autres taxis démarraient dans toutes les directions, la foule du meeting se dispersait. Un agent
la fit circuler avec des mots obscènes. Elle le dévi-
sagea, surprise. Elle se souvint soudain qu'elle était
sans chapeau, à une heure du matin, devant la Bourse
du Travail.

VI

Le baron Débauche avait reçu son titre de l'Empereur en 1866, dans le même marché passé par la Ville
de Paris, qui lui rachetait le monopole de fait qu'elle
lui avait consenti quelques années plus tôt.

Les attelages cahotants dans lesquels de petits propriétaires trimbalaient à Paris étrangers et gens de la capitale ne convenaient plus guère à la grandeur du règne : on avait bien accueilli d'abord ce monsieur dont le nom était si drôle, et qui avait su intéresser plusieurs conseillers municipaux à son affaire, quand il avait proposé de racheter tous les attelages, et de les remplacer par des voitures de louage qui convinssent au faste de l'Empire. C'était au moment de l'Exposition internationale de 1855. Les petits propriétaires, les cochers possédant leur fiacre ou leur victoria avaient bien vite dû se laisser racheter au prix imposé par la Société Débauche. Trois cents attelages ainsi payés lui donnaient la maîtrise du pavé parisien. Mais, à la veille de la grande Exposition de 1867, de nombreux groupes financiers, la circulation dans Paris étant devenue bien plus intense et profitable, pressaient le Conseil municipal de liquider ce trust, pour leur permettre la création de compagnies nouvelles qui se partageraient la clientèle des fiacres.

Il fallut pour cela racheter le privilège accordé, et payer les attelages de la Société Débauche, qui n'étaient pas moins de trois mille cinq cents alors. La somme exigée était considérable. La Ville s'endetta du coup pour cinquante années. Et par-dessus le marché on se fendit d'une baronnie, qui ne coûtait rien.

Le nouveau baron, ayant vendu son trust, fonda une nouvelle compagnie, la *Compagnie générale des Fiacres de louage*, et continua d'exploiter le trafic de Paris comme s'il n'avait rien vendu. Il est vrai qu'il partageait sa clientèle avec trois ou quatre compagnies, dans lesquelles d'ailleurs, en personne ou par intermédiaire, il replaça fort avantageusement l'argent de la Ville de Paris.

La *Compagnie générale* était la plus prospère, la plus solide des maisons de voitures de louage à Paris. Elle avait un capital qui s'enfla successivement jusqu'à atteindre 53 millions en 1896, date à laquelle ce capital était représenté pour la plus grande partie en terrains et en immeubles. A vrai dire ce chiffre de 53 millions correspondait à l'appréciation nominative des biens de la Compagnie, d'après des experts dont la sagesse était sans égale, et qui s'en seraient voulu d'estimer trop haut une fortune, solide certes, mais dont les possesseurs appréciaient sans doute les impôts bas et les revenus discrets.

Le vieux baron était mort, et le nom de Débauche n'éveillait plus que le souvenir d'une plaisanterie éteinte avec les premiers jours de la République. Les destinées de la Compagnie étaient entre les mains d'un grand financier, administrateur habile, Joseph Quesnel, dont la gestion permit l'établissement de sa richesse foncière et immobilière. Joseph Quesnel était un démocrate, et il professait que les travailleurs ne doivent pas être exclus des bénéfices d'une affaire à la prospérité de laquelle ils concourent. Aussi, à chaque augmentation de capital, faisait-il toujours réserver des actions, pour permettre aux cochers de la Compagnie de placer leurs petites économies dans la maison. Les vieux cochers, dont certains avaient encore connu les temps du baron Débauche, fiers d'être actionnaires, et conscients de l'unité de leurs intérêts et de ceux de *leur* maison, devenaient ainsi parmi leurs camarades les avocats de cette paix sociale qui, disait Joseph Quesnel, régnerait partout si un patronat inhumain et aveugle n'en était le premier ennemi.

Temps idylliques où à la *Compagnie générale* on ignorait tout conflit intérieur! Sans doute, il y a des mauvais coucheurs partout, parfois on devait bien liquider un cocher remuant et braillard. Mais cela n'allait jamais plus loin. L'idée ne venait même pas aux autres de se solidariser avec ces éléments indésirables et vite éliminés. En 1865, aux derniers jours de la Société Débauche, il y avait bien eu une grève, mais le baron l'avait vite réprimée, et traduit le Comité de grève devant les tribunaux.

Au fur et à mesure que la Compagnie se développait, qu'elle amassait un capital grandissant, non seulement du fait d'émissions d'actions nouvelles, mais aussi d'une thésaurisation des bénéfices, qui en faisait un placement de grand avenir, Joseph Quesnel travaillait à étendre le réseau des liaisons de la Compagnie avec de nombreuses autres affaires. Il savait, dans des filiales créées pour l'exploitation des terrains, de petites industries alimentaires en province, des organisations de transports en commun dans les campagnes, etc., s'attacher des personnes utiles, participant déjà à de grandes entreprises, en les faisant pénétrer dans les conseils d'administration au-dessus desquels la vieille maison étendait son empire.

De plus, prévoyant, cet homme de génie avait compris que, la base même de son industrie parisienne se développant, un jour ou l'autre des conflits pourraient naître, tant avec les cochers qu'avec les com-

pagnies concurrentes; et comme il savait qu'alors ce
n'était pas sur le Conseil municipal, variable, soumis
aux marées électorales, et d'ailleurs ruineux à acquérir,
qu'il pourrait compter dans les mauvais jours, il avait
mis les bons à profit pour lier sa maison de mille
manières à la Préfecture de police. De mémoire
d'homme, c'était elle qui fournissait aux chefs de service du Quai des Orfèvres non seulement les voitures
dont ils avaient besoin pour leur métier, mais aussi
les équipages qui emmenaient le dimanche à Meudon
MM. les Inspecteurs et leurs dames; on avait même
pour les hauts fonctionnaires de jolis équipages qui
ne sentaient aucunement la location.

La tradition se poursuivit quand au début du
xxᵉ siècle la Compagnie, progrès oblige, lança dans
les rues de Paris d'abord les premiers taxis ou taxi-
mètres, rendus nécessaires par l'abaissement des bénéfices au lendemain de l'Exposition universelle de 1900,
à l'occasion de laquelle le nombre des voitures à
Paris avait monté encore, nouvelles étapes de nouvelles méthodes de travail, puis des automobiles, des
Wisner. Ce furent aussi des Wisner dont disposèrent
les services de la Préfecture, grâce à Joseph Quesnel.
Il fallait bien soutenir le jeune et audacieux industriel
dont les journaux chantaient les louanges, et qui donnait à l'industrie automobile française la deuxième
place dans le monde, après les États-Unis. Il faut
dire que dans le conseil d'administration de Wisner
on retrouvait le grand sucrier Gilson-Quesnel, neveu
du vieux Joseph Quesnel, et diverses personnalités,
anciens ambassadeurs et ministres, figurant aussi
dans *l'Immobilière Quesnel* qui régnait sur le quartier

des Invalides, dans la Compagnie des terrains du XVIIIᵉ, etc.

Quand il avait fallu moderniser le matériel, Joseph Quesnel avait pratiqué une nouvelle augmentation de capital. Une réclame systématique avait été faite à cette occasion parmi les cochers : l'affaire allait prendre des proportions importantes, ils eussent été des niais de ne pas profiter de l'occasion qui se présentait. Collaboration du travail et du capital. Leur vieillesse serait assurée; et ainsi, tous raclèrent leurs dernières économies et contribuèrent à payer les machines nouvelles, qui les firent mettre au rancart avec leurs canassons, ceux tout au moins qui ne surent pas apprendre un nouveau métier et devenir chauffeurs.

Les conditions du nouveau travail ne ressemblaient plus guère à l'idylle ancienne. Le taximètre avait déjà lié plus étroitement cochers et chauffeurs aux compagnies, en leur imposant une surveillance qui rapprochait leur métier de celui de l'ouvrier d'usine. De plus, avec la complication des taxes pour les bagages, des taxes hors barrière, des retours, du double tarif, un et deux, suivant le nombre de voyageurs, toute une série de fraudes étaient devenues possibles, contre lesquelles les compagnies, ici toutes d'accord, et s'épaulant, se prémunirent avec l'appui de la police des voitures et par la création d'un vaste système de mouchardage : elles embauchèrent des hommes sûrs, rempilés de la coloniale, retraités, anciens sergents de ville, et leur donnèrent la tâche très simple de noter aux gares, aux portes de Paris les numéros des voitures qui passaient, le nombre de voyageurs dans les voitures, les paquets emportés.

On prenait ainsi les fraudeurs la main dans le sac. Ceux aussi qui roulaient avec des clients le drapeau levé. Et on les mettait à la porte. L'organisation étant commune aux compagnies, elles se faisaient profiter les unes les autres des listes ainsi établies. Les fraudeurs étaient ainsi mis à l'index de la corporation. Plus de travail.

Puis l'auto était une machine. Plus elle roulait, plus elle rapportait. Elle n'était jamais fatiguée. Ce n'était pas comme le cheval dont la résistance physique limitait la journée du cocher. Celle du chauffeur, rien ne la limitait. Même pas la loi. –

L'introduction de l'auto de louage à Paris par la *Compagnie générale* était une idée personnelle de Joseph Quesnel, homme d'affaires audacieux. Mais les quelques machines lancées dès 1905 avaient été bientôt concurrencées. De nouvelles compagnies s'étaient créées qui n'avaient pas avec elles le poids mort des voitures à cheval. Ce fut une course aux effectifs. En deux années la montée des taxis-autos dans Paris fut vertigineuse. En même temps il fallait recruter tout un personnel de chauffeurs qui débarqua à Paris du fond des provinces, avec les illusions d'un métier nouveau et moderne. Les bénéfices de la Compagnie croissaient avec l'augmentation du nombre des voitures. Mais déjà Joseph Quesnel apercevait les limites de son empire. Il prit les mesures pour parer aux dangers du lendemain.

Dès 1908, il fonda par un accord passé avec les plus grosses compagnies rivales le Consortium qui pratiquement éliminait les périls de la concurrence. Plus de guerre de tarifs. Et surtout le moyen de faire à pas trop cher, les pressions nécessaires sur le Conseil municipal de Paris, de qui dépendait toute la législation des voitures, des taxes sur la circulation. Le Consortium, par ailleurs, présentait un autre avantage.

Le Consortium en effet organisa dans les garages la vente de l'essence aux chauffeurs. En plus donc des 72,5 % que les chauffeurs rapportaient aux compagnies de leurs recettes quotidiennes, venait s'ajouter ce commerce nouveau. Un accord était intervenu entre le Consortium et la *Standard Oil*. Le colonel Morris, homme de confiance de cette puissante maison, était venu spécialement à Paris passer le traité d'importation des pétroles roumains et en organiser les débouchés. On avait pour la forme constitué une société française sous les auspices de Wisner. Dans le conseil d'administration voisinaient le général gouverneur de Paris, un des anciens leaders du parti socialiste devenu ministre, et que liaient à Joseph Quesnel une amitié ancienne et une communauté de sentiments démocratiques, des représentants de la *Disconto Bank* de Berlin et de la *Deutsche Bank*, des grandes banques françaises, Gilson-Quesnel, deux ministres; enfin c'était une assemblée puissante, et puissante par le monde entier. Le marché du pétrole n'était pas assuré que par la Standard Oil. Celle-ci avait passé un accord avec ses anciens adversaires Nobel et Rothschild; et à côté du pétrole d'Amérique, celui de Roumanie et celui de Russie voisinaient, et c'est ainsi que les puits Simonidzé, de Bakou, fournissaient le Consortium par l'intermédiaire des banquiers allemands amis de Wisner.

Cependant cette affaire brillante, qui à Paris seu-

lement vendait aux taxis chaque jour environ
150.000 litres d'essence, achoppa contre un ennemi
inattendu : le benzol.

Il y avait depuis les débuts mêmes de l'auto une
bataille du benzol et du pétrole, mais on utilisait le
benzol coupant l'essence, et par l'intermédiaire d'une
sorte de trust avec lequel les pétroliers étaient arrivés
à composition. Or le benzol était meilleur marché
que l'essence, et les chauffeurs de taxis imaginèrent,
malgré l'abondante littérature scientifique qui cherchait à les en dissuader, d'employer le benzol pur.
Les taxis, malgré la science, n'en marchèrent pas plus
mal. Mais cela risquait d'être une ruine pour le Consortium, qui faisait de grosses dépenses, qui relançait
sans cesse de nouvelles voitures, et qui risquait de se
trouver un beau jour avec des stocks considérables
sur les bras, et des accords auxquels il ne pourrait
plus faire face.

Mais l'idée vint à un conseiller municipal, qui avait
dîné chez Diane Brunel un de ces soirs de Noël où
l'on s'embrassait sous la boule de gui du hall, que la
ville était volée par les chauffeurs, du fait que le
benzol échappait à la taxe sur l'essence. Dans la hâte
et la fièvre de l'inspiration, il rédigea un rapport,
un projet de décret avant la Saint-Sylvestre. Et dès
le début de janvier, le Conseil municipal établit la
taxe de cent sous sur le benzol, d'où sortit le conflit
de 1911 entre les chauffeurs et les patrons.

C'est au moment où cette taxe, d'abord votée à
titre provisoire, devenait définitive, à partir du mardi
28 novembre, que la grève éclata. En réponse à la
taxe sur le benzol, les chauffeurs réclamaient des

patrons, auxquels ils devaient chaque matin faire eux-
mêmes l'avance de l'essence pour la journée, une
augmentation de la retenue qu'ils gardaient sur la
recette. Les chauffeurs, au lieu de 27,5 %, entendaient garder 33 % de la recette. Leur gain moyen
à la journée ne dépassait pas, à ce que les journaux
reconnaissaient, 8 fr. 50. Avec les 33 %, ils auraient
gagné 9 fr. 75.

Pour ces vingt-cinq sous le combat s'ouvrait.

Mais le conflit de la taxe sur le benzol n'était que
l'occasion d'une lutte déjà ouverte par le patronat.
Celui-ci se battait depuis longtemps déjà pour faire
triompher la thèse suivant laquelle les chauffeurs
n'étaient pas des salariés : histoire d'éviter les incon-
vénients des lois sociales, qui le rendaient responsable des accidents. Et la loi des retraites ouvrières
qui venait d'être votée rendait nécessaire pour le
Consortium qui entendait s'y soustraire, de briser la
combativité des chauffeurs, qui s'étaient récemment
montrée dans une série d'escarmouches de mauvais
augure.

Le Consortium décida donc la guerre sans merci
contre les chauffeurs.

VII

Dès le mardi matin, la grève avait été quasi générale. Aux piquets de grève, les hésitants avaient été
convaincus. Pas une voiture n'était sortie des garages

de "La Française" à Levallois, place Collange et
rue Baudin. L'Auto-Fiacre marchait comme un seul
homme; la Compagnie Générale des Voitures, la Compagnie Générale des Fiacres de louage n'eurent pas
un chauffeur qui roulât. On n'avait pas encore touché
ceux de l'Urbaine et de la Métropole : c'était l'affaire
de la journée.

Dans la matinée même, plusieurs loueurs et de
petites compagnies qui n'étaient pas du Consortium
capitulèrent. Va pour les 33 %. Aux meetings locaux,
l'annonce de ces victoires partielles soulevait l'enthousiasme : mais les chauffeurs des maisons qui
avaient mis les pouces ne pouvaient refuser de travailler? On accepta partout la proposition faite la
nuit précédente par Fiancette, au nom du syndicat :
ceux qui rouleraient verseraient chaque jour cent sous
au comité de grève, pour le soutien à leurs camarades. Et pour les distinguer des jaunes, ils recevraient
une carte qu'ils afficheraient bien en vue sur leur
taxi. Les jaunes, combien étaient-ils? Trois à quatre
cents?

Au bout du compte, ça faisait 6.500 grévistes, et
de 1.800 à 2.000 qui roulaient payant un impôt quotidien de près de 10.000 francs sur leurs salaires.
C'était vrai qu'on n'était pas le quart en ville de
l'effectif courant, et que par suite les journées étaient
plus faciles et meilleures. Mais si on songe, qu'avec
les 33 %, au taux des recettes d'avant la grève, la
moyenne de ce qui revenait aux chauffeurs n'attei-
gnait pas dix francs, c'était tout de même une rude
saignée que ces cent sous-là.

A la maison syndicale de Levallois, rue Cavé,

après quelques hésitations, on avait accepté l'aide de Catherine. Elle faisait la secrétaire bénévole. Elle classait des fiches. Elle enregistrait les demandes de secours de ceux qui avaient de la famille. Elle faisait un peu de tout : on lui apportait les nouvelles des garages, et elle déchiffrait des petits papiers chiffonnés, sans orthographe, d'où elle tirait trois, quatre lignes pour le rapport présenté chaque jour au comité central de grève. Elle était là tous les matins à partir de neuf heures, ne s'étonnant même pas elle-même de cette nouvelle vie. L'autobus la descendait de Montparnasse à la place Pereire, où elle prenait un tramway cahotant à impériale, qui venait de la Madeleine. Il se reconnaissait des autres, le sien, à ce que son écriteau (La Madeleine-Levallois-Perret) était sur fond vert. Elle grimpait en haut par le petit escalier étroit; parce qu'en bas, dedans, il y avait une épouvantable odeur d'acide qui s'exhalait des accumulateurs et qui la faisait tousser. C'était comme s'il se fût dégagé une épaisse poussière des sièges de drap rouge jaunâtre, décolorés par les années.

Vers midi généralement, Victor venait la prendre pour déjeuner. Ils mangeaient dans un petit café à côté de la maison syndicale, sur le marbre d'une table longue, où familièrement des copains et des inconnus venaient s'asseoir près d'eux. La carte où le vinaigre de l'huilier en tombant avait fait couler l'encre à polycopier violette n'offrait pas de grandes ressources, et puis de l'oignon dans tout! Mais il y avait la conversation, et cette acceptation rapide, rude et amicale que Catherine avait tout de suite rencontrée. Elle travaillait pour la grève, pas vrai?

Une fois, elle vint aux piquets de grève place Collange, pour voir comment ça se passait. Après ça,
elle avait eu deux longues heures à bavarder avec
Victor. C'était drôle tout de même, comme il avait
répondu d'elle auprès des autres. Pas très sérieux,
peut-être. Bah! il avait confiance en elle : il lui avait
sauvé la vie. A Levallois, ça marchait sur des roulettes. Mais au garage de Charonne, à Paris, on signa-
lait des renards. Le samedi matin, Dehaynin devait
s'y rendre à sept heures pour prêter la main aux
copains. Il y aurait du sport. "Vous voulez de moi?"
Il hésita. Pourquoi pas, après tout? Il sentait de la
sympathie pour cette demoiselle qui était devenue
tout bêtement une camarade. On allait lui montrer
ce qu'on savait faire.

Elle le retrouva au bistrot en face du garage. Il y
avait là tout un groupe de chauffeurs qui prenaient
des cafés arrosés.

Dans le petit matin, on apercevait de l'autre côté
du boulevard, devant le garage, le groupe foncé des
flics. Victor bavardait avec un grand rouquin qu'il
présenta à Catherine, Bachereau, qui était d'en face.
On disait que la Compagnie, pour qu'on n'empêchât
pas les chauffeurs d'arriver au garage, y avait fait
coucher des jaunes.

En attendant, au-dehors, un groupe de camarades
en avait coincé un, et on l'amenait au café. Il était
un peu pâle. C'était un vieux, un ancien cocher avec
des moustaches grises. Il se sentait mal à l'aise. En
entrant il regarda ceux qui étaient au comptoir. Ses
yeux inquiets croisèrent les yeux de Catherine.

"Alors, qu'est-ce que tu bois? C'est pas la peine

de faire une pareille bouille, mon vieux papa. On va simplement causer un brin. Prends toujours un verre. "

Le patron prenait un air interrogateur. Le vieux dit : " Un mazagran ", comme à regret.

Les autres lui parlaient, peut-être d'un peu près, mais plutôt gouailleurs qu'autre chose. Le rouquin, Bachereau, qui le connaissait, discutait le coup. Voyons, ce n'était pas sérieux, après quatre jours de grève... Il serait bien avancé vraiment. Est-ce qu'il n'avait pas voté la bagarre comme les autres? Le vieux baissait la tête. Il avait des gosses. Sa femme était malade. Pas les siens de gosses, ceux de son fils qui était à l'hôpital, un veuf. Il avait reçu la veille une lettre de la Compagnie : on le prévenait que la grève était virtuellement terminée. Le travail allait reprendre : les meneurs seraient congédiés. Il lui appartenait de prouver par un bon mouvement...

Il avait déplié la lettre. Tous autour de lui se penchaient sur ce chiffon patronal dans les vieilles mains tremblantes. " Donne-moi ça, dit Bachereau, c'est pour le comité central de grève... " Le vieux lui tendit la lettre. Allons, il se décidait. Il secouait la tête. Il dit, tout d'un coup : " Eh bien, non. Je n'irai pas. "

Pour d'autres, ce n'était pas si simple. Sur le boulevard, un groupe discutait ferme avec un chauffeur, un grand diable, qui voulait à tout prix passer, qui se fâchait. Déjà les flics de l'autre côté commençaient à s'agiter. On lui disait : " Tu n'as pas honte? Tu vas appeler les flics contre des camarades? — Laissez-moi passer, je vous dis, je m'en fous, moi, de votre grève. Il faut que je becte, moi. "

Il fallut lui expliquer que ce n'était encore rien
de rentrer au garage : il aurait à en sortir, on ne pouvait rien lui garantir de ce qui arriverait.

D'ailleurs, s'il y avait des jaunes à l'intérieur, il
était de fait qu'ils ne sortaient guère. Vers huit heures,
brusquement la porte s'ouvrit et deux voitures s'échap-
pèrent. On vit alors qu'il y avait bien trois cents
grévistes sur le boulevard de Charonne. Les deux
taxis avaient l'air de rats qui ont abandonné leur
tanière et qui se trouvent tout à coup en plein jour
au milieu d'une pièce pleine de gens. Ils hésitèrent,
tournèrent, puis partirent dans deux directions oppo-
sées.

Les sifflets de la police crevèrent l'air du matin.
Presque au même moment, tandis que les flics char-
geaient vers les grévistes, il y eut un grand bruit de
vitres brisées, l'un des taxis avait eu la malencontreuse
idée de quitter le boulevard, et au coin de la rue des
pierres avaient volé.

La police, comme un essaim de mouches bleues,
tournoya sur elle-même. Elle avait l'air de chercher
son cadavre. Mais le renard avait filé sans demander
son reste. Et, comme Catherine regardait à travers
les vitres du café, les agents qui inspectaient les alentours, ne sachant pas s'ils devaient entrer dans la
boutique, qui ils devaient appréhender des nombreux
passants, reconnaissables à leurs vareuses profession-
nelles, la jeune femme soudain s'aperçut que Victor
et Bachereau n'étaient plus à côté d'elle. Et puis,
tout d'un coup, voilà les flics qui virevoltent encore.
Ils prennent leurs jambes à leur cou, ils courent sur
le boulevard. Catherine sortit pour voir.

A deux cents mètres plus loin, au milieu de la chaussée, le second taxi renversé piteusement sur le côté commençait à flamber avec une fumée blanche. Une cinquantaine de grévistes détalaient dans la perspective du boulevard, se rabattant à droite et à gauche. A côté de la voiture, stupide, le jaune qu'on avait jeté à bas de son siège regardait le désastre. Les agents autour de lui gesticulèrent. Il répondait difficilement, levant les bras au ciel. De sa place, Catherine le voyait mal, mais on avait dû le corriger, il se frottait doucement la gueule.

C'est alors qu'elle aperçut Bachereau.

Sur le mur du garage, à cheval, le poing levé, la casquette en bataille, il parlait à ceux qui étaient à l'intérieur. A travers les boulevards on l'entendait crier. Il avait profité du désarroi de la police qui n'avait laissé personne à la porte du garage. Victor était en bas du mur, il avait dû lui faire la courte échelle. Le poing, en haut, brandi, scandait les phrases : ça ne dura pas longtemps. La police revenait. Bachereau que Victor tirait par un pied sauta à bas. Les deux hommes détalèrent comme des dératés. Les flics se jetaient sur eux; mais à ce moment tout un groupe de chauffeurs, comme par hasard, traversait la chaussée. Peut-être bien qu'ils allaient sagement au garage... Cela ralentit l'élan de la police.

Catherine retrouva Victor à Levallois. Le lendemain, les chauffeurs iraient en délégation aux obsèques des époux Lafargue. Viendrait-elle? Ils prirent rendez-vous.

VIII

Vers dix heures, Martha tombait à l'improviste rue Blaise-Desgoffe. Catherine l'avait oubliée : c'était presque incroyable que huit jours plus tôt seulement elle fût rentrée à Paris uniquement pour l'amour de cette écervelée.

D'ailleurs tout allait pour le mieux : avec Joris de Houten, tout s'était expliqué. Un imbécile de juge d'instruction. Un inspecteur de police qui avait voulu faire du zèle. Joris avait été trouver Clemenceau, qui le connaissait bien, qui savait quels services en certaine occasion le Hollandais avait rendus à la cause française, et Clemenceau était intervenu auprès du garde des Sceaux.

Des morts, pas question. Le nom de Clemenceau avait fait froncer le front à Catherine. Qu'est-ce que le fusilleur de Villeneuve-Saint-Georges venait faire là-dedans ? Pourquoi avait-il couvert le trafiquant de drogues ? Elle se prenait à nommer ainsi mentalement Joris de Houten, plus sans doute à cause de Clemenceau que par certitude. Avec tout ça, elle devait rencontrer Victor et la délégation des chauffeurs à la sortie du métro Arts-et-Métiers à midi et quart. Elle s'habillait en écoutant à demi Martha. Non, elle ne viendrait pas déjeuner au Champ-de-Mars. Elle se débarrassa de sa seule amie, et arriva avec un bon quart d'heure d'avance à son rendez-vous. Il faisait un temps de chien.

Les grévistes formaient une colonne de près de trois cents chauffeurs. Bachereau était avec Victor, et au bras de Victor il y avait une petite femme brune, très jeune, dont Catherine pensa tout de suite qu'elle aurait été jolie si elle avait été arrangée. " Ma copine, présenta Victor, la camarade Catherine dont je t'ai parlé. "

C'était trop ridicule, cette envie de pleurer. Pendant ces quelques jours, Catherine ne s'était même pas demandé s'il y avait quelqu'un dans la vie de Dehaynin. · Cela ne la regardait pas, elle n'était pas amoureuse de lui tout de même. Jeannette Bernard travaillait rue de la Paix, chez Worth. Ce nom rappelait à Catherine les anciennes splendeurs de Mme Simonidzé, sa mère. Jeannette était habillée à la mode, comme Catherine, pourtant on ne pouvait pas s'y tromper, et au premier coup d'œil les vêtements mirent entre les deux jeunes femmes une barrière infranchissable. Cependant elles firent aussitôt bande à part au milieu des chauffeurs, et Victor les regardait ensemble avec une certaine fierté. Jeannette n'était pas moins jolie que Catherine. Elle avait un chapeau neuf, à grands bords, avec une espèce de montagne de tulle noir chiffonné, ce qu'on appelait alors un *ennuagement*. Il y avait un peu plus d'un an qu'ils étaient ensemble.

Il pleuvait. Ça n'avait pas cessé de la matinée. Il n'y avait pas de vent, mais une brume pénétrante, avec des averses périodiques, froides. Par la rue des Fontaines, la colonne gagna la rue du Temple. Un barrage fermait à la circulation la rue Dupetit-Thouars où s'entassait la foule de la rue de la Corderie jusqu'à la rue de Franche-Comté. Il sembla à Catherine que c'était une foule énorme : il y avait peut-être quinze mille personnes. Bachereau n'était pas content.

"Une misère. Vous trouvez, vous, qu'il y a du monde? On est quatre chats. Eh bien, quoi? Quinze mille types à Paris, je vous dis que c'est la misère. Pour l'enterrement d'un ouvrier à Berlin ils étaient quatre cent mille. Et ici, pour Lafargue, pour Lafargue, non mais, vous imaginez! "

Il pleuvait, c'était une explication. C'était même inouï que tant de monde fût venu par un temps pareil : "Oui? grognait Bachereau, et s'il faisait beau, vous diriez qu'avec un temps pareil l'ouvrier s'en va à la campagne. "

La foule ouvrière se pressait derrière le service d'ordre. Pas un flic en vue. Les deux corbillards attendaient dans la rue de la Corderie. Le cortège se formait. Les chauffeurs, regagnant leur place, le conduisirent. Il y avait en tête une musique et la foule des drapeaux rouges, une cinquantaine. Dans la rue étroite, sous la pluie, ils étaient comme de surprenantes flammes au-dessus des vêtements noirs. Tout un groupe de gens assez cérémonieusement habillés. Pas des ouvriers. Des chefs. Victor se pencha vers Jeannette pour lui montrer Longuet. On acclamait les grévistes au passage. Les gens portaient une églantine au revers ou au corsage. Jeannette en acheta deux à un vendeur, et fleurit Catherine. Leurs yeux se rencontrèrent en quittant la fleur de papier : et Catherine se sentit tout à fait émue.

Bachereau poussait le coude de Victor. "Les délé-

gués étrangers! " Catherine regarda. Au premier coup
d'œil on reconnaissait les Anglais. Il y avait un fort
groupe de Russes, et Catherine s'intéressa surtout à
eux. Victor ne put pas lui dire qui c'était. Au premier
rang, il y avait une femme très belle. Quelqu'un dit
que c'était la citoyenne Kollontaï, qui représentait
le bureau étranger du Parti Socialiste russe. Elle parlait avec un homme petit aux pommettes saillantes,
avec des moustaches d'un blond roux. Catherine pensait à sa mère fuyant la Russie, et l'esclavage conjugal.
Et elle regardait cette femme jeune, mandatée par un
grand parti révolutionnaire dans une capitale étrangère, et cela lui faisait très drôle, elle serrait le bras
de Jeannette. " C'est une belle femme, hein? " dit
celle-ci. La beauté y était peut-être pour quelque
chose. Mais c'était surtout l'idée de l'avenir social
des femmes qui distrayait Catherine du monstre amer
de la jalousie. Au-dessus des têtes, des pancartes
oscillaient. Les sections du Parti Socialiste, les organisations provinciales, un groupe polonais... Quand
le cortège s'ébranla, par rangs de douze, avec
des porteurs de gerbes ou de couronnes rouges en
avant des groupes, la lamentation des cuivres éclata.
L'harmonie du XIIᵉ jouait la Marche funèbre de
Chopin.

Catherine faillit se disputer avec Victor. Ça l'agaçait, elle, que l'on jouât justement cette marche-là.
Chopin... Chopin... Victor ne voyait pas ce qui la
chiffonnait.

" Qu'est-ce qu'elle a, cette musique? Elle est triste,
tout à fait ce qu'il nous faut... "

Peut-être qu'il n'y avait pas que l'emploi d'une

marche qui enterrait toute la bourgeoisie, et même
les rois, qui mettait ainsi Catherine de mauvaise
humeur. Mais il est de fait que ce petit détail lui
gâta les obsèques. Surtout que rue du Temple, avenue de la République, boulevard de Ménilmontant,
jusqu'à l'entrée du Père-Lachaise en face de la rue
de la Roquette, l'Harmonie joua sans arrêt cet air,
et lui seul. Catherine se heurtait à une de ses difficultés habituelles avec le socialisme. Un morceau de
musique remettait pour elle tout en cause, elle doutait d'un parti qui enterre les siens au son de la marche
de Chopin.

Bachereau ronchonnait aussi : " Quinze mille personnes pour Lafargue... Un gouvernement qui a
devant lui une pareille misère peut tout se permettre. "
Victor protestait. Bachereau insistait. Le journal du
matin n'avait-il pas apporté comme un défi insolent
aux grévistes la condamnation de deux militants du
syndicat pour un article qui accusait le conseiller
municipal, inventeur de la taxe sur le benzol, d'avoir
touché de l'argent du Consortium? Au moment où
cette taxe réduisait toute une corporation à la grève,
la justice bourgeoise décernait un brevet d'honorabilité à cette canaille, et envoyait en prison Guinchard,
des Transports.

Le cimetière du Père-Lachaise est une étrange ville
où des palais en réduction rappellent, mêlés à des
tombes misérables, les splendeurs bourgeoises des
morts. Des anges de Saint-Sulpice y veillent sur des
palmarès de noms qui sonnent comme des conseils
d'administration. Banquiers de bronze, dames mar-
moréennes, chapelles néo-helléniques, pleureuses aux

stèles brisées, draperies de pierre, sanglots théoriques.
Les arbres noirs sur le ciel gris. Le cortège derrière
les corbillards chargés d'immortelles rouges, avec ses
drapeaux, semblait interrompre une longue addition
de capitaux et de revenus dans le petit gravier des
allées. Les deux corbillards marchaient côte à côte.
Il y avait entre les tombes une fuite, comme une
course, de gens qui gagnaient le columbarium.

Le caractère de temple de ce monument éveilla
encore l'esprit critique de Catherine. Il pleuvait toujours, une pluie fine. La foule était massée devant
le columbarium et sur les marches de celui-ci, les
orateurs parlèrent.

Catherine écouta avec impatience les premiers discours. Elle s'ennuya de réentendre Bracke qui traduisait le discours de l'Allemand Kautsky, Camélinat
qui traduisait celui de l'Anglais Keir Hardie. C'était
une espèce de ronron, qui ne lui apprenait rien. L'un
parlait pour l'Internationale, un autre pour le Parti
Socialiste belge... Elle entendit le vieux Vaillant, dont
le nom éveillait ici le souvenir de la Commune et la
dernière résistance des Fédérés entre les tombes. Elle
entraîna Jeannette en avant, parce qu'elle voulait
entendre ce que dirait la belle socialiste russe, tout
à l'heure.

Une fumée grisâtre s'élevait du columbarium. Le
vent maintenant la rabattait comme un crêpe sur les
assistants. Tout d'un coup il sembla qu'ils venaient
de se réveiller, les porte-drapeau relevèrent leurs
rouges fardeaux, des applaudissements éclatèrent :
sur les marches du temple où allaient brûler les corps
des deux Lafargue, un homme gros, pathétique et

barbu venait d'apparaître. Catherine, sans qu'on lui
dît son nom, ne pouvait s'y tromper : trop d'images
avaient popularisé l'apparence de Jaurès. Elle, par
avance, lui était hostile. Par principe. Comme à la
Marche funèbre de Chopin. Avec un mélange de
bonnes et de mauvaises raisons, où prédominaient
les mauvaises. L'horreur de l'engouement pour un
chef. Peut-être plus qu'on ne pouvait le penser, un
préjugé qui venait de conversations autour d'elle :
sans en avoir le moins du monde conscience, et révoltée si on le lui avait dit. Pourtant, même le commandant Mercurot était pour quelque chose dans cette
méfiance à l'égard de Jaurès. Elle trouvait le célèbre
tribun grandiloquent.

Il l'était, de fait. Mais il y avait en lui une violence
convaincante. Le chant méridional de sa voix agit
sur Catherine, malgré elle : "... Lafargue, avec les
vivacités de son tempérament, avec les soudainetés
de ses colères ou de ses ironies, était toujours ramené
vers l'action centrale du Parti par son dévouement,
par un idéalisme permanent et incomparable, par une
pensée fervente d'unité socialiste... "

Un idéalisme permanent! Catherine avait envie de
protester. Lafargue idéaliste! Allons, c'était encore du
Chopin, et du pire.

"... Lafargue avait hérité de la pensée des philo-
sophes français du xviiie siècle... Voilà plus de cent ans,
depuis notre Babeuf, que le socialisme est en route... "

Pas un mot de Marx. Jaurès avait mis quelque
emphase sur le possessif : *notre* Babeuf. Catherine ne
pouvait s'empêcher de penser que l'orateur écartait
Marx comme Allemand. Pourtant, elle subissait le

charme de cette voix : "... Il est bon que les aînés soient là pour marquer la rectitude du sillon." L'enthousiasme, autour d'elle, était contagieux. On avait oublié la pluie.

Après le tumulte qui avait suivi les derniers mots de Jaurès, le Russe, que, rue Dupetit-Thouars, Catherine avait vu parler à la citoyenne Kollontaï, prit la parole, et on l'écouta poliment : "Bien avant notre révolution, disait-il, pendant la période qui la précéda et la prépara, nos prolétaires conscients, nos social-démocrates avaient appris à considérer Lafargue comme un des plus grands et plus profonds propagateurs des idées marxistes. Ces idées si brillamment confirmées par toute notre expérience de la lutte des classes pendant la révolution et pendant la contre-révolution en Russie, furent le drapeau autour duquel se pressa en rangs serrés cette avant-garde du prolétariat russe, qui sut porter de grands coups à l'absolutisme et sut défendre la cause du socialisme, de la révolution et de la démocratie, malgré l'indécision et les fluctuations de la bourgeoisie libérale..."

"Qui est-ce ?" demanda Jeannette à un voisin. C'était le délégué du Parti Social-Démocrate russe, le citoyen Lénine.

Au nom des socialistes-révolutionnaires, le citoyen Roubanovitch lui succéda. Catherine pensa soudain au manifeste superbe par lequel en 1904 les socialistes-révolutionnaires avaient réclamé la responsabilité de l'assassinat du ministre de Plehve. Et elle se rappela sa brouille avec Jean, pendant un déjeuner, au retour de Cluses, sur ce sujet même. Roubanovitch **parlait** au nom des révolutionnaires qui étaient au fond de la Sibérie, et tout le romantisme des bagnes politiques oppressait Catherine. Il y avait plus d'un an qu'Egor Sergéievitch Sozonov s'était tué, lui aussi, là-bas, était-ce à Irkoutsk? Elle ne savait plus bien. Six ans après l'exécution de Plehve. Mais Catherine revint de Sibérie parce que maintenant c'était Kollontaï qui parlait.

Ce qu'elle disait, Catherine n'y prêta pas attention. Ce fut d'ailleurs une allocution très brève. Elle parlait des fleurs qu'on dépose sur les tombes, elle parlait des immortelles rouges, des sentiments des femmes socialistes de Russie. Les femmes socialistes de Russie... Au-delà des mots, ce fut l'instant le plus émouvant de la journée pour Catherine. Les femmes socialistes de la Russie... Ces mots étaient pour elle un alcool véritable. Ce n'était pas un rêve, il y avait là une femme qui parlait en leur nom. Toutes les images russes feuilletées chez elle, contredites. Les paysannes inclinées devant le barine. Les femmes agenouillées devant les icônes. Les femmes socialistes de la Russie...

Un autre orateur parlait. Une bourrasque de pluie s'abattit soudain, si violente, que tout le monde se sauva. L'orateur restait sur les marches du columbarium, au milieu des arbres noirs et une fumée toujours plus épaisse s'élevait au-dessus de sa tête dans les torrents du ciel.

IX

Peut-être qu'en se proposant à Victor pour aider les grévistes, Catherine s'était fait une idée à elle de la grève, et de sa durée possible : tout au moins la question ne s'était-elle pas posée. Mais au bout de quinze jours, le voyage matinal à Levallois, les heures de bureau, commencèrent de lui peser singulièrement. Avait-elle perdu quelque chose de son intérêt dans la bataille? Pourtant celle-ci se poursuivait avec une âpreté toujours nouvelle. Les compagnies faisaient des efforts têtus pour briser la grève. Elles organisaient chaque jour une espèce de défilé de voitures, qui ne pouvaient guère qu'aller d'un garage à un autre, et sur le siège, elles asseyaient des jeunes pris à la Préfecture, où Lépine n'avait rien à refuser au Consortium, ou amenés à grands frais du fond des provinces, des gars que n'avait pas touchés la propagande rouge, frais émoulus de patronages et de préparations militaires.

Les incidents de rues se multipliaient : vitres brisées, voitures flambées, etc. A tel point que pour protéger leurs chauffeurs, coûteuse armée de briseurs de grève, qui ne servait guère qu'à la parade, les compagnies demandèrent des gardes municipaux, qui les accompagnèrent, assis à côté d'eux. Pour la galerie, un prétexte : les gardes étaient en réalité des guides pour les chauffeurs novices, à peine débar-

qués à Paris, et qui égaraient leurs clients dans la
capitale.

L'unanimité ne régnait pas parmi les grévistes sur
les méthodes à suivre avec les renards. On était au
lendemain des débats parlementaires sur le droit de
grève. Le parti radical-socialiste avait pris position
contre le sabotage, la chasse aux renards. Il y avait
dans le syndicat même des cochers-chauffeurs une
vive opposition à ce qu'on appelait des actes de terreur. Mais ce légalisme était en général très mal vu
des chauffeurs. Bachereau, par exemple, éclatait sur
le sujet. Il était devenu très copain avec Catherine,
il habitait Levallois, il passait la voir rue Cavé.

"C'est pourri, disait-il, leur politique. N'en faut
pas! Toute la politique, c'est des histoires de bourgeois et de traîtres. Tenez Briand : la crapule des
crapules. Quoi, c'était hier leur grand homme aux
socialistes! Comme Millerand, comme Viviani. Nous,
on ne connaît qu'un boulot : nos revendications,
l'action syndicale. Ah! sacré nom de Dieu, si les
prolos pouvaient se mettre ça dans la tête! Un mouvement comme le nôtre, évidemment c'est pas mal
joli, mais est-ce que ça devrait rester comme ça en
famille? Faudrait que les transports s'en mettent.
Plus de trams, plus de métro. C'est alors que Paris
serait à croquer! Et puis, là-dessus, tous les autres...
La grève générale!"

La grève générale, c'était le rêve qui hantait sa
conversation. Les ouvriers ne connaissaient pas leur
force : "Non mais, pigez un peu : rien que ce qu'on
a vu les derniers temps comme grèves... Les cheminots, les inscrits maritimes, et même les histoires de

Champagne, de trucs comme dans le bâtiment il y a
deux ans... Et puis pour Ferrer en octobre. Vous
imaginez que tout ça se goupille à la fois ? " Bachereau concluait d'ailleurs qu'il n'y avait rien à faire.
" On était des cons, on resterait des cons. "

Tout ça travaillait Catherine : elle méprisait aussi
les parlotes du Palais-Bourbon, elle se décourageait
de cette grève, on aboutirait à quoi ? Le Consortium
tiendrait le temps nécessaire. Elle voyait la misère
des chauffeurs. Tout cet héroïsme en pure perte ! Et
elle tombait d'accord avec Bachereau sur un point,
ils n'avaient l'un et l'autre confiance que dans l'action
directe : qu'on leur brûle leurs voitures, qu'on leur
casse la gueule !

Bachereau un jour s'empoigna avec Dehaynin à
propos de Fiancette : " Oui, ton Fiancette, criait
Bachereau, je n'en voudrais pas pour marcher dedans !
Encore un dégueulasse qui fera son chemin comme
les autres ! Qu'est-ce qu'il a à dire, d'abord, si on
bouzille des tacots ? Si on l'avait écouté, on serait
même pas en grève... Oui, oui, le soir qu'on a décidé
la bagarre à la Bourse, il a dit qu'il s'en lavait les
mains ! "

Victor défendait Fiancette. C'est-à-dire la direction
du syndicat. Fiancette n'avait pas combattu à proprement parler la grève. Il craignait simplement que
les chauffeurs des petits patrons ne marchent pas...

Bachereau l'interrompit : " Je t'en fous ! Il s'est
retranché derrière les mouvements précédents, rapport
aux critiques qu'on lui avait faites, parce qu'il l'avait
été plutôt, mollasson, pour ne pas prendre ses responsabilités cette fois. Il n'attend que la minute de dire

fallait pas qu'ils y aillent! Alors toi, tu es contre la chasse aux renards?"

Ça, non, Victor n'était pas contre la chasse aux renards. Des dégoûtants. Mais ce n'était pas une raison pour ne pas utiliser les autres moyens. Si on pouvait faire pression sur les compagnies par le gouvernement. Le commerce perdait à la grève... "Des dattes! hurlait Bachereau, le gouvernement, le commerce et les compagnies, c'est le cul et la chemise." Catherine approuvait.

Le retour de Mme Simonidzé aussi compliquait les choses. Sans oser lutter de front avec sa fille, elle ne cachait pas que les nouvelles occupations de Catherine lui déplaisaient. Et puis c'était insensé du point de vue santé. Hélène s'installait rue de Babylone. Elle parlait avec une certaine ironie à sa sœur de ses chauffeurs de taxis. Cela fit bien d'ailleurs que Catherine s'entêtât. Mais elle était de mauvaise humeur. Victor l'agaçait avec son optimisme...

Le commandant Mercurot, lui, était aux cent coups. A cause du discours de Caillaux à Saint-Calais. Depuis plus d'un mois, il ne décolérait pas. Quand on pensait qu'un Savorgnan de Brazza, un Coppolani étaient morts pour donner un empire à la France! Caillaux avait livré le Congo à l'Allemagne. C'était une honte sans précédent. Si, Sedan. Et encore, je ne sais pas si on peut comparer: après tout, une défaite militaire! Pourquoi ne leur donnait-il pas Nancy pendant qu'il y était? Ça serait pour la prochaine fois.

Catherine le trouvait comique, son beau-frère. Mais de découvrir parmi les chauffeurs des types qui tenaient des propos du même genre, des grévistes, pas des

mauvais camarades, ça, ça la mit en rogne. Bachereau
triomphait : le discours de Jaurès, quand l'affaire vint
à la Chambre, était du joli. Qu'est-ce qu'il proposait,
Jaurès? D'abord, il approuvait Caillaux de ses mar-
chandages avec l'Allemagne. Il ne voulait seulement
pas qu'on y allât trop fort en Afrique pour faire des
affaires : mais qu'on se glisse en douce, chez les nègres.
" Ah! tu parles d'un socialiste! "

Le fait était que Catherine avait lu avec révolte
la célèbre phrase sur les trois forces qui se composent
heureusement dans le monde : l'organisation internationale du travail, le capitalisme moderne et le vieil
idéalisme américain. Victor essaya bien de défendre
Jaurès, mais il se montra très faible sur ce sujet.
Catherine perdait confiance en lui.

Chez Martha, elle rencontra Joris de Houten, qui
s'intéressa beaucoup à la nouvelle activité de Mlle Simonidzé. Pas ironique, assez galant. Enfin comme
il était toujours avec elle. Catherine parlait sur un
ton de défi. Elle défendait ses chauffeurs. Non pas
qu'on les attaquât, mais Joris connaissait Wisner, et
il affirmait que Wisner était socialiste. Il y avait un
malentendu : quand les ouvriers comprendraient que
l'intérêt des patrons était le leur... Dans le cas des
taxis, est-ce que ce n'était pas évident? Il ne s'agissait
pas de salariés recevant chaque jour du patron une
somme fixe, mais d'associés, intéressés aux affaires,
touchant un pourcentage sur la recette. Les compagnies avaient leurs risques, le matériel qui se démo-
dait, les responsabilités d'accidents...

Pour ce qui était de la cession d'une bande de
Congo à l'Allemagne, M. de Houten évidemment ne

pouvait apporter la passion qu'il y aurait mise s'il
avait été Français. Il souriait à Martha, qui confondait ce deuil national avec son chagrin privé, la mort
de sa sœur et le souvenir de Brazza. Personnellement,
Joris approuvait le président du Conseil. On avait
sagement évité un conflit armé. "Et au fait, chère
mademoiselle, ce qu'il faut tout d'abord considérer,
c'est l'intérêt de la France, ou plutôt ses intérêts. Car
elle a des intérêts divers. Les thèses qui s'affrontent
au Parlement, en réalité, résument ces intérêts, groupés
les uns avec la majorité, les autres avec la minorité.
D'un côté nous avons des financiers qui ont misé
sur l'exploitation du Congo, de l'autre un véritable
consortium de financement du Maroc, qui ne pouvait
engager de grosses opérations qu'autant qu'il était
sûr d'y avoir les mains libres. D'ailleurs, on a le plus
grand tort de considérer un point de vue national
sur ces affaires-là : au Congo, par exemple, la collaboration des capitaux franco-allemands est assurée par
une compagnie unique… "

Il était très renseigné, l'élégant ami de Martha.
Wisner, n'est-ce pas, qui appartenait à divers grou-
pements de collaboration internationale du capital,
lui avait parlé de tout cela. C'était curieux de voir
les antagonismes d'intérêts jusqu'au cœur du ministère même : Steeg, par exemple, avait des attaches
au Maroc, comme Wisner lui-même d'ailleurs, comme
Joseph Quesnel, tenez, et tout le consortium des
taxis : des terrains à Casablanca. Par contre, un véritable drame était celui du ministre des Colonies
M. Lebrun; obligé de défendre l'accord franco-allemand, il ne l'avait fait que la mort dans l'âme, il avait

pleuré, disait-on, au Conseil des ministres. Et la démarche des députés de Lorraine, qui n'avaient pas
voulu voter l'accord parce qu'on n'aurait pas compris
dans la Lorraine mutilée cet abandon devant les
vainqueurs de 71, prenait une valeur de symbole :
ils étaient venus tous ensemble serrer la main au
Lorrain Lebrun, que les devoirs de son ministère
empêchaient, lui, de voter contre.

"Vous savez, les députés de Lorraine, il ne faut
encore pas s'arrêter à l'apparence : dans les affaires
du pays, ce ne sont pas les représentants de Jeanne
d'Arc, mais du Comité des Forges... " Il était lancé,
il expliquait éloquemment, avec un ton de déférence,
les grands rouages économiques de l'État. La bataille
parlementaire n'était que la façade derrière laquelle
se poursuivaient les tractations véritables. Il n'y avait
pas tant de différences entre Caillaux et ses adversaires : le Comité des Forges jouait sur les deux tableaux. Catherine l'écoutant, pensait à la phrase de
Jaurès qui l'avait tant indignée. Le capitalisme moderne, qui groupe les capitaux et qui les enchevêtre
de telle sorte que " si une maille de crédit est déchirée
à Paris, le crédit est ébranlé à Hambourg... ", pouvait
vraiment se composer d'une façon *heureuse* avec le
vieil idéalisme américain, et l'organisation internationale du travail; cela ne donnait à Catherine que
la mesure de cette organisation aux yeux mêmes de
l'un de ses chefs, du grand Jaurès, en qui tant
d'hommes plaçaient leur espoir, l'espoir de la paix
du monde.

En attendant, les mêmes financiers à Levallois,
comme à Hambourg ou à Casablanca, comme à

Bakou, décidaient et du pain quotidien de Bachereau ou de Victor, et de la guerre et de la paix, suivant que leurs cartels d'intérêts arrivaient ou n'arrivaient pas à composition. Cette fois, on l'avait échappé
de justesse : mais la prochaine? La guerre n'était
pas terminée entre les Italiens et les Turcs, qu'elle
reprenait entre les Turcs, les Serbes et les Bulgares.
Pierre Ier de Serbie, l'autre jour, avait visité les usines
de Wisner : on avait pu voir ça dans tous les journaux. Il s'était même intéressé à la vie des métallos,
ce brave homme de roi. Il avait dit qu'il prendrait
modèle sur la législation sociale de la France pour la
Serbie, dès que celle-ci serait entrée dans une ère
plus pacifique...

Ces perspectives rendaient à Catherine chaque jour
plus odieux, plus oiseux, son travail terre à terre à
Levallois. Qu'est-ce qui avait bien pu lui passer par
la tête de se fourrer là-dedans? Il s'agissait bien des
vingt-cinq sous par jour des chauffeurs, quand tout
d'un coup ça pouvait être la guerre. Des bombes,
il aurait fallu des bombes...

A ce moment éclata l'affaire de la rue Ordener :
l'exploit des bandits en auto jeta soudainement dans
l'ombre et le Congo et le Maroc et la grève et la guerre
des Balkans. Une espèce de frénésie entretenue par
la presse fit de l'attentat contre un garçon de recette
le centre de l'attention et de la discussion publique.
La fin de décembre et le début de janvier furent de
plus en plus passionnés par la légende sanglante,
l'échec de la police, les attaques répétées de ces personnages dont on ne savait comment, sans qu'aucun
témoignage fût venu l'établir, les noms étaient jetés

à une gloire étrange et criminelle. Des anarchistes,
là-dessus on s'entendait, mais était-ce bien Bonnot?
Et ce Carouy dont on parlait?

Les compagnons de l'auto grise étaient devenus
un sujet violent de discussion entre Catherine et
Victor. D'une façon générale les grévistes, au gré
de Catherine, parlaient de la bande tout à fait comme
Mercurot lui-même, et les journaux bourgeois.

Bien entendu, elle, les trouvait admirables. Seuls
contre tous! Le browning en main, ils défiaient la
société.

Victor disait que c'étaient tout simplement des
assassins, et que ces histoires-là faisaient le jeu de
la police. D'abord, on ne pouvait pas dire que c'étaient
des ouvriers, ces gens-là... Catherine se mettait à le
détester, quand il parlait ainsi. Au fur et à mesure
que les filets de la police se resserraient autour de la
rédaction de *L'Anarchie* (par suite de quelles délations?)
y voyant les inspirateurs et même les complices de
Bonnot, la jeune femme, qui se souvenait de Libertad,
et de sa visite à Romainville, se sentait davantage
liée à ses nouveaux héros; et il s'en fallait de bien
peu qu'elle considérât Victor comme un flic. Est-ce
qu'ils n'avaient pas les mêmes ennemis, Victor, Bachereau, Catherine et les audacieux bandits? Ah! s'il y
avait eu quelques centaines de Bonnot, il n'aurait
pas fait long feu, le capitalisme! Victor haussait les
épaules. Bachereau n'était pas si catégorique : mais
c'était clair qu'il pensait, lui aussi, *aux innocentes victimes*. Alors quoi? Toujours la même chose! Vouloir
la fin, et pas les moyens.

"Croyez-vous, Victor, disait-elle, que la bombe qui

a tué de Plehve n'ait pas tué des innocents ? Cependant les socialistes-révolutionnaires n'ont pas rejeté
son acte comme un assassinat. Ils l'ont revendiqué
comme leur. J'ai honte quand je lis les journaux
ouvriers d'y retrouver tous les lieux communs de
commissariat de la presse bourgeoise...

— D'abord, répondait Victor, ces histoires de
reprise individuelle et autres balançoires n'ont rien
à voir avec les attentats politiques. Et puis les attentats politiques, pour ce qu'ils avancent la classe ouvrière ! Quand ils n'ont pas été organisés par la police... "

Cela, c'était ce qui la mettait le plus hors d'elle :
Catherine qui se souvenait de Vaillant, jadis, l'anarchiste, celui qui avait jeté la bombe à la Chambre
des Députés. Un homme qui n'avait pas le sou. Elle
ne pouvait pas oublier ses yeux... Victor la coupa :
" Eh bien, il en a fait, du joli, votre Vaillant. Donné
l'occasion à la police d'exiger des députés qui avaient
pris la frousse les lois mêmes au nom desquelles aujourd'hui on poursuit les ouvriers qui luttent pour
leur croûte... On aurait voulu le faire, qu'on n'aurait
pas mieux réussi. Les bombes jetées ici ou là n'avaient
pas donné de résultats, il en fallait une à la Chambre,
pour armer les patrons contre les ouvriers. M'éton-
nerait pas que votre Vaillant, il n'ait fait que ce qu'on
lui disait de faire... "

C'était le coup final. D'ailleurs elle toussait, Catherine, et la villa de Berck l'attendait. Au fond, son
parti était déjà pris depuis plusieurs jours. Elle prévint les camarades de la rue Cavé qu'elle devait quitter
Paris. Gentiment, ils protestèrent. Mais tout de même,

elle sentait bien que c'étaient encore là de bons sentiments, du pire genre à son gré, comme de la reconnaissance; à vrai dire, ils avaient de la sympathie
pour elle, est-ce qu'elle ne donnait pas son temps
pour la grève? Mais de là à de la reconnaissance! Elle
se faisait des idées, la jeune personne. Je vous demande
un peu pourquoi ils auraient dû avoir de la reconnaissance pour qui que ce fût, simplement parce
qu'une petite bourgeoise n'était pas avec les flics et
les patrons contre eux. Est-ce que ce n'était pas tout
naturel? Et même si elle avait interrogé Victor là-
dessus, peut-être qu'il lui aurait rappelé le mandat
de Bakou.

Mme Simonidzé était ravie que sa fille retournât
à Berck. Sa santé, et puis ça allait la tirer de toute
cette histoire de grève : compromettant pour Hélène,
d'avoir une sœur comme ça, avec la situation de son
mari. Enfin, elle s'était habituée à vivre seule rue
Blaise-Desgoffe.

Pendant qu'elle empaquetait pourtant, Catherine se
disputa avec sa mère. Il s'agissait encore de Bonnot.
Mme Simonidzé répétait ce qu'elle avait lu dans *Le
Matin* ou ce que disait Hélène. Comment était-ce
possible, de sa part à elle, avec ses idées d'autrefois?

"Mon enfant, tu changeras comme moi. Quand
on est jeune, on aime la violence...

— Ce n'est pas de la violence qu'il s'agit, ou plutôt si : mais de celle qu'exercent ceux qui ont tout
sur ceux qui n'ont rien! "

Mme Simonidzé connaissait tout ça. Les milieux
anarchistes n'étaient pas comme sa fille les voyait :
il y avait là-dedans beaucoup, beaucoup de police.

Allons, bon, est-ce que sa mère allait parler comme Victor? Elle lui jeta, à elle aussi, Vaillant à la tête. "Oui, ça t'embête peut-être, mais, moi, je me souviens. J'étais une enfant, quelque chose comme une poupée qu'on jette dans un fauteuil, mais j'avais des yeux et des oreilles. Je me souviens, je me souviens... Il avait une petite fille qui s'appelait Sidonie, et il avait fabriqué des chaussures en Afrique, et le pâtissier le battait quand il était enfant... "

Elle rappelait à sa mère cette soirée où Mme Simonidzé avait pleuré. Mais Mme Simonidzé ne semblait avoir gardé aucune émotion de toute cette histoire. Elle cherchait des allumettes, et elle n'en trouvait pas : "Tu te souviens, Katioucha? Oui, je m'étais intéressée à ce Vaillant. Un homme curieux. Mais quand il m'a parlé de son projet, je me suis dit que je n'avais pas le droit de garder ça pour moi.

— Comment? "

Catherine était debout, tremblante. Mme Simonidzé trouva enfin les allumettes. Catherine les avait encore mises dans le vide-poche, avec de vieux bas : "Tu ne te souviens pas de Dubreuil, non? Ce grand garçon brun qui avait amené Vaillant chez moi? Eh bien, je lui ai dit ce que Vaillant comptait faire... Je ne savais pas au juste ce que c'était que Dubreuil, ce n'est qu'après que j'ai appris qu'il était de la police... Donc, cinq ou six jours avant l'attentat, on savait à la Préfecture qu'il y aurait une bombe à la Chambre. On n'a rien fait pour l'empêcher. Au contraire. Puisqu'on connaissait l'adresse de Vaillant, une chambre où il préparait sa bombe, rue Dareau, je crois bien.

Probablement que ça les arrangeait, qu'il y ait quelques députés tués... une combinaison ministérielle... je ne sais pas. "

Le soir même, Catherine retournait à la villa Baisedieu avec des yeux de morte.

X

Mil neuf cent douze commençait mal.

Wisner n'était pas superstitieux, mais le 1er janvier, en revenant de chez son ami Charles Roussel, à Louveciennes, comme il traversait Puteaux, histoire de regagner sa maison du Bord de l'Eau, où Diane devait l'attendre, la Mercédès avait renversé une vieille femme.

Était-elle ou n'était-elle pas dans son tort? Honnêtement, Wisner ne pouvait le dire. Il l'avait vue dans l'espèce de poudroiement gris de la fin d'après-midi, se détacher du trottoir et passer comme une grosse poule noire devant la voiture. Cela avait fait un ressaut, et puis sous soi le bruit pénible des os broyés.

On marchait vite, il avait bien fallu trente mètres pour s'arrêter. Les lanternes étaient barbouillées de sang. Il y avait des débris de tablier bleu, et des cheveux, des bouts de chair, au nez du capot. La vieille vivait encore. Elle soufflait, comme surprise dans son sommeil par une attaque. Elle avait le bassin broyé, et une fracture du crâne. Elle retrouva soudain la

force inhumaine des cris. Des ouvriers, des ménagères s'étaient massés, menaçants. Les agents verba-
lisaient, déférents quand ils surent à qui ils avaient
à faire. Tout de même, le cercle se resserrait, et cela
pouvait tourner mal. Ce fut la vieille qui sauva tout.

Elle mourut.

Et pas simplement, comme la volaille écrasée, dont
les plumes inondent la route, et puis qui casse d'une
fois son cou maigre. Non. D'une façon atroce, dra-
matique, inattendue.

Elle n'avait dans tout ça pas lâché un sac à provi-
sions en toile cirée noire, avec des brisures jaunâtres,
où il y avait un pain. La masse du corps écroulée
dans la boue de la grande rue, incapable de se redres-
ser, atteinte au ventre, restait là sous les jupes pauvres,
qui se retroussaient sur de pitoyables cuisses de vieille,
plissées, maculées de sang et de terre, au-delà des
bas de coton beige. Le visage remuait doucement
contre le sol, et le gémissement qui sortait du tout
avait de brusques exacerbations en clameurs, qui faisaient tressaillir une centaine d'êtres effrayés tout
autour.

Tout à coup, le caraco râpé fut pris d'un mouvement incompréhensible, et la vieille femme parvint
à ramasser son corps brisé. On vit pour la première
fois son visage édenté. Elle ouvrait des yeux vides,
et balbutiait quelque chose. On n'eut pas le temps
de la soutenir. Dans un hurlement, elle s'était redres-
sée, et son poing brandissait le sac vers le ciel. On
l'entendit crier : *Le pain* et tout s'abattit dans le
sang et la boue comme un château de cartes.

La confusion fut telle qu'on en oublia les écra-

seurs. L'un des agents, qui avait maintenant les renseignements nécessaires, les fit filer.

Le 3 janvier, les bandits en auto avaient assassiné
un rentier et sa bonne à Thiais. La panique de l'anarchie soufflait sur la Bourse.

Non, mil neuf cent douze ne commençait pas bien.
Par exemple, la chute du cabinet Caillaux, qu'en
penser? Évidemment, de fait, il n'était pas question
de reviser l'accord franco-allemand, ratifié par la
Chambre. Le Sénat s'était payé le luxe de renvoyer
l'homme qui avait cédé un bout de Congo à Guillaume, et voilà tout. Le Sénat ne représentait pas
précisément l'audace en matière spéculative. Réac-
tionnaire. Faisant passer des questions de prestige
avant les intérêts véritables. Du moins c'était là le
point de vue de Wisner, qui voyait tout de même
avec plaisir la situation clarifiée au Maroc. Son groupe,
avec Quesnel et les autres, allait pouvoir donner de
l'avant. Les terrains de Casablanca et de Rabat déjà
connaissaient une plus-value appréciable. Et puis il
y avait ces gisements de phosphates...

Au fait, on se consolait de la chute de Caillaux.
Le ministère Poincaré comptait passablement des
membres de l'ancien gouvernement : Klotz, Steeg,
l'essentiel. Alors pas de danger du côté Maroc. Ils
n'allaient pas laisser mener une politique contraire
à des entreprises qui les intéressaient. Au fond, l'opération sénatoriale n'était pas si bête : on sacrifiait
Caillaux, impopulaire auprès des patriotes, on leur
donnait un Lorrain à la place, Poincaré, et on continuait les affaires, c'était le principal. Évidemment ça
impliquait toute une politique de prestige en face

de l'Allemagne, que l'opinion exigeait. Pour cela, il allait falloir augmenter le budget de la guerre, et Wisner, au dernier conseil d'administration de *l'Immobilière de Casablanca*, avait parlé avec le secrétaire d'un des ministres, un garçon intelligent, impossible de retrouver son nom, d'une combinaison très intéressante : les usines Wisner fourniraient à la Compagnie des Transports en Commun de nouveaux autobus rapidement transformables, en cas de guerre, pour le transport des troupes. Wisner avait tout de suite mis la chose à l'étude.

Non pas qu'il fût très fatigué de Diane, Wisner, mais il avait toujours bien aimé le bordel. Diane, c'était pour lui comme un cheval de course qui vous flatte. Ils faisaient bien l'amour ensemble. L'ancien mécano était très fier de sa force. C'était un homme très énergique, avec un don prodigieux de record. Son usine, où il allait chaque jour, cent affaires qu'il dirigeait, des combinaisons internationales... Tout cela lui laissait pourtant les loisirs d'avoir une maîtresse, et de ne pas la négliger, tout en faisant avec des amis de longues nuits dans des établissements divers, où il ne dédaignait pas de prouver ses qualités.

Charles Roussel, le couturier, lui, approuvait le geste du Sénat. Mais c'était parce que Mme Caillaux ne s'habillait pas chez lui. Peut-être même qu'elle avait été chez Poiret, et Poiret, c'était la bête noire de Roussel. N'est-ce pas, la maison Roussel, rue de la Paix, en était à sa troisième génération de couturiers, tous Charles de père en fils. Wisner le plaisantait avec Poiret. "Mon cher, il te lève toutes les femmes chic, et Diane me disait... " Charles Roussel

pinça les lèvres, et caressa sa belle barbe grisonnante.
On était au Chabanais. Par taquinerie, Wisner avait
demandé la chambre persane, à cause de la mode
persane de Poiret. On avait dîné tard, chez Prunier,
pas possible après d'aller au théâtre. Wisner avait
des dames sur tous les genoux. " Mon cher, répondit
Roussel, tout cela c'est une affaire de... Ce petit Poiret
croit être arrivé. Il n'a pas le moindre goût. Quand
on veut habiller une aristocratie de..., il faut savoir.
J'ai été chez lui : dès le bas de l'escalier il y a des
personnes en petite chemise... "

Une des dames qui pelotaient doucement Wisner,
s'interrompit pour se mêler de la conversation : " Je
parie que c'est de la rue Papillon que tu parles, mon
chou. " Roussel triompha : " Là! Qu'est-ce que je
disais! Quand on veut habiller un monde de..., il
faut avoir une maison d'une tenue de..., et qui n'ait
pas l'air d'une maison de... "

L'expression favorite du couturier se terminait par
un très léger clappement de la langue derrière les
dents.

" Je vois ce que c'est, reprit sentencieusement la
poule, en secouant les sequins qu'elle avait mis pour
faire persan; votre Poirier, c'est pas un claque, c'est
un machin à rendez-vous pour femmes mariées. Du
propre! Ça vous suffit donc pas nos fesses? " Elle
relevait sa petite liquette prune bordée de dentelle
jaune.

Il y avait là un troisième compère, Williams, directeur du *Petit Républicain*, célèbre par ses mœurs
ignobles, et qu'on prétendait qui avait tué sa maîtresse, une actrice en vue. Il était plus lié avec Wisner

qu'avec Roussel, bien que sa femme actuelle fût cliente chez le couturier. Mais ce soir-là tous trois se baguenaudaient en garçons.

"Moi, dit Williams, je soutiens à fond Poincaré. C'est l'homme du service de trois ans, et sans les trois ans, la France est foutue. Votre Poiret, c'est du munichois. Nous voulons des modes bien françaises. Que nos femmes soient habillées comme chez soi. Je ne sais si je me fais comprendre... "

Roussel exultait : "Williams, vous parlez d'or. La Parisienne doit rester la Parisienne. Elle a un chic de..., elle ne peut pas le perdre. Voyez le dix-huitième : là vous trouvez la France. Une France de... "

Charles Roussel avait une collection du XVIIIe siècle qui était fameuse. Tout ce qu'on pouvait rêver de Greuze, de Nattier et de Fragonard chastes. Parce que le couturier aimait le XVIIIe, mais pas trop cochon. "Alors, dit Wisner, pour toi, Poincaré c'est le XVIIIe? Je me demande chez qui s'habille sa femme. Je peux te dire qu'elle est plutôt fringuée... Pas chez toi, j'espère? "

Ici Williams fit quelques plaisanteries bien d'occasion. Il ne s'amusait pas beaucoup à bavarder comme ça, au bordel, avec des gens dont certes il appréciait la compagnie utile pour ses affaires. Il avait comme une idée de faire un tour rue de Provence où on lui avait signalé une nouvelle pensionnaire, tout à fait dans ses goûts. C'est ce qu'il expliquait, entre deux, à Roussel, qui tiquait un peu, parce que la réputation de Williams était précise, et que le couturier n'avait pas envie de voir ça.

"Bon, soupira une des chochottes, qui dansaient

entre elles au phonographe, on n'a encore pas bu
notre champagne que tu veux te barrer ! " Les sept
ou huit almées que ces messieurs avaient retenues,
averties par Madame de la qualité de leurs hôtes,
s'étaient déjà apprêtées au grand jeu. Elles exhibaient
des accessoires sortis de l'arsenal de la maison, et
qui n'étaient pas plus persans qu'autre chose. L'une
d'elles, une petite rousse, allumait tout à fait Wisner.

"Va pour les trois ans ! s'exclama-t-il, moi, je
prends la rouquine pour une demi-heure ! — Tu
verras, murmura l'élue, j'en sais une nouvelle : je
fais la rue Ordener... "

XI

Évidemment la confiance était revenue avec le
nouveau ministère, mais toute cette histoire de bandits en auto affolait le pays. Il est vrai qu'à la faveur
de cette tempête, les criailleries de l'opposition ne
trouvaient aucun écho dans le public.

Le Petit Républicain était décidément poincariste,
et il se distinguait par ses gros titres sur la bande
tragique, comme on disait. Williams marchait à fond,
c'était lui qui donnait le premier les noms des anarchistes soupçonnés. Le ministère de l'Intérieur était
très, très content. Cela ne pouvait manquer d'avoir
son retentissement pour le succès de l'affaire sur
laquelle Williams jouait à bloc : le casino de Fleurville. Il s'agissait de couler Dinard, Trouville, etc.

Il fallait que tout cè que Paris comptait de vraiment
chic vînt à Fleurville pour la saison. Et ce n'était pas
possible sans l'appui de la Sûreté Générale, si singulier que ça sonne à dire. Aussi les trouvailles de titres
sur une affaire si providentielle valaient-elles leur
pesant d'or. Une émulation vive animait la rédaction
du *Petit Républicain*. Les *idées* étaient soumises au
grand patron. Il fallait naturellement attaquer la Préfecture, mais sans trop l'attaquer... Histoire de chauffer
l'opinion, et de faire valoir les découvertes. Cela allait
permettre un petit nettoyage dans les milieux anarchistes, et même on insinuait que parmi les chauffeurs
de taxis grévistes, les idées subversives étaient
répandues, qui sait? On cherchait bien loin... Du
sabotage à la reprise individuelle le pas n'est pas
grand.

Wisner avait conclu un contrat de publicité avec
Le Petit Républicain. Il y passait des pages entières
sur la double-soupape qu'il allait sortir au printemps,
et il avait fait aménager à Fleurville des stands magnifiques pour la saison. La belle Mme Brunel avait
promis de venir pour la grande semaine, c'était dire
qu'on verrait Wisner en personne au casino. D'ailleurs son ami Quesnel était du conseil d'administra-
tration de ce journal... Joseph Quesnel, protestant,
n'aimait pas Williams, personnellement. La réputation
du personnage lui déplaisait, et il l'aurait bien liquidé
du journal. Mais Williams était *persona grata* à Was-
hington. Les pétroliers de là-bas avaient grande confiance en lui. Et même Delcassé avait prévenu déli-
catement Joseph Quesnel qu'il valait mieux ne pas
insister, pour nos rapports avec la Maison Blanche.

Si le patriotisme s'en mêlait! Après tout, les cochon-
neries du monsieur ne regardaient que lui...

D'ailleurs le Consortium des taxis n'avait qu'à se
louer du *Petit Républicain*. Ses intérêts, n'est-ce pas,
là-dedans, étaient ceux mêmes de Rockefeller. Williams menait une campagne très habile, très nourrie
pour discréditer la grève et les meneurs. Il fallait
avoir le public avec soi. Et même, ce qu'il y avait
de vraiment honnête, de travailleur, parmi les chauffeurs, pouvait être touché par une bonne propagande. Naturellement pas les cerveaux brûlés, mais
les pères de famille, les garçons sérieux qui se mo-
quaient pas mal de la politique, et qui ne songeaient
qu'à se faire de bonnes petites économies...

Avec tout cela, la politique du *Petit Républicain*,
même avec son allure cocardière, savait être souple.
On mangeait de l'alboche, mais on mettait le cas
échéant la sourdine sur certaines questions. Le journal avait été des plus modérés dans l'histoire du Congo.
Il avait bien fallu : pour ne pas rompre le contrat
de la *Disconto Gesellschaft* de Berlin, une affaire excellente, apportée par Joris de Houten.

Joris était fort lié avec Williams, auquel il avait
rendu d'inappréciables services, grâce à ses relations
avec Lépine, quand il était arrivé à l'amie du directeur ce terrible et regrettable accident, après lequel
les gens ne s'étaient pas fait faute d'accuser Williams
d'assassinat. Et sans renseignement particulier. Parce
que ça faisait joli. Enfin, Williams était payé pour
savoir ce que c'était que la presse : on en prend et
on en laisse. Mais l'important, c'était la Préfecture,
et Houten lui avait donné là un joli coup d'épaule.

Bien entendu, Joris de Houten étant Hollandais, n'était pas tenu à une très stricte rigueur dans ses rapports avec l'Allemagne. Comme Williams. Aussi était-il un intermédiaire utile, et heureux.

De plus il renseignait Williams sur ce qui se passait à la Préfecture, sur les désirs du préfet. Précieux, ça. D'autant que dans la police, ce n'était pas tous les jours commode de se reconnaître. N'est-ce pas, les ministères changent, mais la police reste... Là gît la difficulté. Les agents d'exécution d'une politique deviennent ceux de la suivante, ils sont pourtant liés à leurs patrons précédents. Enfin, ce n'était un mystère pour personne qu'il y avait, grossièrement parlant, deux tendances dans le personnel policier, comme dans le personnel gouvernemental. Les unes reflétant les autres, mais naturellement dans la police, les choses prenaient un caractère peut-être plus direct, plus personnel, et d'une certaine façon plus brutal. Cela va de soi.

Houten, qui était un sceptique, savait parler de cela à merveille. Williams l'emmenait avec lui aux courses, sur son yacht. Avec ça, le Hollandais était un personnage très réservé question femmes. Romantique. La belle Mme de Houten voyageait énormément, et on savait vaguement que Joris avait une liaison. Mais il la cachait, et Williams trouvait cela très petite fleur bleue, volets verts, une chaumière et un cœur, enfin il en plaisantait tant et plus, mais ça le rafraîchissait, cet homme, après ses spécialistes d'un certain genre.

Par exemple, Guichard et Jouin, eh bien! le chef et le sous-chef de la Sûreté n'étaient pas d'accord.

C'était assez connu. Mais sur quoi cela reposait-il? On en parlait comme d'une histoire de gens qui ne s'entendent pas. Il fallait tout de même comprendre que l'un avait fait sa carrière avec Clemenceau, l'autre avec Caillaux. Tout au moins c'était là l'explication de Joris. N'est-ce pas, à la tête de la France, on oscillait entre deux méthodes. L'une, brutale peut-être, mais qui avait du panache, bien que ce ne fût pas une méthode de droite, puisqu'elle était appliquée par ce vieux communard de Clemenceau. Jamais baisser pavillon devant l'Allemagne, s'appuyer sur l'Angleterre : voilà pour l'extérieur. A l'intérieur, la main de fer, la main du " premier flic de France ". Naturellement, quand on avait dû tirer sur les ouvriers, plusieurs fois, ça avait fait des levées de boucliers à gauche. Au bout du compte, il avait fallu passer la main.

L'autre méthode était toute de composition. Aussi bien avec l'Allemagne qu'avec les syndicats et les socialistes. On lâchait la bride. On permettait un peu les grèves. Et on reprenait les rênes, de l'Intérieur, grâce à de bonnes liaisons avec des chefs. On avait pour la forme brûlé quelques maladroits, des mouchards à Clemenceau, qui avaient fait leur temps dans le mouvement ouvrier, et on y avait introduit une police politique tout à fait sérieuse : pas des petits provocateurs maintenant, mais des hommes de valeur, qui n'étaient même pas à proprement parler de la police, simplement des gens avec qui on pouvait causer.

Le ministère Poincaré, fait de personnalités appartenant aux groupes opposés, s'en tenait encore à une sorte de compromis entre les deux manières. Entre les deux grands groupes d'intérêts. Aussi Clemenceau attaquait-il Poincaré, un vieil ennemi pour lui, bien que ce fût la chute de Caillaux et de sa méthode qui eût porté au pouvoir le Lorrain à la voix de polichinelle.

Tout cela, on le voyait bien clairement. Mais dans la police...

Dans la police, c'était tout comme ailleurs la bataille des grands intérêts qui menaient le monde. Joris de Houten donnait l'exemple de son propre cas : ne venait-il pas, fin novembre, d'être l'objet d'une véritable manœuvre policière, lui qui pourtant était fort bien vu à la Préfecture ? On avait essayé de l'impliquer dans une absurde histoire, à propos du suicide de deux détraqués qu'il connaissait un peu. Gaffe d'inspecteur trop zélé : il ne fallait pas s'y tromper. C'était un épisode de la rivalité des deux polices. A tort ou à raison, bien qu'il n'eût personnellement aucune animosité contre Caillaux (Williams le savait mieux que personne, lui qui était résolument adversaire de l'ancien président du Conseil), Houten était suspect à la fraction policière qui soutenait activement les intérêts et la politique du grand radical. On était à la veille de la bataille parlementaire qui allait se livrer autour de l'accord franco-allemand. C'était une aubaine que de jeter le trouble dans le camp ennemi, en compromettant l'un ou l'autre...

"Et puis, mon cher Williams, le fin fond de l'affaire est que j'ai servi passablement d'intermédiaire dans les achats des sources de pétrole néerlandaises, et comme tel j'ai tenu ma partie dans le combat que

nos amis américains ont livré en Hollande pour la
maîtrise du marché mondial. Vous savez qu'à Berlin,
où j'ai de bons amis par ailleurs, le groupe concurrent
des financiers de la Deutsche Bank ne me le pardonne
pas. Mon Dieu, il ne faut rien dramatiser, mais tout
de même n'est-il pas singulier de voir une partie de
la police française faire ici les affaires et épouser les
intérêts des financiers allemands? Moi, naturellement,
je vis en France, j'ai tous mes meilleurs amis dans
ce pays, j'ai naturellement toujours agi au mieux des
intérêts de ma patrie d'adoption... " C'était Clemenceau qui l'avait tiré de là.

Houten exposait, avec un grand luxe de détails
sur les personnalités, les divisions intérieures de la
police. Là aussi, il y avait les partisans de la méthode
brutale, nettoyage du pays autant pour les anarchos
que pour les apaches, que pour les forts en gueule.
Et puis il y avait ceux qui voulaient utiliser les grèves,
les crimes, etc., pour des fins politiques, sans se faire
trop illusion de ce qui peut se réprimer, en laissant
la part du feu, mais en se servant de chaque incendie.

Ainsi l'affaire Bonnot, Carouy, Garnier et consorts.
Les uns prétendaient y mettre fin par des mesures
totales. Et porter le fer aussi loin qu'on voudrait,
sans s'arrêter trop à discuter sur les responsabilités,
que des déclarations nombreuses faisaient comme ça
suffisamment retomber sur des dizaines, des centaines peut-être d'individus.

Au lieu de quoi, la direction de la police lanter-
nait. On l'accusait même d'en savoir plus qu'elle
n'en laissait paraître, et de permettre à la bande de
poursuivre ses exploits pour détourner les coups de

Clemenceau du gouvernement. Joris de Houten, lui, disait que c'était là bien exagérer les choses. Il y avait un peu de ça, mais de là...

C'était, il est vrai, extraordinaire ce qu'à la Préfecture on avait été vite au courant des noms des bandits : Carouy, Metge, Garnier. *Le Petit Républicain* chantait les louanges de Guichard, mais le public qui attribuait maintenant chaque crime à la bande trouvait qu'on n'y allait pas assez franc jeu. Alors *Le Petit Républicain* devait glisser des critiques... Il fallait se résoudre à quelque chose : le caractère anarchiste de l'affaire était patent. Fin janvier, on arrêtait la rédaction de *L'Anarchie*, à son local de Paris, rue Fossart.

Cela ne mit pas un terme aux attentats. La position de M. Guichard devint très délicate. Il y avait des journaux qui vantaient un peu trop son sous-ordre, M. Jouin. Un homme très courageux, pas un bluffeur, lui, etc. Popularité gênante pour la hiérarchie et la discipline. Elle avait d'autres bases que le courage : le public, énervé, chauffé par les journaux, commençait à réclamer la manière forte.

XII

Williams venait de commencer dans son journal la publication des souvenirs de chasse du comte d'Évreux. Une réclame formidable s'étalait sur les murs de Paris, avec des affiches fleurdelisées. Il s'agissait

de contrebattre l'effet du lancement par un quotidien concurrent d'un roman de Michel Zévaco. *Le
Petit Républicain* exploitait l'indignation soulevée dans
le cœur des mères de famille par une affiche un peu
trop osée que son adversaire avait placardée par tout
le pays, où on voyait Isabeau de Bavière en proie à
une crise d'hystérie, à peu près nue dans une cathèdre
de style Quartier Latin. A ces débordements, Williams opposait l'attrait de son royal collaborateur, un
des pionniers de l'influence française dans le monde,
malgré tout, malgré la République. Patrie d'abord!

Au fait l'arrangement s'en était combiné par le
couturier Roussel, qui habillait Mme Lopez, l'amie
du comte d'Évreux, et la note de celle-ci était fort
en retard. Il connaissait Williams, n'est-ce pas? Alors
tout s'était arrangé pour le mieux.

Le comte d'Évreux était tenu, il faut dire, à un
train qu'on ne peut mener de nos jours qu'avec des
ressources bien au-dessus des siennes. Sans doute,
n'avait-il pas à payer sa Lorraine-Diétrich, parce que
cela faisait de cette marque la fournisseuse de la cour.
Et pas mal de choses à l'avenant. Mme Lopez ne
coûtait pas si cher que tout cela. Le terrible, c'était
le baccara.

Depuis Louis XIV, le jeu est la perte des princes
de la maison de France. Évidemment depuis l'avènement de l'ère industrielle, les moyens de réparer
les dégâts faits dans le budget des Altesses par la
roulette, le trente et quarante et l'amélioration de
la race chevaline, ne ressemblent guère aux expédients traditionnels de Gaston d'Orléans. On ne peut
plus faire porter sa vaisselle à la Monnaie quand ça

va mal. Mais on s'en tire avec les pneus Dunlop, les cognacs à redorer, les plages que lance un groupe de financiers.

Pourtant l'hiver 1911-1912 avait été spécialement dur pour le comte d'Évreux. Il avait pris à Monte-Carlo une de ces culottes, mais alors une de ces culottes. Les soutiens qu'il recevait du Quai d'Orsay pour son rôle de propagandiste de l'Idée Française dans le monde s'étaient trouvés bien insuffisants. On avait même au ministère refusé, certes très poliment, mais avec fermeté, les nouvelles avances que Son Altesse Royale avait sollicitées. C'est ainsi que le comte dut en passer une nouvelle fois par les usuriers.

Il s'entendait très bien avec Georges Brunel, un homme très drôle, très vulgaire et très aimable avec lequel il était entré en contact par l'intermédiaire d'une fort jolie femme, actrice aux Variétés, et qui avait été son amie. Ce Brunel était lié à toutes les actrices de Paris, et il était certain qu'elles devaient toucher quelque chose de l'argent qu'on lui laissait entre les mains... Celle-ci d'autant était assez à court d'argent, elle avait escompté un rôle dans la nouvelle pièce d'Henry Bataille, qu'on mettait en répétition, une histoire de jeune fille tuberculeuse qui se sachant condamnée jette son bonnet par-dessus les moulins, et puis ça n'avait pas marché... Cette fois, la somme était un peu forte, Brunel avait prétendu qu'il ne pouvait pas faire l'appoint lui-même, et il avait mis le comte d'Évreux en rapport avec un ami à lui qui avait de l'argent.

C'était un greffier de Seine-et-Oise, qui vivait dans une petite bourgade de dix mille âmes, avec des pots

de géranium et une nièce, qui faisait son ménage.
Mᵉ Mesplats avait bien cinquante-cinq ans, une maladie d'estomac (des aigreurs), et très peu de cheveux
qui s'obstinaient à ne pas blanchir. Dans sa cravate
blanche, il avait l'air d'une statue de l'honnêteté en
redingote. Mais il ne prêtait pas pour rien de l'argent
à des princes de sang royal. Il voulait être juge de
paix, et la Légion d'honneur. "Mon cher Brunel,
que voulez-vous que j'y fasse, moi? Je ne suis pas
le roi, et je ne puis rien dans votre République..."
Le comte d'Évreux se trompait.

Si Son Altesse en effet y consentait, elle pouvait
rendre très grand service à un des plus hauts personnages de la République, qui bien entendu ne l'en
solliciterait pas. Mais n'est-ce pas, ces choses-là ne
s'oublient pas.

Or il y allait avoir en Corse, comme dans tout le
pays, des élections sénatoriales au début de 1912.
Quelques mots de Son Altesse, jetés dans la conversation, pouvaient détacher du candidat conservateur
bien des voix qu'effrayait à tort l'étiquette radicale...
Son Altesse fit donc en plein hiver un voyage en
Corse, où M. Pugliesi-Conti, l'homme des droites,
se présentait sans aucune chance, et où pièce fut
faite aux candidats de gauche par le candidat du
Comité des Forges, un radical, M. Paul Doumer, un
des hommes les plus intelligents, assurait Brunel,
que la terre ait jamais portés. Et c'était, n'est-ce pas,
une pitié qu'un cerveau pareil, à cause d'une mésa-
venture électorale précédente, fût tenu à l'écart de
la vie politique. Il lui fallait un siège, où vous voudrez, mais un siège dans le Midi.

Me Mesplats fut nommé dès février juge de paix
sur la Côte d'Azur. Il eut non plus des géraniums,
mais des palmiers.

Sa nièce, qui toussait, fut très reconnaissante à
Son Altesse Royale; elle en découpa le portrait dans
Le Petit Républicain, et l'installa dans le cadre noir
et or de sa glace. Les enfants de Mme Lopez se lièrent
avec le petit Brunel. Son Altesse d'ailleurs recueillit
d'autres avantages de l'affaire : on avait parlé pour
elle au Quai d'Orsay, et le ministère étant tombé
au lendemain des élections sénatoriales, sur un coup
de boutoir de Clemenceau, on vint la solliciter très
humblement d'accepter une mission en Angleterre.
Il y avait des difficultés qu'un gouvernement démocratique doit savoir résoudre, mais qui nécessitent
l'emploi de personnalités capables de parler d'égal
à égal avec les rois.

Comme l'avait dit un grand journal du matin :
en élisant M. Paul Doumer, la Corse avait voulu
prouver une fois de plus que la belle parole de Jules
Ferry restait vraie, et qu'il n'y avait pas de place en
France pour " l'ostracisme, cet enfant irrité de la cité
antique ". Le comte d'Évreux relisait cette phrase
avec une certaine surprise. Ça l'humiliait toujours
quand il ne comprenait pas : pourtant cette fois, il
était excusable.

Il aurait sans doute été fort étonné, M. Paul Doumer, si quelqu'un lui avait rapporté la part jouée
dans son élection non seulement par un membre de
la famille royale, mais encore par un greffier de Seine-
et-Oise. Aussi étonné que vingt et un ans plus tard
quand il reçut une balle mortelle dans une exposition

de livres. Il était de ces politiciens qui président avec
ingénuité la Société Générale d'Électricité, le Crédit
Français, la Société Belge des Chantiers de Nicolaiev,
etc., à leurs heures perdues, et qui écrivent des livres
destinés à faire sensation : il était en train de mettre
la dernière main à son ouvrage sur la métallurgie
du fer : " Il semble bien, écrivait-il, que ce soit au
rivage de la mer Noire, où se trouve encore un des
meilleurs minerais du continent, que la fabrication
du fer s'implanta tout d'abord... "

Hommage à ce minerai du Donetz que ses col-
lègues du Comité des Forges désirèrent par la suite
si fort qu'ils envoyèrent des armées pour le prendre
au nom des porteurs de rentes russes, et que le bras
de l'assassin s'arma un peu plus tard, dans l'espoir
d'une nouvelle expédition pour sa conquête.

Mais la vie et la mort de Paul Doumer restent en
dehors de cette histoire. Sans doute ces messieurs
de Trignac, d'Anzin, du Creusot, d'Homécourt et
autres fiefs avaient-ils grand désir de revoir Paul Doumer sénateur. Wisner n'avait rien à leur refuser. Il
en avait touché un mot à plusieurs amis, dont Brunel,
homme d'imagination fertile. Bien des moyens avaient
été mis en jeu, plus efficaces que des paroles d'Altesse.
Tout cela se traduisait très clairement par l'affirmation qu'il n'y avait pas de place en France pour l'ostracisme, " cet enfant irrité de la cité antique ". La cité
antique en effet ne connaissait pas les beautés du
Comité des Forges.

C'est en janvier que Wisner rencontra une personnalité de ce groupement qui s'était spécialement
intéressée aux élections sénatoriales de Corse.

Après une conversation à laquelle Diane et ses beaux yeux prirent une part active, on en vint à se féliciter du nouveau gouvernement. Wisner, qui avait pu passer pour assez favorable à Caillaux, était intarissable. Millerand, un ancien socialiste d'ailleurs, se montrait à la Guerre l'homme dont on avait besoin. Au moment où de nombreux incidents franco-italiens, bateaux saisis en Méditerranée, montraient à quel point la paix était une chose précaire, notre ministre de la Guerre assurait la sécurité française : il réformait l'état-major (vous le connaissez, vous, ce général Joffre? Qu'est-ce qu'il vaut? C'est un républicain, paraît-il) et il déclarait au *Matin* : " Je maintiendrai à n'importe quel prix la France au premier rang de la navigation aérienne. "

Wisner venait d'entrer dans le conseil d'administration d'une grande maison de construction d'aéroplanes. Diane n'était jamais montée en avion. On arrangerait cela.

Mais la conversation tourna sur un sujet bien soucieux : la grève des taxis qui continuait.

" Je n'ai là-dedans, dit Wisner, que des intérêts extrêmement indirects, mais je songe vraiment aux malheureux chauffeurs pour lesquels ce doit être terrible... Avec cela, le commerce est paralysé à Paris. Cela tombe on ne peut plus mal pour ce qui est du pétrole par exemple. La Ville perd chaque jour des sommes énormes sur les taxes. Sur la vente du pétrole même, vous me direz que ça ne fait pas mondialement une différence appréciable. Mais cela précisément à l'heure où se livre une bataille qui peut être décisive! Vous savez que Rockefeller, qui est un

grand ami de la France, se bat contre les pétroliers
allemands. Toute la question est de savoir si le marché
allemand, dont nos amis américains, et nous par
suite, avions le contrôle, va nous échapper ou non.
Si le gouvernement allemand décide de maintenir le
monopole d'État voté l'année dernière par le Reichstag, la partie est perdue. C'est le triomphe du groupe
de la Deutsche Bank sur le groupe Rockefeller. Évidemment, nous comptons que la nécessité des armements rendra impossible l'investissement du capital
allemand dans l'affaire des pétroles. Et c'est pour
nous d'un très grand poids que l'existence en France
d'un ministère énergique, décidé, qui, en développant les armements de notre pays, rend impossible
à Guillaume II de s'abandonner à tous ses rêves
impériaux... ”

Oui, Wisner avait eu jadis d'excellents rapports
avec l'empereur. Mais c'était un dément : le Maroc,
l'Alsace-Lorraine, le pétrole... “Pourquoi pas nos
femmes? ” Et il montrait Diane.

“Rockefeller, cher ami, nous ne pouvons d'ailleurs
pas le laisser tomber. Franchement. Avez-vous vu ce
qu'il vient de faire? 55.000 francs envoyés à la France
pour acheter à Dôle, je crois, la maison natale de
Pasteur! Mon cher, c'est tout simplement magnifique!
Poincaré en a été ému aux larmes. Alors, comment
laisser se poursuivre une grève qui est comme une
flèche dans le dos de ce grand ami de la France?
J'étais pour la composition. Les députés de la Seine
proposaient l'arbitrage entre le Consortium et les
grévistes. Vers le premier de l'an. Moi, j'aurais bien
parlé avec ce Fiancette, leur représentant, qui n'a

pas l'air d'un mauvais bougre. Mais le Consortium
en a décidé autrement. Il disait qu'on ne peut pas
parler avec des saboteurs. Il y a eu quelques taxis
démolis ou brûlés. Je trouve qu'on s'attache un peu
trop à ce côté de la question...

— Tiens, s'exclama en riant son interlocuteur,
vous n'y perdez pas, vous, à ces démolitions! Au
contraire. Mais eux il faut qu'ils vous en achètent
d'autres! "

Le retour de Corse de certains agents électoraux
avait mis les lointains bienfaiteurs de M. Doumer,
les bons génies qui n'avaient pas voulu que l'ostracisme sévît en Corse comme à Athènes, en face de
nombreuses promesses faites à des gens d'Ajaccio et
d'ailleurs. Aussi trouvait-on assez ingénieux par le
canal de Wisner de faire proposer au Consortium
l'embauche de toute une série de jeunes gens qui ne
rêvaient que de Paris. Des garçons tout à fait sûrs,
non contaminés par la propagande extrémiste, par
le syndicalisme.

Wisner, avec ses idées socialistes, convenait qu'après
tout ces jeunes gens avaient le droit au travail,
tout comme vous et moi. Et puis il fallait en finir
avec cette grève. C'était l'intérêt de tout le monde,
des chauffeurs en première ligne.

" J'en toucherai un mot au président du Consortium. La maison de Pasteur! Tout de même, je ne
connais pas de geste plus beau, plus pur, plus désin-
téressé! "

XIII

Le matin du 1er février 1912, l'encre grasse des journaux suait l'épouvante. En allant à leur travail dans l'aube mal débarbouillée, les gens ne se retrouvaient plus dans les gros titres terrifiants qui mêlaient trois histoires. Un caissier attaqué à Paris rue Meslay, en plein jour, et lesté de 150.000 francs; à Montrouge une tenancière de débit dépouillée sous la menace du revolver par trois jeunes gens; mais surtout une histoire de train, où il y avait des anarchistes — bien que ni l'une ni l'autre de ces affaires ne semblât directement liée à la bande Bonnot.

La dernière avait les honneurs de tous les journaux : à Orléans, des cambrioleurs surpris dans un bureau de la gare, avaient blessé un sous-chef et un homme d'équipe, et sauté dans le train de Paris qui partait. A Étampes, comme on visitait le train, un voyageur suspect qu'on avait fait descendre s'était tué d'un coup de revolver. Quel drame y avait-il dans la vie de ce malheureux, que redoutait-il? On n'avait pas pris la peine de le savoir. Toujours est-il qu'il n'avait rien à voir avec le drame d'Orléans, c'était un tourneur sur métaux, avec 7 fr. 70 en poche, les photos d'une femme et de deux enfants. Les bandits avaient quitté le train en marche, et comme un brigadier et un gendarme les rattrapaient sur la route, quelque part en pleine campagne, ils abattirent le

brigadier d'une balle au cœur. Le gendarme péda-
lant à toute allure avait ramené des troupes. Toute
la région alertée, maréchaussée et régiments mobi-
lisés. On avait cerné les meurtriers dans les marais
avant la nuit. Ils étaient deux, cachés dans les joncs,
tiraillant. Quand ils furent sur le point d'être
pris, l'un tourna sur lui-même son revolver et
mourut en criant : " *Vive l'anarchie!* " L'autre se
sauva.

Rejoint en gare d'Etréchy, il avait été lynché par
la foule.

Dans les rues de Levallois, ce n'était pourtant
pas plus ce drame que les affaires de Montrouge ou
de la rue Meslay qui expliquaient l'affluence matinale.
Entre les portes de Paris et la place Collange, des
milliers de chauffeurs de taxis attendaient sous le cra-
chin. Les pas des cuirassiers retentissaient sur les
pavés. La reprise avait été annoncée pour neuf heures
à la Cie des Autos-Places. Sur les 2.500 voitures de
cette compagnie, 1.000, disait-on, devaient sortir.
Depuis six heures et demie les rues étaient pleines.
Les vareuses bleues des chauffeurs s'agitaient aux
coins des rues, dans les débits. Place Collange, un
escadron de cuirassiers piaffait.

A tout dire, le désir du Consortium d'une grande
manifestation destinée à briser la grève, l'avait poussé
à surestimer ses forces. Ou bien était-ce le désir d'incidents? Toujours est-il qu'à neuf heures il y avait
du personnel pour trente-six voitures : il est vrai
qu'on mettait deux hommes par siège, en raison du
danger. Mais encore sur ces soixante-douze conducteurs, recrutés Dieu sait comme, y en eut-il qui em-

bouteillèrent tout en faisant la grève des bras croisés.
Ce ne fut que vers la demie qu'on parvint à organiser
la sortie, chaque voiture avec ses deux conducteurs,
et l'escorte d'un agent cycliste, et le tout sous la
protection des cuirassiers.

La place Collange hostile laissa le défilé atteindre
son déversoir. Mais là dans la rue, le conducteur de
la quatrième voiture, un jeune Corse, qui venait tout
juste de passer son permis de conduire, eut un geste
un peu brusque et entra bruyamment dans la troisième, devant lui. Aux fenêtres des maisons, des
applaudissements éclatèrent : appréciation de pro-
fessionnels. Et une espèce de rire, le rire menaçant
et large des foules, crispa les abords de la place quand
la septième voiture, encore un Corse! se jeta sur le
flic à roulettes qui l'escortait. Celui-ci cabra sa mon-
ture, et pivota sur sa roue arrière. Le cirque maintenant... Les cuirassiers piétinaient leur crottin sur
la place Collange.

Tant bien que mal la procession s'engageait dans
les rues. A l'angle des rues Gide et Farzillau, comme
la première voiture y parvenait, soudain un groupe
débusqua. Une dizaine de grévistes. Oh! ça ne traîna
pas : en un clin d'œil les deux conducteurs de la voiture marinaient dans la boue noirâtre, jetés à bas
du siège, et la voiture était retournée, comme un
gros hanneton, ses roues sur le côté, stupide. Cela
fit une clameur. Des cris tout autour, des approba-
tions. On sentait par le dédale des rues une population entière dont le poing seul venait d'agir. Par-
derrière la voiture culbutée, la file oscillante conduite par des chauffeurs d'occase s'immobilisait, avec

des heurts, des ailes cabossées. Les agents cyclistes
se jetaient de côté pour éviter les coups de queue
de ce serpent maladroit, aux anneaux mal emboutis.
En moins de temps qu'il ne faut pour en rire, cinq
taxis étaient retournés, leurs vitres brisées, les capotes
déchirées, l'essence répandue et incendiée. Alors sur
la place Collange un sabre brilla, commandant la
charge, et les cuirassiers se précipitèrent dans la rue
Gide, empêtrée de voitures, de manifestants, de gendarmes, d'agents cyclistes, où deux nouvelles voitures se renversaient.

C'est ainsi que Bachereau fut transporté au poste,
le crâne fendu et de là au dépôt, où on refusa de
l'envoyer à l'infirmerie spéciale.

Les incidents de Levallois, l'affaire d'Orléans, celle
de Montrouge et surtout celle de la rue Meslay, qui
soulevait une véritable panique dans le monde de la
finance, cinq semaines après la rue Ordener, firent
l'objet d'un conseil de cabinet. On tremblait dans
les maisons bourgeoises. Joseph Quesnel exprima très
haut son avis : il y avait peu de temps que Xavier Guichard était à la Sûreté, il ne pouvait encore avoir
Paris en main, mais son subordonné Jouin était un
incapable. C'était chez Wisner où il y avait une petite
réunion non officielle, quasi intime de ces messieurs
du Consortium. Puisque la police était impuissante
à protéger les chauffeurs qui voulaient travailler, en
face de l'anarchie croissante, le devoir était de donner
des armes à ces malheureux, qu'on ne pouvait pas
envoyer comme ça à la mort.

Un des directeurs de garage de la Cie Gle des Fiacres
de louage abonda dans ce sens : il fallait même leur

recommander de ne pas attendre qu'on les descendît. Tirer les premiers, que MM. les assassins finissent! Wisner protestait un peu. Mais il était très ému par l'histoire d'Orléans. Plus de sécurité de nos jours... Il s'attendrissait sur le tourneur en métal, victime d'une fâcheuse méprise : " 7 fr. 70 en poche, disait-il, sans doute un chômeur... S'il était venu chez nous, nous lui aurions donné du travail! "

Au syndicat des cochers-chauffeurs, le citoyen Fiancette recevait les journalistes. Il avait pu constater l'effet déplorable fait par les événements du matin sur le public. *Sa* grève risquait de sombrer dans l'impopularité, on pouvait se mettre à confondre vraiment les chauffeurs et les anarchistes. Le citoyen Fiancette réprouvait toute violence. Il était sincèrement désolé de ce qui se passait là. Wisner l'avait bien jugé : c'était un homme avec qui on pouvait parler. Ses cheveux qui se décoiffaient tout le temps, sa grosse moustache, sa robustesse de bistrot, il était ce physique peuple avec lequel on réussit dans la politique de la Troisième République, quand on est intelligent. " Je suis inquiet, déclarait-il à la presse. Je serais désolé qu'il y eût de nouvelles bagarres. Malheureusement je ne puis répondre des nerfs de six mille camarades, réduits au chômage depuis plus de deux mois... "

Il allait et venait par la pièce, avec toute sa responsabilité qui lui perlait au front, dans le petit local chauffé à bloc, et il s'épongea : " La grève, dit-il, c'est une nécessité bien terrible. "

Il s'employa de son mieux au Comité central de grève à conjurer le retour d'incidents comme ceux

du matin. Une majorité était contre lui mais il l'ad-
jurait. Assez de ces méthodes anarchiques, à un moment où l'anarchie était à l'ordre du jour. Les honnêtes chauffeurs voulaient-ils se solidariser avec les
assassins qu'on avait traqués près d'Étampes? Le
jour suivant se passa en négociations du bureau de
M. Steeg, ministre de l'Intérieur, à la Bourse du
Travail et au siège du Consortium. Le gouvernement
n'était pas moins inquiet que le citoyen Fiancette.
Les patrons ne voulaient rien entendre, ils recom-
menceraient à organiser des sorties de voitures. Et
la liberté du travail, alors?

A vrai dire, Fiancette l'expliquait aux grévistes,
le nombre des jaunes était tout de même infime.
Qu'est-ce qu'on perdait à les laisser sortir? C'était
insignifiant. Mieux valait donner l'impression
d'une force calme qui se contient. Cette opinion
prévalut.

Dès que la Préfecture l'apprit, elle autorisa le
Consortium à refaire une démonstration le lendemain matin, puisque ces messieurs y tenaient. Le 3
au matin donc 49 voitures sortaient place Collange,
55 au garage de l'avenue de Wagram, une soixan-
taine à Charonne. Mais cette fois, on avait assis sur
le siège non pas un second conducteur, mais un municipal en uniforme avec son fusil. Ceci à la demande
de Joseph Quesnel.

Une vive indignation s'empara des grévistes. Mais
aussi certains faisaient valoir combien Fiancette avait
été sage : dans ces conditions on serait allé à une
inutile tuerie. D'autant que toutes ces sorties s'étaient
effectuées sous la protection des cuirassiers.

Dans sa cellule Bachereau délirait, et se retournait. Il avait soif.

Le 5 février, Wisner eut une minute de plaisir en dépliant son journal. Un télégramme de Pékin annonçait que l'impératrice de Chine consentait à la fondation de la République chinoise. En l'honneur de cet événement, le fabricant d'autos emmena Diane chez Marguery où ils déjeunèrent au champagne : "Pensez donc, chère amie, la Chine... Un immense empire, le plus arriéré du monde, et voilà que les principes de 89 faisant leur chemin franchissent la Grande Muraille. L'impératrice elle-même consent à la République! "

Quelle perspective pour le monde entier! Et tout d'abord pour la France démocratique. Ces vastes territoires ouverts au progrès... On installerait partout le téléphone, le télégraphe, tous les bienfaits de la civilisation, on combattrait la syphilis, l'opium (bien que cela soit un peu difficile avec les Anglais), il y aurait des automobiles jusqu'au fond du désert de Gobi..

"Vous vous échauffez, mon cher, dit Diane, vous n'avez pas encore les commandes... "

En attendant la grève continuait bel et bien, et les promenades quotidiennes coûtaient cher, car il fallait payer les cipaux. Au siège du Consortium, on s'agitait. On téléphona aux journaux. Ils n'étaient pas assez énergiques. Williams avait cessé toute campagne, qu'est-ce que c'était que ça?

M. Picot, commissaire du quartier Saint-Merri, s'apprêtait à aller faire sa manille, quand on vint le prévenir qu'il y avait deux hommes qui le demandaient. Allons bon! C'étaient les chauffeurs Chardaire et Bourderey, de la Cie des Autos-Fiacres, qui circulaient ce jour-là sur l'auto 232-G-7. Ils avaient chargé un couple de voyageurs, un homme et une femme. Des personnes comme il faut. A la hauteur de la rue Aubry-le-Boucher, sur le boulevard Sébastopol, un jeune homme monté sur un triporteur avait lancé dans leur direction un flacon de vitriol. Non, ils n'avaient pas été atteints.

M. le Commissaire s'étonna. Mais comment savaient-ils alors que c'était du vitriol? Une vitre avait été brisée. Par le vitriol? Non, par le flacon. Et les quatre occupants de la voiture, les clients et les deux chauffeurs avaient été éclaboussés. "Voyons", dit M. le Commissaire. " Oh! les chauffeurs, eux, naturellement, n'avaient eu presque rien, presque rien de visible. Non plus que le monsieur d'ailleurs. Mais la dame, ah ça! La dame avait été abîmée. Sa robe gâchée, tout le côté droit du visage brûlé." "Où est-elle, cette dame? " demanda le commissaire. Malheureusement on ne pouvait rien lui en dire : aussitôt le taxi arrêté, les deux clients s'étaient esquivés, très ennuyés, refusant de donner leur nom, leur adresse. Des gens très bien, vous comprenez. Pas envie d'être mêlés à un fait divers. "Pourtant, dit le commissaire, si la dame était très brûlée, il fallait bien qu'elle aille à l'hôpital, au moins chez le pharmacien, et pour les suites, l'assurance... "

Peut-être bien que le couple n'y avait pas pensé. Ou que c'était une femme mariée avec son ami. Jeune, assez jolie. Avant le vitriol en tout cas.

L'histoire était dans tous les journaux, et bien

que le jeune homme au triporteur eût entièrement disparu, on le décrivait comme un syndicaliste farouche.

A vrai dire, la grève des taxis avait pour effet surtout une terrible multiplication des accidents à Paris. Il y eut des morts. Les chauffeurs inexpérimentés, embauchés par le Consortium, étaient catastrophiques. Les grévistes en tiraient argument. Ce qui, disait Wisner, n'est pas tout à fait juste de leur part, parce qu'ils y ont leur responsabilité.

Le samedi 10 février fut marqué de trois faits. Au Sénat, il y eut un étincelant duel de paroles entre Clemenceau et Poincaré, au bout duquel le président du Conseil fit ratifier l'accord franco-allemand par la Haute Assemblée, par 212 voix contre 42.

Le soir, avait lieu la première retraite militaire dans Paris avec la musique du 102e régiment d'infanterie. Elle corrigeait pour ainsi dire, au cœur des patriotes, l'effet du vote de l'après-midi. Et Mme Lopez, qui avait été chez des amis et dont la voiture était en réparation, en sortant à pied vers onze heures, rencontra le cortège que suivaient de jeunes exaltés qui criaient : *Vive la France!* en tendant le bras vers le ciel. Mme Lopez avait toujours aimé les militaires. La musique lui parut bien enivrante. Elle emboîta le pas des petits soldats. Ils l'entraînèrent avec d'autres comme le joueur de flûte qui se fait suivre par les souris. Du Parc Monceau on remontait vers Montmartre, et Mme Lopez fut toute surprise de se trouver boulevard Barbès quand un olibrius, un ouvrier, probablement un étranger, excita la fureur des manifestants en ne se découvrant pas devant le drapeau. Il

restait là comme un abruti, sur le bord du trottoir,
avec sa casquette carrée sur sa tête. On la lui arracha,
et la foule lyncha l'impudent. Un anarchiste peut-
être. Ou un socialiste.

Comment rentrer à Neuilly? Mme Lopez n'avait
pas l'habitude du métro, et avec cette grève... Heureusement qu'un taxi passait. Mme Lopez le prit.

Vers minuit elle arrivait à pied au commissariat
de l'Hôtel de Ville de Neuilly, dans un assez grand
désordre. Dans un coin isolé du Parc de Neuilly, la
voiture avait fait halte. Le chauffeur avait ouvert
la portière, avait arraché à Mme Lopez le réticule,
où elle avait quelques centaines de francs et sa montre
en diamants, et le collier de perles qu'elle avait au
cou, heureusement pas le grand sautoir qu'elle mettait
rarement, mais enfin un collier dans les cinquante
mille.

La presse fut très discrète sur cet incident. Mme Lopez évidemment ne tenait pas à la publicité à cause
du comte d'Évreux, mais aussi le Consortium avait
donné un coup de téléphone à tous les journaux.
Il envoya même à Mme Lopez un représentant, un
homme très bien, qui lui offrit un chèque de la part
de ces messieurs. Ces messieurs se sentaient responsables de leur personnel, ils espéraient qu'on ne parlerait plus de cette déplorable affaire. Mme Lopez
trouva vraiment cela très chic du Consortium. Le
comte d'Évreux, qui connaissait Wisner, apprécia.

D'ailleurs, le dimanche, on avait bien la tête à autre
chose. Cent cinquante mille ouvriers étaient sur le
pavé derrière le cercueil d'Aernoult, un soldat dont
le corps avait été ramené d'Afrique, où on l'avait

tué injustement, prétendait la presse socialiste. Toujours est-il qu'il y eut vingt-deux agents blessés à Paris ce jour-là. Quelques manifestants aussi, mais ce n'est pas la même chose. Le Consortium, dans un rapport au ministre de l'Intérieur, souligna la présence des grévistes en masse à ces funérailles : voilà ce que c'était que ces gens-là, pour lesquels on faisait preuve d'une faiblesse coupable. Le gouvernement trouvait-il suffisant de faire patrouiller, dans Levallois, la citadelle des chauffeurs, et d'y faire de temps en temps, le soir, disperser des réunions dans les débits?

Entre autres, les commerçants de Levallois s'en plaignaient : entraves à la liberté du commerce. Mais celle du travail?

XIV

Le samedi 17 février, Paris vit encore une retraite militaire, plus éclatante que la première, mieux organisée. Il n'y avait, Dieu merci! pas seulement des antimilitaristes à Paris.

Le congrès du parti socialiste s'ouvrit le mardi suivant à Lyon. Le fond des débats y fut précisément le sujet d'actualité mis en avant par la grève des taxis : les violences anarchiques au cours des grèves. Depuis le mouvement des cheminots, la discussion était ouverte. Dans le sein même du parti il y avait des gens qui ne désapprouvaient Briand que dans la forme.

mais qui pensaient que lorsque l'actuel ministre de la
Justice avait réprimé le mouvement des cheminots
il n'avait fait que ce que tout chef de gouvernement
doit faire en face de tels excès.

La chasse au renard, le sabotage, préconisés par les
anarcho-syndicalistes, Mamzelle Cisaille et le citoyen
Browning, comme disait Gustave Hervé, tout cela
était très impopulaire parmi les "petites gens". Le
parti radical, à Tours, s'était élevé contre ces méthodes,
et à la Chambre, le 2 décembre, le citoyen Ghesquière, député socialiste, les avait stigmatisées, au
milieu de l'émotion générale de l'Assemblée jusque
sur les bancs de la droite. Compère-Morel avait soutenu Ghesquière, et au congrès de Lyon, violemment
attaqués, tous deux se défendirent en reprenant avec
éclat leurs arguments parlementaires. La grève, disait
l'un d'eux, est une arme à deux tranchants qui blesse
plus souvent les grévistes que le patron.

Il y avait, ce jour-là, près de quatre-vingt-dix jours
que les chauffeurs de taxis résistaient au Consortium.

"Il faut arracher le chiendent anarchiste, disait à
la tribune le citoyen Ghesquière... J'ai dit qu'il ne
fallait pas systématiser la violence. J'ai dit tout le
mépris que m'inspirent la chaussette à clous et la
machine à bosseler. Je l'ai dit à la Chambre et je le
répète ici. J'ai pour les gréviculteurs une telle haine
que je ne trouve point de mots assez forts pour les
flétrir!"

Cela avait fait un beau tumulte. Mais il y avait
des délégués qui disaient que c'était vrai après tout,
qu'on criait après les flics qui passaient le monde à
tabac dans les commissariats, et puis qu'est-ce que

les grévistes faisaient d'autre avec les jaunes? Ne valait-il pas mieux user de la persuasion?

Compère-Morel défendit avec beaucoup de force son discours parlementaire du 2 décembre, et il demanda au Congrès, dénonçant la manœuvre contre Ghesquière et lui, de se prononcer contre le sabotage et la chasse aux renards. Le Congrès aurait-il le courage de le faire, de défendre la position socialiste? En tout cas, il applaudit Compère-Morel.

Mais alors le grand Jaurès intervint. Sa voix prenante passa sur l'Assemblée, et ce fut comme si le climat changeait. Non point qu'il défendît les actes individuels, les méthodes d'Hervé. Mais il montrait aux délégués le danger d'une motion approuvant Compère-Morel. C'était la déclaration de guerre du parti socialiste à la C. G. T., la rupture avec les masses ouvrières. Le lendemain, par 2.558 voix contre 18, le Congrès absolvait Ghesquière et Compère-Morel, mais se refusait à les suivre.

La réponse au congrès de Lyon ne se fit pas attendre.

Le surlendemain, vers huit heures et demie du soir, au garage Wagram, une petite détonation se faisait entendre au milieu des voitures garées, et la 717-G-6 prenait feu. On maîtrisa l'incendie, mais l'intérieur de la carrosserie était consumé. Vers dix heures, le fait se répétait dans la 542-G-6. Puis, vers deux heures du matin, c'était le tour de la 51-G-6 et de la 562-G-6. On fouilla alors toutes les voitures et on trouva un engin non explosé dans une autre voiture.

Des faits semblables se produisirent dans la même soirée au garage Charonne de la Cie Gle des Voitures, et place Collange au garage A de la Cie française des

Autos-Places. Dix explosions en tout. La presse du
lendemain fit à cette affaire les mêmes titres que pour
la bande Bonnot. On se trouvait devant un attentat
anarchiste contre le Consortium des taxis. C'était à
n'en pas douter le fait des grévistes. On avait voulu
mettre le feu aux garages. Heureusement que le mal
avait été circonscrit.

Toutes les voitures où avaient été découverts les
engins étaient des taxis ayant circulé, conduits par
des jaunes. Le refus de Jaurès de désavouer la chasse
aux renards, et cela deux jours avant, était souligné
avec indignation.

Pourtant le chef de la brigade des recherches,
M. Court, avait fait aux journaux la déclaration suivante : "Les détonateurs n'étaient nullement dangereux. Ils étaient simplement destinés à communi-
quer le feu aux véhicules dans lesquels ils étaient
placés. Leur composition témoigne de la part de leurs
auteurs quelques connaissances en chimie. Il se pourrait que les coupables se trouvent parmi les chauffeurs, embauchés chaque jour depuis la reprise du
travail. "

Étrange langage! Le Consortium protesta. Il était
sûr de tout son personnel. Même du chauffeur qui
avait volé son collier de perles à Mme Lopez? demanda le syndicat dans une lettre aux journaux. Le
certain est que ce M. Court avait une drôle de façon
de comprendre son métier, à donner ainsi des arguments aux grévistes. Joseph Quesnel vit Williams,
et le lendemain *Le Petit Républicain* expliquait toute
l'affaire.

L'enquête avait montré que les engins avaient été

déposés dans les voitures par des voyageurs mystérieux. Il y avait un Russe qui s'était obstiné à ne
prendre que les taxis de la Cie G^{le} des Voitures. Et
puis aussi un chauffeur gréviste avait disparu depuis
deux jours de son domicile à Levallois. On ne disait
pas le nom pour ne pas gêner la police. Il y avait
encore *l'homme au pardessus gris*.

Le jour suivant, dans son courrier, le directeur
de la Cie des Auto-Places à Levallois, reçut un avertis-
sement : on voulait mettre le feu à ses dépôts d'essence.
La rue des Arts et la rue Margolin furent immédiatement occupées par la police, tous les passants fouillés.
On arrêta plusieurs individus dont les papiers n'étaient
pas en règle. *Le Petit Républicain* entre les pistes de
la veille se décidait : il optait pour le gréviste disparu.
Ce ne pouvait être que lui l'auteur des attentats,
cherchez à qui le crime profite.

Le samedi 24 février, Paris s'endormit tard au milieu des accents de la *Sidi-Brahim* et de la *Marche lorraine*. Les retraites militaires étaient un véritable succès.

XV

Au bout du mois, Bachereau sortit de prison. Sa
tête, mal guérie, était encore douloureuse. Il avait
des étourdissements. Le médecin lui avait affirmé que
ce n'était rien, et peut-être que vraiment ce n'était
pas grand-chose. Condamné aux flagrants délits, il
avait été trimbalé à la Santé, puis à Fresnes. Pour-

quoi ces voyages? Bien inutile de le demander : c'était cependant alors qu'il avait le plus souffert de la tête. Ce géant blessé gémissait comme un petit enfant.

Quand il se trouva sur le pavé de Paris, ce 29 février, ses premiers regards furent pour les taxis. Il y en avait, mais qui arboraient la carte syndicale, prouvant qu'ils payaient bien la redevance quotidienne. Allons, la grève continuait. Où aller? Comment retourner à son hôtel, où il ne pourrait pas solder sa chambre? Ses affaires y étaient restées. Bachereau n'avait pas de femme, personne qui ait pris soin de ce qu'il laissait derrière lui.

Il n'était pourtant pas seul : il y avait les camarades. La Bourse du Travail. C'est là tout droit que vont ceux qui sortent de la prison. Précisément ce que disait Mercurot. Le capitaine s'occupait du règlement des retraites militaires. Le gouvernement attachait une grande importance à ces promenades en musique. Il s'agissait de rendre à l'armée un prestige compromis par la complicité des pouvoirs publics avec les antimilitaristes jusque dans l'armée même (des officiers francs-maçons qui n'hésitaient pas à prêcher la désobéissance aux soldats, parfaitement). On avait désigné des cadres spéciaux pour l'élaboration des programmes et leur exécution. Mercurot faisait ce travail avec intérêt : chaque samedi il se sentait un peu comme s'il avait donné lui-même une fête. Il expliquait à Hélène ce que c'étaient que les Bourses du Travail : une invention récente. Les bastions de l'anarchie, de l'antipatriotisme, le siège de l'état-major des saboteurs. " Si on nous laissait faire, il ne faudrait pas longtemps pour nettoyer ces repaires de brigands! " Une des idées de Mercurot était de faire passer chaque samedi rue du Château-d'Eau, ou tout au moins boulevard Magenta, les troupes et leur musique. "Il faut que les brigands entendent nos tambours! Il faut que nous habituions les patriotes à l'idée que *là* est l'ennemi! "

Le dimanche précédent, à Levallois, à l'angle de la rue Gide et de la place Villiers, une pierre avait frappé un taxi conduit par deux jaunes. Il y avait du monde tout autour, mais descendant du siège les deux chauffeurs se jetèrent sur deux ouvriers, qui n'étaient pour rien dans l'histoire : des invités d'une noce qui se trouvait déjà réunie dans un débit de la rue Gide, tout à côté. Les gens de la noce s'en mêlèrent, et les deux hommes se sentant débordés se sauvèrent, mais après avoir déchargé leurs revolvers sur la foule. Un jeune homme de dix-neuf ans restait sur l'asphalte, blessé au ventre.

Le lundi, au meeting de la Bourse du Travail, l'indignation des grévistes se fit menaçante : ils étaient armés maintenant, les renards. Des nouvelles circulaient : le nom même du directeur de compagnie, qui avait fait distribuer des revolvers dans ses garages, était prononcé avec fureur. Quelqu'un réclamait son adresse. La direction du syndicat était très inquiète : les difficultés de vie croissantes pour les grévistes, quelques tiraillements avec les chauffeurs travaillant dont on avait dû monter à six francs l'imposition de grève qu'ils payaient chaque jour, tout cela rendait possibles des réactions violentes. Fiancette lut publiquement les lettres anonymes menaçant de faire sauter la maison syndicale de la rue Cavé. Certes, les pistes des journaux, dans l'affaire des bombes des garages, avaient dû être abandonnées l'une après l'autre. Toutes les provocations avortaient. Jusqu'alors. Qu'est-ce que le lendemain réservait?

Le lendemain, c'était le jour que Mme de Lérins menait Guy par les Ternes voir ses petits amis Scriabine, après leur sortie du lycée Carnot, vers le soir. Ce jour-là, place du Havre, d'une voiture où se trouvaient trois hommes, trois coups de feu partirent, tuant un agent qui voulait verbaliser. Puis l'auto, comme un bolide à travers Paris, échappa, tandis que les poursuivants improvisés, la police, étaient arrêtés par une série de hasards malheureux : une femme qui venait bêtement là se jeter sous les roues de la voiture de course réquisitionnée par deux agents. Elle avait une côte cassée, mais Bonnot, Garnier et Raymond-la-Science avaient disparu, venant effrayer à Neuilly, au passage, la veuve du capitaine de Lérins.

L'incapacité de la police éclatait avec trop de force pour qu'on ne prît pas des décisions immédiates : d'autant que dans la nuit les bandits avaient attaqué l'étude d'un notaire à Pontoise. Aussi, le mercredi, Boué et Dieudonné étaient-ils arrêtés, et le garçon de recettes Caby, la victime de la rue Ordener, reconnaissait docilement dans le second son agresseur; il n'y avait plus qu'à féliciter la police.

Pourtant les bandits couraient toujours.

On pensait, dans les milieux dirigeants, que les événements récents comportaient des leçons qu'il fallait savoir en tirer. Au Consortium des taxis, Joseph Quesnel rencontra l'approbation de tous quand il déclara que l'audace des anarchistes nécessitait des

mesures d'exception dans le pays. Le rapporteur général du budget au Conseil municipal de Paris, l'émi-
nent M. Dausset, réclamait pour la capitale la création
d'une " Sûreté préventive ".

" La police doit être préventive, écrivait-il. J'entends ainsi que les agents qui ont l'obscure et noble
mission de protéger la sécurité publique devraient
vivre la vie des criminels, devraient entrer dans les
associations de déclassés et de bandits, participer à
l'examen des "coups" projetés, étudier avec ceux
qui les méditent les chances de réussite et d'échec.
Je ne suis pas sans savoir que la Sûreté parisienne
possède certains policiers subtils et adroits qui s'em-
ploient, non sans ferveur, à la rude tâche que je viens
de définir. Mais... "

Joris de Houten lisait à voix haute cet article à
Marthe dans le petit salon de la pension de famille.
Il éclata de rire :

" Ce Dausset est un farceur! Comme si par exemple
les arrestations d'hier ne prouvaient pas jusqu'à la
gauche que sa *Sûreté préventive* existe! On dit bien
assez comme cela que la police a une main dans les
attentats récents, inutile de consacrer la chose avec
une étiquette. La brigade des anarchistes ne suffit-elle
pas? Déjà les syndicalistes et les socialistes crient à
la provocation à propos de bottes. Pourquoi ne pas
fonder à la Préfecture, pendant qu'on y est, un *Service
des provocateurs* avec une pancarte sur la porte?

— Mon ami, dit Martha, votre café se refroidit. "

Drôles de jours que les 29 février! Du matin au
soir il y a des gens qui n'ont en tête que la rareté de
ce prodige bissextile : c'est comme des vacances dans

leur vie, du temps volé à la mort. L'année saute à
cloche-pied comme un collégien. Mais tout le monde
n'a pas ce sentiment. Il y a des intérêts qui continuent
de courir même le dimanche, n'est-ce pas? Vers six
heures quarante du soir, ce 29 février-là, le mécanicien
Goudert et le chauffeur Patriat, celui-ci débarqué de
frais à Paris depuis deux jours, et directement installé
au volant d'une machine, venaient solliciter devant
la gare de l'Est l'aide des agents Jouaunin et Perri-
chaud.

Des grévistes qui sortaient de la Bourse du Travail
et qui remontaient vers Barbès, deux cents environ,
les avaient lapidés sur le boulevard Magenta. Pourquoi Goudert et Patriat flânaient-ils à la sortie de la
Bourse du Travail, cela les agents ne s'en occupèrent
pas. A vrai dire, ils n'avaient eu aucun mal, et on
peut se demander dans quel but, avec les deux flics
dans leur taxi, ils se rendirent au carrefour Barbès
charger encore les agents Moreau et Rebillard. Après
quoi, tous six s'en vinrent par le boulevard Barbès
repasser devant les grévistes. Atteignant la tête de
la colonne, ils ralentirent si bien que Patriat se fit
reconnaître. Ce chauffeur novice eut-il peur? Il donna
un coup de volant si brusque qu'il vint se bloquer
contre le tramway Clignancourt-Bastille. C'est là qu'il
fut entouré. Des ordures, de la boue ramassée, toutes
sortes de débris volaient en l'air. Les agents se mirent
de la partie.

Comment se fit-il qu'un coup de feu partit devant
la brasserie sise 26, boulevard de la Chapelle? C'est
ce qui ne fut jamais établi. Mais les agents, eux, à
ce signal, tirèrent tous à la fois. Des blessés s'en furent,

emmenés par leurs camarades. Il devait y avoir là un provocateur. Les grévistes l'auraient sans doute découvert malgré la confusion et la bagarre. Mais la police arrêta un homme. Celui-ci était un agent en bourgeois. Simple erreur, paraît-il.

La diversion vint sous la forme d'un taxi. Un renard! Cela fit comme dans une baignoire quand l'eau se précipite au trou de vidage. L'homme déjà était jeté à bas de son siège. L'agent Moreau saisit à la gorge le gréviste qui venait de faire cela. Un pavé qui frappa l'agent Moreau à la tête lui fit lâcher prise, et ce fut une pluie de pierres.

On arrêta, au hasard, un homme qui avait la tête bandée; c'était un récidiviste, le chauffeur Bachereau qui sortait de Fresnes, et qui y retourna.

XVI

Catherine, dans l'hiver de Berck, traînait une convalescence morale toute mêlée au vent marin, à la pluie et au sable des dunes.

Les prédictions médicales qui avaient si lourdement pesé sur sa vie ne paraissaient plus guère justifiables. Était-elle guérie? En tout cas, son mal avait l'air de prendre une forme assoupie, bénigne. Plus que des cicatrices dans ses poumons, à en croire le médecin de Berck consulté. Mais qui ajoutait précipitamment : "Pourtant je vous conseille de profiter ici de votre séjour, pour consolider vos tissus... "

Tout suivait un train qui s'endort. Jusqu'à la haine du couple Baisedieu qui semblait hiverner dans la villa mitoyenne. Mélanie allait et venait, entourant sa demoiselle de mille prévenances. Elle avait amené avec elle un jour sa sœur et son beau-frère, le mineur d'Anzin, venus à Berck pour le dimanche, histoire de leur montrer sa patronne. C'était un grand gars de ch'Nord, le beau-frère : il ressemblait à Victor Dehaynin, et cela pinça Catherine au cœur. Sa femme était une Mélanie du modèle au-dessus, pâlie par la misère des corons et les fatigues de la maternité. Elle avait son dernier-né sur les bras. Une petite chose vagissante, dont la main, encore incapable de se dérouler tout à fait, cherchait à attraper les rayons du soleil médiocre de février.

Cette petite bête tyrannique, larvaire, eut pour Catherine, ou devant elle, un sourire d'au-delà du monde qui vint la toucher là où elle était sans défense. La jeune femme posa un doigt timide sur le bourrelet qui ne servait pas encore de poignet à l'enfant. Et soudain celui-ci se mit à pleurer. La mère s'excusait, berçant ce paquet de désespoir dont les cris montaient. Elle s'assit, ouvrit son corsage et apaisa son morceau d'avenir avec un sein déjà flétri, avant la trentaine, mais blond comme les dunes de Berck et gonflé d'un lait tendre et douloureux. La main du petit s'était posée, comme une fois de plus en lui coulait le sang de sa mère. Il tétait; son regard, immense dans la tête chauve, s'arrêta sur Catherine, sans interrompre le travail goulu de la bouche.

Catherine pensa longtemps à cet enfant sans savoir pourquoi.

Le jour où l'Union des Syndicats et la Fédération des Transports lançaient à Paris un appel à la solidarité avec les chauffeurs de taxis, éveillant ainsi dans leur cœur l'espoir de la grève générale, à Berck se tenait un meeting anarchiste contre les arrestations récentes dans l'affaire des bandits en auto : les rédacteurs du journal *L'Anarchie*, Kilbatchiche et Rirette Maîtrejean, emprisonnés le 31 janvier, De Boué, un typographe arrêté le 28 février, Dieudonné, et deux femmes dont l'une, l'amie de Dieudonné, était une occasion de victoire pour toute la presse parce qu'on l'appelait la Vénus Rouge (alors vous comprenez!). Catherine parla longuement avec un cheminot, chauffeur à la Compagnie du chemin de fer de Berck-Plage à Paris-Plage, Barthélemy Baraille. Tout de même, elle s'entendait mieux avec les anarchistes qu'avec les socialistes. Elle pensait avec amertume à Victor.

Comme elle faisait toutes choses, le lendemain elle prit le train de Paris. Sans motif. Dans le train, tout son intérêt alla à la réclame monstre qui s'étalait dans les journaux pour le Pulsoconn du Dr Macaura. Cette réincarnation du Messie était tombée à Paris du ciel américain, avec son appareil vibratoire, qui guérissait tout. Dans l'hôtel du boulevard Haussmann, où le guérisseur était logé avec une splendeur de roi nègre, toute la souffrance de la capitale défilait. Sur les bancs du boulevard, les miraculés bavardaient. On voyait entrer des paralytiques qui ressortaient en dansant, brisant sur leur genou leurs béquilles au milieu de la foule des badauds. Lourdes recommençait avec l'apparat de la science et le prestige du pays des gratte-ciel et des milliards.

Victor Dehaynin était à la Bourse du Travail quand
Catherine vint le chercher rue Cavé. De Champerret
à République, le voyage en métro lui parut plus long
que la route de Berck à Paris. Elle avait une valise
avec elle, n'ayant point passé par la rue Blaise-Desgoffe. Victor lui donna très peu d'attention. Les nouvelles arrivaient, apportées par des grévistes. Comment faire? demandait l'un, parce qu'à son garage
les piquets de grève n'étaient plus sérieusement tenus
depuis trois jours. Une voiture avait été lapidée boulevard Ornano. Rue Saint-Maur, on en avait renversé
une et battu le renard. Un taxi du garage Charonne
ayant été mis en l'air à l'angle de la rue Auguste Bar-
bier et de la rue Fontaine-au-Roi, un agent avait
arrêté un gréviste. Les copains l'avaient dégagé, ros-
sant le flic et le désarmant comme il tirait son pétard.
Un second poulet qui s'était ramené avait eu le même
sort. Cent huit jours de grève...

Catherine et Victor dînèrent ensemble. Ce soir-là,
bien qu'on fût un samedi, il n'y avait pas de retraite
militaire en perspective, parce que le lendemain à
Vincennes il y avait une revue monstre pour laquelle
la garnison de Paris gardait frais ses soldats et ses
musiciens. Victor était prolixe sur ces histoires de
promenades en fanfare du samedi. Tout de même le
chauvinisme montait dans le pays, les démonstrations
place de la Concorde devant la statue de Strasbourg
se multipliaient. Cette ordure de Millerand demandait
sans cesse de nouveaux crédits pour la guerre. Quand
ce n'était pas pour l'artillerie, c'était pour l'aviation.
Qu'est-ce qu'on préparait?

Catherine considérait Victor. Il mangeait sa salade.

Elle pensait au petit neveu de Mélanie. Comme il ne la regardait pas, cet homme. Elle avait quelque amertume, à parler. Pourtant, tout d'un coup, il posa sa fourchette et laissa retomber dans l'huile une feuille de frisée.

"Alors, dit-il, c'est fini ces idées noires?"

Comme il levait les yeux sur elle, il vit qu'elle avait les siens pleins de larmes. Il se méprit, sans doute. Mais il y avait de l'affection dans la voix qui demandait: "Ça ne va donc pas, la santé?

— Oh! si, dit-elle. La santé... Voyez-vous, Victor, je suis toute drôle ces jours-ci, parce que j'ai regardé un mioche, un tout petit. C'est bizarre. J'ai comme un vide en moi depuis ce moment-là. C'est stupide, mais qu'est-ce que je peux y faire? J'y pense tout le temps..."

Il y eut un silence où l'on entendit les assiettes. Dans le petit restaurant du boulevard Magenta, ils étaient seuls à manger, à cause du samedi soir. A la caisse un chat ronronnait sur les genoux de la dame. Le garçon mit en marche un phonographe pâle.

"Pourquoi ne vous mariez-vous pas? reprit Dehaynin qui commandait un camembert.

— Le mariage!"

Elle était partie, avec sa voix chantante. Une jolie idée d'homme! Se marier, faire *une fin*, n'est-ce pas? Victor haussa gentiment ses larges épaules: "Vous savez, quand je dis marier... Mais faites un gosse, puisque ça vous dit. Quand ça tient une femme, il n'y a pas à discuter. A propos, Jeannette est enceinte."

Le camembert arrivait. Ce n'était vraiment pas un beau camembert.

"Alors, nous on va se marier. Qu'est-ce que vous voulez, c'est plus simple pour le gosse. Une formalité."

Catherine était contre les formalités. Mais est-ce qu'elle allait discuter avec Victor? Il croirait peut-être que c'était la jalousie qui la faisait parler contre le mariage. Elle eut tout de même deux ou trois phrases très amères. Elle demanda un mendiant : " On prendra le café dehors ", avait déclaré Dehaynin.

Ils traînèrent sur les grands boulevards assez vides à cette heure où les gens se sont déjà enfournés dans les théâtres. A côté de la porte Saint-Martin, Victor eut envie soudain d'entrer à Paris-Kermesse. Il y avait là des petits employés, de jeunes ouvriers, des filles, autour des appareils à sous, des jeux d'adresse. Devant le nègre un marin, très entouré, montrait sa force. A chaque coup de poing sur le ventre de cuir les yeux s'éclairaient et une sonnette annonçait la victoire. Dehaynin rigolait. Ils échouèrent quelque part près de la porte Saint-Denis sur les banquettes d'un café étroit et profond, gagné sur ce terrain si cher par un propriétaire habile qui avait fait diminuer l'entrée de sa maison. " Un café noir et un crème ", commanda Victor, qui avait l'habitude de Catherine. Le garçon hurla en élevant son plateau : "Versez deux dont un! " et Catherine regarda le poing de Victor sur la table. Il aurait fait lui aussi briller les yeux du nègre.

Elle parla de sa solitude. Berck d'abord... puis Berck n'était pas la question. La vie. Cet attrait qu'elle

avait pour les ouvriers, et entre eux et elle, ces frontières tout de même jamais franchies, dont elle n'était
pas responsable. Sa famille, les siens, son monde,
qu'est-ce qu'elle avait à faire avec tous ces gens?
"Vous ne prenez rien avec? demanda le garçon qui
servait le café. — Va pour un rhum ", dit Victor.
Il hochait la tête. Il la croyait. C'était sûrement vrai,
ce qu'elle contait là. Elle aurait voulu. Et puis voilà.

"Toute l'affaire, c'est que vous ne foutez rien.
Je sais, la santé. Mais quand même. D'abord on
s'ennuie quand on ne fout rien. Tenez, moi, s'il y
avait pas le travail de la grève, je ne pourrais pas la
supporter, la grève. "

Catherine sentit croître encore son amertume.
Qu'est-ce que c'était, disait-elle, que cet amour du
travail? L'esclave amoureux de sa chaîne, de son
boulot! Victor s'expliquait. Non, c'était normal. Il
aimait ce qui le faisait vivre. Pour rien au monde,
il n'aurait voulu être un oisif. On ne se battait pas
pour supprimer le travail, mais pour supprimer l'oisiveté. On voulait ne pas se tuer au travail. On ne
voulait pas ne pas travailler. D'ailleurs là n'était
pas l'affaire. Mais le travail, c'était cela qui séparait
Catherine des ouvriers et des ouvrières. Tant qu'elle
n'aurait pas accepté sa part du travail commun, elle
ne pouvait qu'être une étrangère dans le monde où
chacun gagne sa vie.

"Accepter, dit Catherine, la malédiction du travail...

— Allons, bon. La malédiction! Quelle malédiction? Du Bon Dieu? Adam, Ève, le Serpent et
ses sornettes? C'est une idée chrétienne, ça, c'est-à-

dire une idée pour les pauvres, parce que les riches,
eux, ne sont pas trop maudits. "

Oui, Catherine aurait dû travailler. Faire comme
les autres. Ou bien, fallait pas se plaindre de ne pas
se sentir comme les autres. Qu'est-ce qu'elle chantait,
Catherine, de l'exploitation des femmes? Ce n'était
pas du tout le moyen de se libérer pour les femmes,
que de ne rien faire. C'était comme ça qu'elles étaient
à la merci des hommes. Une idée bourgeoise, ça.
Toutes les femmes devaient travailler. Gagner elles-
mêmes leur vie, et non pas dépendre d'un homme.

" Je ne dépends pas d'un homme... "

Elle regretta cette phrase aussitôt. Facile avec le
chèque mensuel de Bakou. Elle se sentit plus confuse
encore de tout ce qu'il y avait d'aveu dans cette
rébellion. Victor eut la générosité de poursuivre
comme si elle n'avait rien dit. Dans le monde qu'il
imaginait, l'égalité devant le travail fondait la véritable égalité de l'homme et de la femme. L'état crée-
rait les œuvres, les institutions qui maintiendraient
cette égalité compromise par la maternité, comme il
assurerait la vieillesse. L'entrée des femmes dans
l'industrie permettrait la diminution de la journée
de travail. Victor déjà perdait de vue Catherine,
pour ce rêve immense devant lui, où ne disparaissait
aucunement la condition ouvrière, mais où la
condition ouvrière devenait l'honneur même de la
vie.

Ils se séparèrent vers dix heures, et Catherine
trouva chez elle Mme Simonidzé en robe de chambre
qui faisait des réussites. Son chapeau enlevé, sa valise
ouverte devant elle, assise sur le bord du sofa persan,

la jeune femme regardait avec des yeux d'étrangère les murs et les meubles de l'appartement. Elle se rappela une pensée ancienne, aux jours de Cluses, il y avait près de huit ans. Alors se représentant sa vie devant elle, avec désespoir elle n'y imaginait guère d'autres bouleversements que déménager, vivre ailleurs. Les années passent, et on a un nouvel appartement.

Elle n'avait même pas changé d'appartement.

XVII

Diane de Nettencourt avait été à Vincennes avec Wisner. Elle portait une toilette ravissante, très printanière, en crêpe champagne, soutachée de brun. Le ciel avait été clément à l'armée française. Un temps délicieux, presque chaud. La revue fut un grand succès et provoqua l'enthousiasme. Wisner était enchanté. Un beau dimanche.

Le mardi, la police arrêta deux nouveaux comparses de Bonnot, Rodriguez et Bélonie, et Catherine, lasse en trois jours de ce Paris, vide pour elle, et de la conversation de Mme Simonidzé, s'en retourna à Berck avec une cargaison de livres. Le mercredi, les incidents de la grève des taxis se multiplièrent. Voitures retournées, jaunes corrigés à l'angle du quai de Bercy et du pont de Tolbiac, rue du Bois-de-Boulogne à Neuilly, à Levallois, à Gennevilliers. Rue de la Véga, un des Corses du Consortium descendu de son siège voyait s'enfuir sa voiture emmenée par un gréviste. Le soir, on retrouvait la bagnole brûlant derrière une caserne de dragons.

A ce même moment, 8.000 ouvriers, réunis au manège Saint-Paul par la Fédération des Transports, s'engageaient par la voix de Guinchard à soutenir les chauffeurs grévistes, *par tous les moyens, même illégaux, puisque le gouvernement donne l'exemple de l'illégalité*. Le meeting préconisait la grève générale de vingt-quatre heures dans les transports.

Jour après jour, les difficultés de la vie croissaient pour les grévistes. De grands espoirs naissaient de résolutions comme celles du meeting des Transports. Mais on savait bien qu'un fléchissement aux piquets de grève, la liberté laissée aux renards, et tout croulait. Le Consortium refusait toujours de discuter avec les délégués. Les pétroliers insistaient pour qu'on liquidât la grève avec énergie. En attendant, les condamnations pleuvaient. Quinze jours, un mois... Cela faisait des femmes, des enfants, dont il fallait s'occuper. On organisait des soupes. On distribuait des fonds. Le syndicat ne chômait pas.

Le samedi 16 mars 1912 est une date historique : ce jour-là le Préfet de police fut élu membre de l'Académie des Sciences morales et politiques. Cette nouvelle fut très appréciée dans le monde ouvrier. La journée se termina en fanfare : il y avait quinze jours qu'on avait pas eu de retraite militaire à cause de Vincennes. Les journaux avaient publié le matin les itinéraires des retraites. Car il y en avait trois à travers Paris : avec les musiques du 102e, du 5e et du 31e régiments d'infanterie.

Sur la place de la Concorde, devant la statue de Strasbourg, un groupe d'étudiants qui accompagnait le cortège manifesta avec une telle ardeur patriotique qu'on dut, fort poliment, arrêter l'un d'entre eux. Au poste de police, tandis qu'on procédait à la vérification de domicile, ce jeune homme, qui était le fils d'un magistrat, ne fut pas mis au violon, mais on l'installa dans le bureau du commissaire, libre à cette heure de la soirée. Devant le commissariat, une vingtaine d'étudiants avec des femmes criaient : Vive la France! et agitaient des cannes.

Mais la retraite qui traversa le XXe arrondissement fut l'occasion d'incidents d'un tout autre genre. La foule ouvrière, massée dans les rues, manifesta avec violence. Rue de Belleville, rue Julien-Lacroix, les cris : *Vive Rousset! A bas l'armée!* l'accueillirent. Des fenêtres descendaient des huées. La musique ayant attaqué *la Marseillaise, l'Internationale* jaillit d'entre les pavés. Des bagarres eurent lieu sur toute la traversée de l'arrondissement, si bien qu'on dût abandonner l'itinéraire prévu et fuir littéralement devant la foule. Tout le quartier resta debout très tard, manifestant et chantant, victorieux. La police avait arrêté treize personnes qui furent passées à tabac.

Au lendemain de ces incidents, le gouvernement décida de ne plus publier l'itinéraire des retraites. C'était là avouer à quel point on était sûr de la population. On entendait sans doute lui inculquer le patriotisme par surprise. Tactique qui réussit au début des guerres. Mercurot pestait contre les syndicalistes et contre le gouvernement, qui n'avait pas fait immédiatement fermer la Bourse du Travail et occupé les

locaux de *l'Humanité*, de *la Bataille syndicaliste* et de
la Guerre sociale.

Les événements de Belleville donnaient, il est vrai,
à réfléchir. A une réunion de *l'Immobilière du Maroc*,
Quesnel parlant avec un membre du gouvernement
stigmatisa aussi la faiblesse de Poincaré. Celui-ci pourtant n'était pas à critiquer. Il suffisait de lire les journaux, comme le faisait remarquer Joris de Houten,
pour voir qu'une nouvelle ligne y était développée :
à partir du 15 mars, on eût dit que les journaux cherchaient à semer la panique. Bien qu'aucun nouveau
crime ne se fût produit qu'on pût imputer à Bonnot
et ses amis, la hantise des bandits en auto brusquement fut portée au décuple dans toute la presse. Pas
un incident qui ne fût relié à l'affaire, la police malgré
ses arrestations multiples était violemment attaquée
pour n'avoir pas mis la main sur les principaux coupables. On ne disait plus les bandits, la bande Bonnot,
on disait : EUX! En même temps les demandes se
multipliaient de nettoyage des organisations ouvrières,
des milieux anarchistes et antimilitaristes; on réclamait le renforcement de la police. D'autres sujets
d'inquiétude venaient s'ajouter aux soucis des
patriotes. Le mouvement des mineurs en Angleterre,
déclenché au début de mars, avait entraîné une grève
en Allemagne vers le 10 mars, qui allait s'étendant.
En France dans le bassin d'Anzin, après bien des
tergiversations, malgré le freinage du syndicat, les
mineurs décidaient la grève le 17. Après même la
reprise du travail en Allemagne, la grève d'Anzin
se développait. En Angleterre, le 20, Tom Mann était
arrêté pour excitation au désordre. D'Anzin le 21, la

grève passe à la compagnie d'Aniche. Déjà on parlait
de grève en Bohême et en Belgique. Cette espèce
de contagion internationale était vraiment menaçante.

A Berck, Catherine entendait les échos très proches
qui venaient d'Anzin et d'Aniche. Le beau-frère de
Mélanie avait été jeté en prison; sa femme, battue à
coups de crosse, sur les seins, eut une fièvre violente
et son lait s'altéra. Les doigts de l'enfant s'agitèrent
un matin, et il mourut. C'était ce jour-là que Jouhaux
était venu parler à Denain. Le lendemain les mineurs
reprenaient le travail.

Dans la nuit du 22 au 23 mars, Guinchard, des
Transports, était assailli par un groupe de jaunes et
blessé. On avait au Consortium beaucoup redouté
la grève de solidarité des Transports, promise au
meeting du manège Saint-Paul. La presse ouvrière
accusait ouvertement les hommes du Consortium,
les Joseph Quesnel, les Laurans, les Jéramec, les Sède
de Liéoux, d'avoir machiné l'attaque du secrétaire
des Transports.

Wisner était indigné. L'audace des meneurs était
vraiment incroyable. Il fallait en finir véritablement.
On avait fait appel à la police pour la défense des
chauffeurs, on avait fait appel à la garde, on l'avait
assise sur le siège. Cependant les taxis continuaient
à se renverser, à flamber. Maintenant on menaçait
les dirigeants du Consortium. A qui ferait-on appel
pour défendre leur vie, et serait-ce en vain?

Joseph Quesnel, au téléphone, passa au ministère
de l'Intérieur un de ces savons qui comptent dans la
vie d'une police. Dans la police, d'ailleurs, le torchon
brûlait : le 23 mars le sous-chef de la Sûreté, Jouin,

se rendait chez Lépine et donnait sa démission. Personne n'était dupe du prétexte de santé : on savait que des discussions opposaient Jouin et Guichard. Et Jouin s'était enfermé deux heures avec le préfet : ce n'était pas pour lui faire écouter ses battements de cœur.

Un peu après huit heures du soir, Jeannette, qui enlevait le couvert dans le petit logement de Levallois où ils habitaient, dit à Victor : " Si nous n'allons pas au cinéma ce soir voir Rigadin, il y aura du malheur ! " Dehaynin la regarda avec étonnement. Elle se fit câline, et rougit très fort. " Tu comprends, c'est plus fort que moi, j'y pense tout le temps. Probable que c'est mon état. Mais si tu ne me passes pas ma fantaisie, vois-tu que le petit, quand il viendra, ressemble à Rigadin ? "

Ils descendirent donc, mais comme il était un peu tôt, ils s'arrêtèrent au café Bareyre. Là, une société de chauffeurs, la Mutuelle " Auto-Aéro ", tenait une réunion dans le fond. Victor serra quelques mains de connaissances. Jeannette et lui s'assirent à l'écart, près de la vitre de la devanture. Ils bavardèrent. Ils avaient beau faire, parler de la grève, toujours ils revenaient au même sujet : le petit. Comme leur vie allait être modifiée ! Ils se regardaient en riant. Victor tenait la main de Jeannette.

" C'est drôle, dit-elle, je suis un peu lasse. "

Victor s'inquiéta : on pouvait rentrer. Non, non : et Rigadin !

Jeannette buvait son café, quand deux coups de feu éclatèrent, au-dehors, trouant la vitre, et le verre se brisa sur la table, en face de Victor.

XVIII

Que s'était-il passé? Les rues étaient à peu près vides. De toutes parts, des cafés, des maisons, une foule se précipita. C'étaient des jaunes qui ayant quitté la place Collange se rendaient au garage Baudin, de la Compagnie Française. Ils étaient quatre. Il y eut une course dans la nuit. Maintenant voilà que les jaunes veulent nous tuer chez nous! Victor était sorti, laissant Jeannette à l'intérieur. Mais elle, inquiète, s'était dressée et l'avait suivi. Il voulait en vain la renvoyer. Il pouvait y avoir d'autres coups de feu. On entendit un cri : *Ayouda!* C'étaient des Corses.

La confusion était grande. Où avaient disparu les gens? Trois chauffeurs discutaient à côté de Victor. L'un d'eux, il le connaissait, un tout jeune, Bédhomme. "Occupe-toi de ma femme, je vais voir...

— Non, dit Bédhomme, j'y vais moi-même. "

Bédhomme se dirigeait vers le garage Baudin, quand les gens qui couraient lui dirent de se garer. Il y eut une fusillade dans la nuit. Du garage Collange, à l'appel de leurs camarades, une troupe de Corses du Consortium était sortie, revolver au poing, et ils tiraient. Bédhomme les vit tourner dans la rue de Cormeille.

A ce moment, une balle siffla. Un flic, éberlué, survenait, et il se rejeta en arrière : "Qu'est-ce que ça veut dire? " cria-t-il à Bédhomme. Et Bédhomme répondit : "Les gens qui ont tiré sont cachés rue de Cormeille." Tous deux s'avancèrent jusqu'au coin de la rue.

Il y avait là des hommes, se défilant les uns derrière les autres, collés au mur d'un côté de la rue. Le premier d'entre eux, un type rasé, jeune, plutôt petit, avec une cote bleue, et une sorte de casquette grise, cria : "N'avancez pas ou je tire!"

Un coup de feu éclata, et Bédhomme s'écroula aux pieds de l'agent.

Celui-ci se pencha sur son compagnon, tandis que les gens de la rue de Cormeille disparaissaient, si bien que ceux qui survinrent crurent que Bédhomme avait été tué par le flic.

Levallois bouillait. Malgré la pluie fine, qui transformait les rues étroites en une espèce de bain de vapeur froide, toute la population était sortie. Hier, Guinchard blessé, aujourd'hui un chauffeur de Levallois. Était-il mort? On ne voulait pas y croire. Il était bel et bien mort. Était-ce, oui ou non, le flic ou les jaunes? Les Corses! Il y avait un accent de haine terrible contre ces gens-là. On en parlait comme d'ennemis nationaux. De Corse vient une bonne part de la police. Victor et Jeannette n'allèrent pas voir Rigadin. Jeannette avait des douleurs au ventre. Ils rentrèrent.

Le lendemain, le député socialiste Willm déposait au bureau de la Chambre une motion demandant au gouvernement de reprendre les négociations avec le Consortium. L'émotion créée par l'assassinat de Levallois était grande. Cette fois, ce n'étaient pas les anarchistes. Au Consortium, on craignait le reten-

tissement de cette affaire. Le même jour, la crise
intérieure de la police devenait publique. Le chef de
la Sûreté, Guichard, renonçait lui-même à la masquer
davantage, et il déclarait aux journalistes :

"Depuis mon arrivée à la Sûreté, deux affaires
ont été ratées, celle de la rue Meslay et celle de la
rue Ordener. Il ne suffit pas, pour être chef adjoint
de la Sûreté, de se montrer bon policier, — qualité
qui appartient à M. Jouin, — il faut aussi être bon
fonctionnaire, c'est-à-dire respecter les ordres du chef,
et fonctionnaire discipliné comme il convient à un
subordonné. Il faut, en outre, savoir mener les
hommes. Je ne conteste pas que ce soit mon collaborateur, M. Jouin, qui ait mené l'affaire de la rue
Ordener de bout en bout et cela parle en sa faveur.
La raison officielle, ou du moins le prétexte donné
par mon collaborateur, est son état de santé. Or il
y a d'autres choses que je ne puis vous exposer. Je
suis et resterai chef de la Sûreté et j'entends que dans
les services mes subordonnés m'obéissent. "

C'est à ce moment critique qu'un nouvel et sanglant exploit de la bande Bonnot donna au gouvernement Poincaré l'occasion d'intervenir. Vers huit
heures du matin, le surlendemain de l'assassinat de
Bédhomme, dans la forêt de Sénart, une auto est
attaquée, le chauffeur tué, son compagnon blessé.
Six hommes s'emparent de la voiture et disparaissent.
A dix heures, ils sont à Chantilly. Quatre d'entre eux
pénètrent dans l'agence de la Société Générale, y
tuent un employé, en blessent deux, un quatrième
s'enfuit. Ils emportent le contenu des coffres, et sous
la protection d'un de ceux qui sont restés dehors,

qui tient une carabine, ils regagnent la voiture. Les
curieux n'osent pas intervenir. L'homme à la carabine remonte dans la voiture. Un de ses camarades
lui arrache son arme et tire sur la foule. La voiture
part.

A la Chambre, Franklin-Bouillon interpelle. Nous
ne sommes pas défendus, qu'est-ce qui se passe entre
Jouin et Guichard? " Cet état d'anarchie ne peut pas
durer. Je demande l'assurance que l'ordre sera rétabli
dès demain à la Préfecture de police. "

Le ministre Steeg répond. Il promet tout ce qu'on
veut. Il promet ce qu'il fait depuis des semaines
réclamer par toute la presse : " *La police sera renforcée.* " Dans cette minute où la Chambre sent passer
le frisson de la propriété en danger, le ministre de
l'Intérieur réclame des crédits. Augmenter le budget
de la police, voilà la solution qui fera disparaître
les dissensions entre ses chefs. Le ministre a la confiance de l'Assemblée.

Aussitôt, comme par enchantement, le différend
Jouin-Guichard s'aplanit. Les journaux du soir rassurent l'opinion publique. Elle n'a jamais su quel
était le fond de ce différend, elle ne le saura jamais.
Mais il est aplani, et c'est là l'essentiel.

Pourtant le meurtre de Bédhomme reste dans
toute cette idylle un point noir. Dans des conversations de couloirs, on a fait savoir au Consortium
qu'on ne souhaitait pas pour l'instant que de semblables faits se renouvelassent. Il allait falloir faire
une concession aux chauffeurs. M. Lépine se souvenait des funérailles d'Aernoult, il n'y avait que quelques jours, avec des centaines de milliers de travail-

leurs. Il ne voulait pour rien au monde encore un enterrement de ce genre-là dans Paris, et comment faire puisque le cadavre était à la Morgue? Interdire les obsèques, c'était pire encore.

En séance, Steeg répondait à Willm : "Le gouvernement a estimé qu'il avait à remplir un rôle de conciliateur et qu'il devait se présenter au besoin comme arbitre." Il avait laissé quatre mois les chauffeurs faire grève avant de tenir ce langage. "Des instructions, ajoutait-il, ont été données au préfet de la Seine en vue de saisir le Consortium des compagnies de la demande d'arbitrage que lui avaient adressée les chauffeurs en grève. Le Consortium des automobiles a répondu qu'il ne pouvait pas accepter la proposition d'arbitrage. Le gouvernement ne pouvait agir que par la persuasion." Mais le gouvernement acceptait le projet de résolution, il interviendrait si la Chambre le lui demandait. Elle le lui demanda donc.

En attendant, Lépine faisait enlever le corps de Bédhomme à la Morgue, et transporter à Levallois. C'était réduire l'importance des obsèques. Le même jour, la Chambre votait les crédits supplémentaires de police. Les députés socialistes, à l'exception du seul Vaillant, votèrent pour les crédits à ce gouvernement qui ne pouvait agir auprès des patrons que par la persuasion.

Le 28, jour de l'enterrement de Bédhomme, il y avait 25.000 ouvriers dans les rues de Levallois. Victor, pâle comme un linge, regardait par la fenêtre de sa chambre le cortège et ses drapeaux rouges. Il ne pouvait laisser Jeannette qui s'était couchée l'autre

soir, après les incidents du café Bareyre, et qui gémissait dans le lit, avec de la fièvre. Il voyait la mer ouvrière des casquettes, endiguée à perte de vue par
les maisons. Là-dedans s'avançait le corbillard, chargé
de couronnes de lilas blancs. Jeannette gémissait.

Les femmes des grévistes, dans le cortège, marchaient ensemble et leur premier rang portait une
énorme couronne barrée d'un ruban rouge comme le
sang de l'assassiné. Elles s'étaient habillées de leur
mieux pour faire honneur au mort. Elles avaient de
grands chapeaux à plumes, hauts et majestueux,
comme c'était à peu près alors la mode. Leurs robes
foncées, noires ou marines, étaient longues et larges
du bas. Celles qui portaient la couronne devaient
se retrousser d'une main pour marcher à l'aise. Elles
portaient des jaquettes longues, ou des manteaux,
ajustés au buste. Plusieurs pleuraient. Victor remarqua derrière le cercueil les représentants du syndicat
et du parti socialiste. Il y avait là Vaillant, celui qui
n'avait pas consenti à donner de l'argent à la police.
Fiancette avec un col dur et une cravate blanche.
Le gros Guinchard, remis de sa blessure récente,
avec une lavallière noire qui cachait toute la chemise.

"Victor!"

Il se retourna : sur le lit, Jeannette étendue avait
repoussé les draps. Et là, dans le linge ouvert, les
oreillers mâchés, elle regardait avec désolation, sur
ses cuisses écartées, un mélange de débris sanglants
qui coulait. Victor mit un moment à comprendre.
Puis, comme s'il fallait qu'il se convainquît, il vint
près du lit et souleva la chemise. Cela venait bien
du sexe. Il se mit à pleurer.

Le lendemain, le Consortium, par la voix de M. de Sède de Liéoux, parlant à un collaborateur du *Temps*, repoussait l'arbitrage du gouvernement. La *persuasion* n'avait pas fait son effet.

XIX

M. Marcel Habert, conseiller municipal de Paris, craignait que les bonnes paroles de M. Steeg à la Chambre ne restassent de bonnes paroles et que la police ne fût pas renforcée. A l'Hôtel de Ville, il s'en ouvrit à M. Lépine, qui le rassura. La police serait renforcée. On avait déjà les sous.

En attendant, il fallait mériter la confiance publique. C'était le 25 qu'avait eu lieu l'attentat de Chantilly. Le 29, quatre jours après, le commissaire de Loménie avait déjà reçu un télégramme lui apprenant où retrouver l'un des bandits qui avaient opéré à la Société Générale. Cette rapidité étonnante cadrait trop bien avec les nécessités de la politique pour qu'on pût vraiment s'en étonner. Elle venait apporter une preuve de plus du fait que les exploits de la bande étaient en réalité autorisés par la police; il y avait du héros chez ces révoltés qui jouaient leur tête, mais à leur ombre il y avait Lépine et Guichard qui gagnaient au jeu.

Catherine se promenait dans Berck, assez désemparée. Elle avait fermé sa porte aux quelques gens qu'elle connaissait. L'histoire de la mort du petit

neveu de Mélanie l'avait jetée dans une espèce de
rage. Devant elle, il y avait des enfants qui jouaient,
et cela l'irritait. Elle remarqua un jeune homme avec
un pardessus gris et une casquette de jockey, qui
trimbalait une valise et un paquet, et qui semblait
chercher son chemin. Où l'avait-elle déjà vu? Une
espèce de souvenir de banlieue et de fleurs printa-
nières... Tout d'un coup, lui aussi l'aperçut, et il
eut comme une hésitation, il la connaissait évidemment. Elle alla vers lui, instinctivement. Il sourit,
avec une espèce de gêne. C'était presque un gamin,
assez pauvrement habillé. Au moment même où ils
se parlèrent, elle le reconnut : c'était lui qui lui avait
tenu la main, à Romainville, chez les gens de *L'Anarchie*.

"Je ne me trompe pas, dit-il, c'est vous qui vous
êtes trouvée mal, l'autre année... "

Elle fit oui, de la tête. Elle avait envie de lui prendre
son paquet, trop lourd pour lui. Un pitoyable gosse,
rongé par la maladie. Il ne voulut pas, et tout de suite :

"Vous savez, vaut mieux vous prévenir : c'est
pas utile qu'on nous voie ensemble dans la rue. On
me recherche...

— Allons chez moi? "

Il hésita. Irait-il? Et puis avait-elle saisi ce qu'il
lui disait. Il baissa la voix : "Pour l'affaire de Chantilly. "

Qu'est-ce que ça pouvait faire à Catherine? Ils
gagnèrent donc la villa Baisedieu. Mélanie était déjà
ressortie. Ainsi Catherine se trouva accueillir sous
son toit *l'homme à la carabine*, le terrible Soudy lui-
même, un enfant triste qui ne savait pas où poser

son paquet, si pesant, avant de se mettre en quête
de l'ami chez lequel il devait aller. "Oui, je me sen-
tais surveillé à Paris. Après l'histoire de l'autre jour.
Rien de précis. Mais je rencontrais tout le temps les
mêmes figures. Je me suis énervé, alors j'ai télégraphié
à un cheminot, Baraille. Un copain. Révoqué pendant la grève de 1910. Quelqu'un de sûr. Il ne livre-
rait pas un camarade. J'arrive... "

Il y avait des conserves. Ils mangèrent. Elle lui
demanda des nouvelles de *L'Anarchie*. Il parlait d'une
façon légèrement gouailleuse. Ce qu'il y en avait
sous les verrous! Et le plus drôle, des gens qui n'y
étaient pour rien. Il avait une admiration sans réserve
pour les autres, les vrais. Qui ils étaient, combien,
là-dessus il était discret. Mais tout de même. Fier
d'avoir joué sa partie à Chantilly. Qu'allait-il devenir?
Oh! simplement se faire oublier. Il avait un peu d'argent, il passerait en Belgique. De toute façon, s'il
était pris, ce n'était pas une grande perte. Une loque.
Il n'en avait plus pour longtemps. "On dit ça, dit
Catherine. Les médecins m'avaient condamnée, moi,
et puis je ne suis pas morte.

— Moi, si on me condamne... "

La phrase se terminait par un geste de couperet.
Soudy cligna de l'œil et rigola. L'enfant se vantait
un peu. Quand ils eurent mangé, ils parlèrent du
passé, de Libertad. De mille choses. De l'amour.
Cela commençait comme toujours par des histoires
sur l'éducation sexuelle, des airs de sceptique. Puis
Soudy raconta sa propre histoire. L'amour, il avait
connu ça. Deux ans qu'ils avaient vécu ensemble.
Elle l'avait quitté. Le trottoir. Un an passe. Il la ren-

contre. Elle était bien arrangée, fardée, surprenante.
Toujours elle, tout de même, et différente. Il la garda,
mais pour quelques jours. Elle avait disparu, et lui
il avait la vérole. L'amour...

On frappait à la porte. Qui pouvait venir à cette
heure? Catherine mit rapidement Soudy, son paquet,
sa valise, dans la pièce de derrière. Elle ouvrit. Derrière le commissaire de Berck, un agent en civil,
bien reconnaissable. Et ce brave M. Baisedieu.

On avait vu entrer un homme... Eh bien? Comme
on recherchait quelqu'un, Mlle Simonidzé serait assez
aimable. Non. Elle répondait avec sécheresse, elle
était chez elle, on n'avait pas le droit. Le civil la poussa
de l'épaule, c'était inutile de résister. Ils regardèrent
la pièce, et tout de suite ils allèrent au fond, là où *il*
était.

Catherine sentait clairement qu'il fallait dire quelque
chose : " Messieurs, ces manières sont inqualifiables
et je vous prie de me montrer votre mandat de perquisition... "

M. Baisedieu agita le poing en murmurant quelque
chose. C'était lui évidemment qui avait appelé la
police. Mais déjà le flic avait ouvert la porte du fond :
la pièce était vide. Soudy avait filé par la fenêtre
ouverte. Les policiers se retirèrent avec des excuses,
pas très convaincus. Baisedieu râlait. " Je vous dis,
monsieur le Commissaire... "

Le lendemain matin, samedi, à la sortie du petit
chalet du cheminot Baraille, *l'homme à la carabine*
tombait dans une souricière : Jouin lui-même opé-
rait, avec le commissaire spécial Escande. Il fut arrêté
à la gare.

Une note de plus vint s'ajouter au dossier de Simonidzé (Catherine). Mais on ne pouvait pas l'impliquer
dans l'affaire. Soudy avait déclaré qu'il avait été directement de la gare chez le cheminot.

On ne remarquait guère dans les journaux du lendemain, à côté des détails de cette arrestation sensa-
tionnelle, l'entrefilet annonçant le suicide du lieutenant Pierre de Sabran.

Le soir de l'arrestation de Soudy, la retraite militaire à Paris avait été menée avec éclat. Suivant les
dernières ordonnances, on n'en avait pas publié l'itinéraire. Elle passa vers neuf heures devant la Bourse
du Travail. On voulait une démonstration de force.
Il y avait là une police en civil considérable. Quand
la Marseillaise éclata, aux fenêtres du premier quelqu'un cria quelque chose qu'on n'entendit même pas.
Immédiatement le cortège manifesta contre la Bourse,
des pierres volèrent aux fenêtres, les cannes furent
brandies, les poings agités. Il y avait là très peu de
monde. Deux ouvriers qui étaient sur le pas de la
porte furent littéralement lynchés, roués par les
patriotes en délire. La *Marche lorraine* ponctua ce beau
fait d'armes aux cris de *Vive Poincaré! Vive la France!*

C'était la revanche de Belleville. Le capitaine Mercurot triomphait.

Sa belle-sœur cependant à Berck poursuivait une
vie tranquille. Malgré M. Baisedieu qui marmonnait
sur son passage et dont la femme s'essayait à toutes
sortes de vexations ménagères contre Catherine. Mélanie écumait. " Mademoiselle est bien trop bonne. Ce
serait moi... "

L'affaire de la rue d'Offémont (comme on appe-

lait l'histoire de la mort du jeune Sabran) défrayait
la presse, et apportait une espèce de diversion politique, dont le gouvernement allait pouvoir faire
usage.

Au début d'avril, un mot de Victor apprit à Catherine la fausse couche de Jeannette. C'était un mot si
triste, mêlé de propos sur la grève, sur la mort de
Bédhomme, sur les manœuvres du Consortium. Catherine songea à la petite Judith Romanet, morte de
n'avoir pas voulu d'enfant. Comme elle avait trouvé
ça mal de cette malheureuse, quand après l'avortement Judith avait regretté de n'avoir pas gardé le
mioche. Eh bien, pour Victor... c'est-à-dire pour Jeannette, elle éprouvait un sentiment tout autre, un
regret infini. De quoi aurait-il eu l'air, ce petit? Décidément bien des choses avaient changé dans sa tête.
Elle se sentit soudain égoïste, dans son isolement.
Tant de malheurs, de catastrophes autour d'elle. L'annonce dans les journaux du suicide, à Étampes, de
la sœur de Soudy vint s'ajouter à cela. Cela n'avait
rien à voir avec l'arrestation de *l'homme à la carabine*.
Une histoire lamentable et simple, des parents qui
s'opposaient à un mariage, et elle s'était tuée près
du lit de son ami, comme ça, d'un coup de revolver.
L'amour... L'accent terrible et railleur du petit Soudy
lui revenait aux oreilles. Le monde est une machine
sanglante à laquelle les êtres se déchirent comme des
doigts arrachés.

Encore une fois, Catherine quittait Berck. A Paris,
elle vint se remettre au service des grévistes, rue
Cavé. L'atmosphère de la grève était bien changée
depuis les jours de décembre. Il y avait tout de même

de la fatigue et du désespoir. Les grèves de solidarité promises ne se déclenchaient pas. On avait de moins en moins d'argent. Le printemps de Paris est humide et froid. Des signes de lassitude apparaissaient dans les meetings. On n'arrivait jamais à rien. Le gouvernement n'avait pas pu faire céder les patrons, alors!

Par contre, Aristide Briand, ministre de la Justice, avait remporté à la Chambre un succès de séance en répondant à *L'Action Française* sur l'affaire Sabran.

Dans la soirée du 13 avril, une auto passant rue Cavé, au moment où les ouvriers sortaient du meeting, chargea les grévistes et plusieurs coups de feu en partirent qui n'atteignirent personne. On prétendit dans les journaux que c'était la bande Bonnot. A vrai dire, c'était une simple supposition : l'opinion régna bien plutôt parmi les grévistes que c'était une nouvelle attaque dans le genre de celle de mars qui avait coûté la vie à Bédhomme. En fait, jamais cet incident ne fut relevé par la suite au cours du procès de la bande. La Sûreté devait être fixée sur le caractère des automobilistes de la rue Cavé.

Le naufrage du *Titanic*, qu'on apprit par les journaux du 16, y chassa comme une romance entêtante presque tous les autres soucis des lecteurs. *Plus près de toi, mon Dieu!* devint à Paris le cantique à la mode, et les illustrés représentaient le navire s'abîmant tandis que l'orchestre joue encore cette confondante jérémiade. La France oubliait du même coup Bédhomme, Pierre de Sabran et autres histoires déplaisantes.

Le 18 avril, à la Bourse du Travail, au milieu d'une

angoisse générale, Fiancette prononçait l'oraison
funèbre de la grève :

" La grève est finie. Certes, nous pourrions encore
prolonger la lutte. Il n'y a pas aujourd'hui en circulation une seule voiture de plus qu'hier. Mais des
défections d'un autre ordre se sont produites : bon
nombre de chauffeurs qui travaillent ne versent plus
à la caisse de grève. Celle-ci est maintenant vide.
A quoi bon maintenant acculer à la misère, par l'éter-
nisation d'une lutte sans issue immédiate, les meilleurs
d'entre nous? A quoi bon risquer dans une défaite
complète et définitive l'avenir d'un syndicat aussi
vivace aujourd'hui qu'hier? "

Ce langage très humain, très sensible toucha le
cœur de nombreux journaux. C'était bien là ce Fiancette, qu'on avait tout le long de la grève considéré
comme un homme sérieux et dont les déclarations
avaient toujours été telles, qu'on n'avait pas pu le
tenir pour solidaire des actes répréhensibles des grévistes. " Je vous le disais bien, répétait Wisner à
Joseph Quesnel, qu'avec cet homme-là on pouvait
parler! "

On ne pouvait tout de même pas avoir la paix :
la grève était finie, mais Wisner avait maintenant
le souci de l'affaire Sabran. Cet imbécile de Brunel!
Et Diane qui n'allait pas bien...

Catherine se trouvait libre, et oisive. Ces quelques
jours au service des grévistes l'avaient acquittée d'un
certain poids. Victor vaincu n'était plus tout à fait
le même pour elle, elle s'en délivrait. Elle avait même
réussi à être assez amie avec Jeannette.

Le 19, les taxis roulaient dans Paris. La grève

avait duré cent quarante-quatre jours. Le journal
apportait la nouvelle de la révolte de Fez. Les Marocains se soulevaient. Mais ce qui retint Catherine
qui lisait en attendant sa sœur Hélène rue Blaise-
Desgoffe, ce fut le télégramme suivant de l'agence
Reuter :

*" Saint-Pétersbourg, 18 avril. — D'après un télégramme
d'Irkoutsk, les désordres qui règnent depuis quelque temps
aux laveries d'or de la Cie Lena sont devenus graves. Les
soldats appelés pour rétablir l'ordre ont tiré sur les ouvriers.
Cent sept de ces derniers ont été tués et quatre-vingts blessés.
Il semble que l'événement se soit produit à six heures hier
soir. Un groupe de grévistes, ayant vainement demandé la
mise en liberté de quelques-uns de leurs camarades, marchèrent sur la mine de Féodesia. Les troupes bloquèrent
la route et cernèrent les manifestants qui lancèrent quelques
pierres. La troupe tira alors plusieurs salves. "*

" Tu m'excuses d'être en retard, Katioucha, s'écria
Hélène en se précipitant dans la chambre, j'ai dû
ce matin aller à l'église de la rue Daru, à un service
pour le Tzar ! "

XX

C'est le jour suivant qu'eut lieu chez Mercurot
le dîner où Catherine rencontra le lieutenant Desgouttes-Valèze. Ils sortaient ensemble le lendemain
matin au Bois de Boulogne. Le surlendemain, Catherine était la maîtresse du jeune officier.

Cette fille folle et enthousiaste, qui s'était jetée passionnément aux hommes, venait de traverser près de deux ans de chasteté. C'était pour elle-même mons- trueux et presque incompréhensible. Maintenant, nue à côté de son amant endormi, elle rêvait, assise sur le lit de passage; tout naturellement, elle avait couché avec un officier. Cela la troublait et l'irritait. Est-ce qu'elle était une fille à soldats? Celui-ci était simple- ment un enfant blond, émerveillé, et qu'elle n'avait qu'à regarder pour que la vie lui remontât au visage. Un joli garçon. Ceux qui avaient commandé le feu aux mines de la Lena étaient peut-être aussi jolis garçons que Fernand. Car il s'appelait Fernand.

Suivait-elle une destinée, elle qui avait été d'abord à Jean Thiébault? Dans ce lit, sentant près d'elle la jambe de cet inconnu d'hier, elle pensait encore à Victor. C'était surtout Victor, l'inaccessible Victor, qui avait fait que dès les premiers mots d'amour elle s'était abandonnée à ce jeune cavalier, tout étonné d'un si rapide triomphe. Les mots d'amour... l'amour... Ah! le mot *amour* était pour la vie teinté d'avoir passé entre les lèvres du petit Soudy, ce gamin tendre qui avait la vérole et la tuberculose, et qu'on allait tuer un de ces petits matins.

Elle dit tout haut : "L'amour!" et contempla Fernand.

Les épaules de l'homme, jeunes et fortes, sortaient du drap, et la tête jetée de côté plongeait dans l'oreiller, avec la bouche mi-ouverte. Il dormait comme ils dorment tous. Catherine revoyait le sommeil de Régis, de Paul Jonghens, de Devèze, de bien d'autres, dans celui de Fernand. Celui-ci, comme tous les autres, avait pu la faire crier, il n'avait pas pu l'attendrir.

Il ne se réveilla pas quand elle se leva. Il avait bien fait l'amour, il pionçait. Elle s'habilla, s'arrêtant comme une voleuse. En bas, le garçon la regarda drôlement.

Le soir même elle filait à Berck. Elle ne répondit pas aux lettres du lieutenant Desgouttes-Valèze.

C'est de Berck que Catherine vit se dérouler cette sanglante fin d'avril où sombra Bonnot. Après Soudy, dès le début du mois les arrestations s'étaient multipliées : Carouy vendu par un camarade, Callemin vendu par une femme. Mais là-dessus, au cours d'une perquisition à Ivry, le sous-chef de la Sûreté, Jouin, se trouvant soudain en face de Bonnot, est abattu de deux balles de revolver. Ainsi se termine la rivalité qui déchirait la police. Le réseau des délations s'est si vite resserré qu'il faut croire à un incroyable amas de traîtrises subites, si l'on n'admet pas que tout le long de leur terrible et grande aventure, ces héros dévoyés aient été suivis pas à pas par les hommes de cette police qui faisait semblant de les rechercher.

Qui avait amené Jouin le 24 avril chez le revendeur Cauzy où il se rencontra avec la mort? Trop bien, et pas assez renseigné. Il est envoyé dans une maison d'Ivry, parce que de toute la France c'est là qu'on soupçonne que se trouvent les papiers du vol de Thiais, qui remonte au 3 janvier. Et de toute la France, voilà que c'est cette maison qu'a choisie Bonnot pour se cacher. Mais Jouin n'a-t-il pas reçu de son chef une leçon publique? Il est un fonction-

naire discipliné, il va là où on l'envoie. Il y trouve
la mort.

L'héritage du gouvernement Caillaux dans la police
est ainsi liquidé. Xavier Guichard prend en main
l'affaire. En quelques jours il en finira avec Bonnot;
suivant sa propre expression, il n'est pas seulement
un bon policier, mais un bon fonctionnaire. Et le
29 avril, l'hallali sonne à Choisy-le-Roi. Il faut maintenant supprimer Bonnot, il ne peut plus servir les
fins d'une police unifiée. On connaît la honteuse
histoire de cet assaut donné par deux compagnies
de la Garde Républicaine, d'énormes forces de police
et de gendarmerie, sous l'œil de Lépine et de ce même
Lescouvé, autour duquel, vingt-deux ans plus tard,
devaient se débattre à nouveau les mystères de la
magistrature et de la police française, au lendemain
des jours de Février.

Plus de mille hommes suffirent à en abattre un
seul. Un seul homme suffit à montrer d'une façon
éclatante la bassesse et la lâcheté de cette police française, si forte, quand il s'agit de faire des faux, de
glisser un revolver dans la poche d'un ouvrier qu'on
arrête, de pousser au crime ou à l'attentat ceux qui
ne savent plus, face aux banquiers, aux industriels,
aux provocateurs, s'il est un bien et s'il est un
mal; un seul homme suffit à éclabousser, de son
sang et de sa cervelle, les défenseurs d'un ordre, qui
deux ans plus tard allait s'auréoler de millions
de cadavres.

Mais avec Bonnot, en France, agonise l'anarchie.
Avec Bonnot, ce qui tombe c'est cette conception
même qui poussait Libertad à nier la division du

monde en classes, à demander à la fois la suppression
du banquier et du contrôleur de métro.

Le calme relatif des premiers jours de mai fut
pour Catherine une période de cauchemar. Bataille
pour bataille, elle comparait deux défaites : la grève
des taxis, le drame de Choisy-le-Roi. Tout le romantisme de sa jeunesse était pour qu'elle applaudît
encore à la chute des Titans, à l'épopée d'éclair qui
avait pendant cinq mois sinistrement illuminé un
monde. Mais à ce va-tout, à ce qui perd gagne, à ce
pile ou face, s'opposaient les cent quarante-quatre
jours de lutte des chauffeurs. Elle ne pouvait plus
avoir ce mépris des petites tâches quotidiennes, ce
mépris des syndicats, du socialisme, qu'elle avait
éprouvé jadis avec toute la supériorité de quelqu'un
qui s'en passe, et qui mange après tout chaque jour.
Elle avait vu de trop près cette autre forme d'héroïsme. Une lettre de Victor qu'elle reçut vers le
milieu de mai disait : *" Maintenant on s'est mis à recruter
pour le syndicat. J'ai fait une réunion de garage... "* Où
sont les Titans d'aujourd'hui? Tandis qu'elle lisait
ce mot très simple, avec une émotion dont elle ne
comprenait pas elle-même le fondement, à Nogent-
sur-Marne, commençait le siège de la maison où
étaient réfugiés Valet et Garnier. Cette fois, on employa les mitrailleuses. Cela passa Choisy-le-Roi en
horreur. De Paris, en auto, étaient venus des gens
du monde qui avaient des relations à la Préfecture
et dans la presse. Les petits-fils des Versaillais accou-
raient prendre une leçon de guerre civile, comme
ils avaient été deux mois plus tôt à Vincennes, comme
ils allaient le 14 juillet à Longchamp prendre une

leçon de patriotisme. Aux yeux de ces gens, qui
avaient délaissé le théâtre pour un spectacle plus réel,
qu'on ne s'y trompe pas! les bandits étaient surtout
des ouvriers rebelles. Ce n'est pas pour rien que
les propriétaires apprennent à leurs chiens à mordre
tous les hommes en casquette. Garnier et Valet, donc,
à trois heures du matin, moururent.

A Berck, M. Baisedieu se faisait insupportable.
La mitoyenneté des villas rendait les choses plus
gênantes. Un jour, au début de juin, Catherine était
dans son jardin que ne cloisonnait du jardin Baisedieu qu'une haie de buis; de son enclos, le propriétaire eut un accès de rage à la vue de sa locataire.
La paralysie générale le guettait, il faut dire, l'estim-
able croupier en retraite. Peut-être aussi était-ce le
regret cuisant d'être lié à Mme Baisedieu qui lui faisait haïr si violemment les jolies femmes. Toujours
est-il que sur un échange très banal de réflexions,
une observation de sa part, à laquelle Mlle Simonidzé avait répondu avec sa voix hautaine et chantante, Baisedieu se mit à hurler :

« Putain! Putain! Putain! »

Ce n'était pas par le bon caractère que brillait
Catherine, mais aussi mettez-vous à sa place. Elle
avait une canne à la main, parce qu'elle allait partir
en promenade, et Baisedieu derrière la haie jardinait.
Elle ne fit ni une ni deux : fendant les fusains comme
une vague, elle passa chez son propriétaire et lui
cassa son gourdin sur la figure.

La police de Berck, qui n'avait pas oublié le jour
de la venue de Soudy dans la ville, saisit cette splendide occasion de se débarrasser d'une personne sus-

pecte, contre laquelle on n'avait jamais rien eu de positif. N'est-ce pas, il n'y avait pas seulement violences à cet excellent M. Baisedieu, mais il y avait bris de clôture. Catherine était de nationalité russe. Elle fut expulsée avec deux ans d'interdiction de séjour.

Elle s'en fut à Londres, où elle logea dans un petit hôtel de Soho. C'est là qu'elle demeura jusqu'à l'hiver. La vie du monde coulait toujours aussi sanglante et chaotique, mais d'un pays tout à fait étranger pour elle, les événements avaient une autre couleur. Il y avait dans une traverse de Tottenham Court Road un hôtel-restaurant où dînaient des gens du monde et les artistes. Une espèce d'aquarium international avec des palmiers et des pots d'argent. Une cousine de Miss Baxton l'y avait menée, et Catherine y revint souvent avec un jeune peintre qui lui avait parlé dans la rue parce qu'il l'avait prise pour une Française.

Garry Lytton était très beau à la manière de Cambridge. Son sport était l'aviron. Il avait gagné le match annuel sur la Tamise. Ils s'embrassèrent au cinéma. L'été venait. Il fit inviter Catherine à des week-ends chez des amis à la campagne. Garry fut pour Catherine la solution commode d'un problème. Elle regardait son beau garçon assez stupide, et elle pensait : L'amour...

Cette période de sa vie fut consacrée à la lecture. Tandis que Garry peignait ou ramait, elle lisait. Elle passait de longs jours dans les bibliothèques. Elle étudiait l'histoire du mouvement ouvrier. En parlant à Paris avec Victor, elle avait éprouvé la honte de ses ignorances. Il y a tant de choses, que les ouvriers savent, à quoi ils font allusion parce que cela touche à l'histoire de leur classe, et qu'on ignore quand on n'a d'autre éducation que celle de la bourgeoisie.

Londres est plein de souvenirs, non seulement des souvenirs de l'histoire sanglante de ses rois, de l'histoire de ses fêtes, mais aussi des vies de ceux qui s'y sont cachés. Et ces souvenirs-là que personne ne fait revivre y attendaient Catherine avec un charme plus fort que le brouillard. Londres est la ville des émigrés politiques. Leurs ombres dans Covent-Garden, dans l'East End plein de Juifs et de romances, avaient pour elle un chatoiement de moire. Tout le monde qui fuyait Paris et M. Thiers tournait encore ici pour elle. Elle y rechercha les traces de la petite Laura qui était morte l'autre hiver. C'est ainsi qu'elle entendit la voix de Marx.

Il y a des livres qui ferment un monde. Ils sont un point final, on les laisse et on s'en va. Plus loin, ailleurs, n'importe! Il en est d'autres qui sont les portes de notre propre pays. Pourquoi fût-ce plus particulièrement *Le 18 Brumaire de Louis Bonaparte* qui joua ce rôle pour Catherine? Il faudrait savoir où s'en allaient ses pensées dans la petite chambre de Soho où dès huit heures on la réveillait pour lui apporter un pot d'eau chaude.

C'est donc dans ce Londres, où une fille comme elle, une Russe, venait, au temps de la Commune, apporter à Marx le message des insurgés, une belle fille, qui avait des parents riches, là-bas chez les tzars, que Catherine commença à douter pour de bon de l'anarchie. Toute l'histoire de la dernière année enfin

se résumait à ses yeux. Par des Géorgiens exilés,
elle se lia avec des socialistes anglais, elle rencontra
des Russes du parti ouvrier socialiste. En septembre,
tandis que Garry s'en allait en Irlande chez une tante
à héritage, elle s'en fut visiter le Pays Noir : dans
l'aire minière du Pays de Galles, elle vit des hommes
rudes et des femmes comme elle ne soupçonnait
point qu'il y en eût. Elle toucha le fond de la misère.
L'épuisement de la dernière grève y était lisible comme
une maladie sur un visage d'enfant. Dans ces régions
où chaque année, sur le travail forcené des mineurs,
on prélève non seulement les bénéfices des compagnies, mais des millions pour les propriétaires de
terrains, dont plusieurs membres de la famille royale,
la mortalité était monstrueuse : elle l'est encore. Catherine descendit dans les puits avec les chefs des Trade-
Unions. Elle suivit une campagne de meetings. Ici
plus que jamais elle retrouvait la leçon initiale, celle
de Cluses. Partout le prolétariat était à l'image de ce
grand enfant qu'elle avait vu tomber.

Cependant à travers l'Europe l'écho des blessés et
des mourants des Balkans se traînait. De guerre en
guerre, le feu, qui semblait s'apaiser par instants,
renaissait comme une soif inextinguible. Le monde
avait des poussées brusques d'herpès un peu partout :
un accès brutal de fièvre, puis ça se localise, et ce
n'est pas encore pour cette fois le grand typhus qu'on
a craint. Joris de Houten, de passage à Londres pour
affaires, vint voir Mlle Simonidzé.

Elle n'avait guère envie de sortir avec lui, elle
avait comme cela des arrière-pensées sur lui et ses
rapports avec Lépine. Mais quoi, on était en Angle-

terre! Et puis elle était fatiguée de Garry. Cela ferait une soirée sans lui.

Joris connaissait le petit restaurant près de Tottenham Court Road, et cela lui paraissait le fin du fin, il ne voulait pas dîner ailleurs. Ils n'y furent pas plus tôt attablés que d'une table voisine des mains se tendirent. Deux Français, des amis de Joris.

Brunel, brûlé à Paris, ne l'était pas pour ses anciens clients qui l'avaient toujours connu comme usurier, et à qui le scandale n'apprenait rien. Le comte d'Évreux d'ailleurs disait : " J'ai les idées larges, moi. Je dînerais bien avec mon bottier. " En fait, chargé d'une mission en Angleterre, il avait été heureux d'y retrouver Brunel, qui lui facilitait matériellement une aventure à laquelle il tenait. Londres est d'un cher! Et puis il faut voir comme les Anglais vivent. Brunel aussi semblait avoir à Londres une sorte de mission. Il avait un peu changé de nom. On l'appelait Brunelli maintenant. En fait, c'était son nom véritable. Il était Niçois.

Le dîner, au bout du compte, fut assez ennuyeux, parce que ces messieurs parlèrent sans arrêt bourse et pétroles, le cours de la Shell, les affaires Mantacheff, etc. Ils étaient aussi inquiets sur la question d'une guerre prochaine que Keir Hardie ou Tom Mann.

Brunelli demanda à Mlle Simonidzé l'autorisation de venir lui présenter ses hommages. Évidemment c'était un personnage douteux, et pas très recommandable, mais il avait une bonne humeur qui changeait Catherine de Garry. Et puis il ne respectait rien, il avait un cynisme qui flattait souvent les idées

de la jeune femme. Ils sortirent plusieurs fois ensemble
en octobre et novembre. Ils se rencontraient au Café
Royal, dînaient dans Leicester Square, allaient au
music-hall, et même dans les boîtes de ce faux Montmartre qui ferme tôt. Ils parlaient politique, et Brunelli disait qu'il adorait le socialisme au champagne.

Catherine le méprisait, et ces sorties contrastaient
très singulièrement avec ses occupations, ses fré-
quentations habituelles. Mais il y avait en elle une
espèce de besoin, une contradiction. Elle n'était pas
libérée des choses qu'avaient aimées sa mère et son
père, le propriétaire de puits de Bakou. Elle se reprochait parfois d'être là, en décolleté, avec ce bandit
en smoking, dans une loge de Piccadilly. Elle revoyait
le sud de Londres, au-delà de la Tamise, où elle avait
été le jour même. Mais qu'y faire? Elle aimait, à la
fois, et haïssait le luxe. Elle voulait certains soirs
oublier la misère. Son socialisme n'était pas encore
de très bon teint.

Et puis elle se jetait à n'importe quoi, pour se
distraire d'une idée profonde qu'elle ne s'avouait pas.
Au bout du compte il n'y avait pas grande différence
entre la passion qu'elle apportait à l'étude et la folie
de ces soirées. Tout lui était égal, maintenant que rien
ne la rapprochait plus de Victor.

Cependant un certain instinct lui fit éconduire
Brunelli qui la courtisait. Il s'acharnait, d'ailleurs.
Parfois elle se disait pourquoi pas? Mais elle avait
Garry Lytton. Il la préserva de cette erreur. Simplement parce qu'elle faisait suffisamment l'amour. Brunelli devait aller en Suisse à la mi-novembre. Il répétait tout le temps à Catherine qu'il fallait venir avec

lui, parce qu'elle se trouverait tout juste à Bâle où il allait y avoir un congrès international des socialistes.

Cette perspective ne déplaisait pas à Catherine, mais elle ne voulait pas y aller avec Brunelli.

Brunelli, au hasard d'une soirée, peut-être légèrement gris, s'était mis à parler de son ancienne femme. Une sentimentalité soudaine, brusque et profonde, l'avait saisi. Tout n'était donc pas complètement mauvais dans cet homme? Catherine découvrait ce Brunelli nouveau pour elle avec une curiosité assez grande. Elle avait entendu parler de Diane, elle l'avait même défendue jadis, on s'en souvient, contre Desgouttes-Valèze, et puis voilà que ce personnage s'éclairait singulièrement. Drôle d'amour que celui de Brunelli! Mais cet homme bizarre et cynique qui avait bien volontiers partagé Diane avec Wisner se remettait très mal d'une séparation définitive, d'avec cette femme plus forte que lui en affaires. Elle était en Égypte pour l'heure.

Cette faiblesse découverte établissait un lien inattendu entre Georges et Catherine.

Là-dessus une lettre de Victor donna à Catherine une nostalgie extraordinaire de Paris. On parlait de plus en plus de la guerre. Maintenant les alliés de la veille s'entr'égorgeaient dans les Balkans. C'était drôle, mais quand il s'agissait de la guerre, Catherine pensait invinciblement à Victor. Garry Lytton était vraiment trop idiot!

Quand Brunelli fut sur le point de partir, Catherine lui annonça soudain: "Vous savez? Je vous accompagne. Mais jusqu'à Paris seulement. J'y reste deux jours, et je reviens ici... " Il crut un instant que c'était arrivé, elle le repoussa gentiment, mais fermement. "Non, mon vieux, bas les pattes! — Vous savez, dit-il, c'est la première fois de ma vie que ça m'arrive. — Quoi? Jeune ingénu! — ... d'être rabroué comme ça. — Eh bien, ça vous fera les pieds. "

Ils arrivèrent dans un Paris de mi-novembre. Catherine prit une chambre dans un hôtel près de l'Étoile sous le nom de Ketty Simon. Pour deux jours, elle n'aurait pas d'histoire. Elle avait envoyé un mot à Victor. Elle ne verrait pas sa famille.

Brunelli tomba chez elle à l'improviste. Il était très gai, très entreprenant. Elle n'avait qu'une idée, qu'il s'en aille. Mais c'était comme un fait exprès, il s'incrustait. Elle faisait semblant de ne pas comprendre ses plaisanteries, assez grossières. Lui, il commençait à s'énerver. Il avait compté comme ça sur le dernier moment pour s'envoyer cette petite. Qu'est-ce qu'elle avait à ne pas vouloir? Ensuite, elle retournait à Londres, et lui partait.

Tout d'un coup, il perdit patience et la saisit dans ses bras par-derrière. Il enfouissait sa bouche moustachue dans le cou de la jeune femme. Elle se cabra et le rejeta violemment. Elle était furieuse. "Sors d'ici, sors d'ici, chien! " Il s'avançait, ne croyant pas à une colère si violente. Il reçut sa main en plein dans la gueule.

"Ah! si c'est comme ça, ma fille! " dit-il, dégrisé. Il prit son chapeau, son pardessus, et sortit.

Le soir même, un inspecteur de police se présentait chez Mlle Simon, et la priait de le suivre. Catherine coucha au Dépôt et le lendemain elle était à Saint-Lazare.

Une petite note dans les journaux tomba sous les yeux de Jean Thiébault. Jean vint à Saint-Lazare, il obtint la permission de parler à la prisonnière. Il y avait plusieurs années qu'ils ne s'étaient vus. La première parole du brillant officier d'état-major fut pour proposer une fois de plus à Catherine Simonidzé, interdite de séjour en rupture d'arrêt, de devenir la femme du commandant Thiébault. Elle le regarda avec une certaine émotion. Il avait vieilli. Ça ne devait pas être mal à lui de proposer ça. " Non, mon ami, dit-elle, jamais. "

Le commandant obtint l'élargissement de Catherine, qui fut refoulée sur la Belgique.

Elle n'avait pas vu Victor.

ÉPILOGUE

CLARA

I

L'année 1912 avait enregistré d'éclatants succès pour le socialisme international. Au printemps, les élections allemandes avaient fait du parti social-démocrate le plus grand parti du Reichstag. Le socialiste Scheidemann s'était assis au fauteuil présidentiel de cette Assemblée.

A Bâle, où devait se tenir le congrès international contre la guerre, le Grand Conseil cantonal était aux mains des socialistes. Ils n'étaient que 50 sur 130, mais les 80 autres sièges se séparaient entre libéraux, radicaux et catholiques, et ces derniers faisaient bloc avec eux.

Il y avait alors 130.000 habitants à Bâle, et là-dessus, d'après les listes d'impôts, on comptait 190 millionnaires. On y faisait de l'acier, des matières colorantes, du papier, de la bière, sans parler des industries électriques. Le Grand Conseil avait invité les délégués des partis socialistes de tous les pays, et l'évêque prêtait sa cathédrale pour le congrès. Ainsi s'exprimait cette alliance de la croix et du socialisme, qui était la base parlementaire du régime des 190 millionnaires de Bâle-sur-le-Rhin.

C'est de Genève qu'arrivait Brunelli. M. Sauvebon, son "directeur de conscience" comme il disait, lui avait recommandé de descendre à l'hôtel des *Trois Rois*. On était le 23 novembre, le brouillard s'éten-

dait sur le Rhin, bas, cotonneux. Au-dessous de cette
nappe grise on entendait les eaux du fleuve, on eût
dit de la vaisselle brisée. Par en haut, le brouillard
se déchirait de soleil, et cela poudroyait sur l'autre
rive du Rhin, comme un alliage d'argent et d'or.
Ainsi on y voyait surgir le front des maisons, et
parfois jusqu'à leur taille. Vieilles demeures bâloises,
aux fenêtres doubles, avec leurs volets verts et les
tuiles du toit brunies par l'âge.

Aux *Trois Rois*, le livre d'hôtel apprit à Brunelli
que M. Sauvebon était bien renseigné : il y avait là
déjà Camélinat, Vaillant, Jaurès, Compère-Morel et
Dubreuilh. Brunelli sifflotait, pensant avec une certaine ironie qu'il n'y a pas de sot métier. Il avait de
très beaux bagages, des bagages à faire se retourner
n'importe qui, même un socialiste, et il était habillé
avec des étoffes anglaises. L'hôtel n'avait pas l'air
mauvais. Mais Brunelli sentait en lui comme une
passion l'idée de ce Paris, dont il avait été l'un des
maîtres, et qu'il avait perdu. Il y songeait avec une
volonté ferme de le reconquérir. Ici, vraiment, commençait pour lui et sa profession nouvelle et son
nouvel espoir. Il reviendrait un jour à Paris comme
un triomphateur. Il y aurait part au pouvoir et tous
ces imbéciles, ces hypocrites qui lui tournaient aujourd'hui le dos viendraient à nouveau lui lécher
les bottes.

Après un brin de toilette, il sortit en ville. Il y
avait des cortèges dans les rues. Le Burgvogteilhalle
où devait s'ouvrir le Congrès était couvert de tentures, de drapeaux rouges avec des inscriptions dans
toutes les langues. On croisait dans les rues des mu-

siques, des chorales. Il était venu dans la ville, outre
les délégués, une foule considérable, paysans des
campagnes voisines, ouvriers de toute la Suisse. Tout
ce monde, le nez en l'air, baguenaudait par la ville
comme une immense tournée Cook. Au-dessus de
tout, dans le brouillard, résonnaient les cloches de
la cathédrale. Lourde, lourde, lourde, lourde chanson.
Les sons graves tournaient dans l'air comme une
inquiétude. Ils semblaient démentir l'aspect de fête
de la ville. Ils appelaient les sauveteurs vers quelque
lointain incendie.

Aussi bien le gouvernement d'Autriche-Hongrie
ne venait-il pas de mobiliser face à la Serbie victo-
rieuse? Un conflit austro-serbe entraînerait l'intervention de la Russie. Les cloches parlaient de cela
aux nuages. Le carillon de Bâle n'est pas joyeux :
c'est une voix d'alarme qui a retenti depuis le Moyen
Age pour annoncer bien des dangers et des guerres.
Une voix qui contrastait avec les flammes rouges des
édifices publics. Une voix de désespoir et de panique,
qui semble dire à Brunelli : *Il y aura toujours des guerres!*

Georges n'était pas très superstitieux, ni très sentimental. Mais, comme il le disait lui-même, il était
bon public. Fils de petits commerçants d'un faubourg
niçois, il avait gardé de son origine la faculté de
s'attendrir aux mélodrames. Il y avait dans Bâle qui
se préparait à la fête un étrange mélange du passé et
de l'avenir, de la réalité et de la légende, qui le saisit
tout à coup. Au fond de lui, il n'avait que mépris
de ces manifestations pacifistes, qu'il tenait pour du
décor : la guerre et la paix, ne savait-il pas où ça se
décide, lui, l'intime de Wisner, le prêteur sur gages

de tant de ministres ou de généraux? Le tapis vert
des conseils d'administration est moins romantique
que ce trompe-l'œil gothique à l'une des articulations
les plus rhumatisantes de la vieille Europe. Pourtant
le lamento des cloches que tout le monde trouvait
naturel éveillait au cœur du mari de Diane une émotion presque humaine.

Il entra dans la cathédrale. Cette bâtisse a l'air
d'une forteresse. Ou tout au moins, elle l'eut pour
Brunelli ce jour-là avec le brouillard. Les ressem-
blances de l'art militaire et de l'art religieux d'autrefois le firent ricaner. Il lui passa par la tête que les
socialistes venaient se réfugier ici comme les bourgeois jadis fuyant devant les seigneurs. Il pensait
aux seigneurs du jour, aux seigneurs de l'acier, du
charbon, du pétrole. Bon, pour lui, il s'imaginait
dans un petit costume du XVe siècle tout à fait rigolo.

Le chœur de la cathédrale était déjà entièrement
décoré de drapeaux et d'oriflammes rouges. Le
comique de l'affaire l'emporta pour Georges sur le
sinistre de la mise en scène. Pour n'être pas croyant,
ça, Brunelli n'était pas croyant. Les églises ne lui
en imposaient pas, elles suscitaient même toujours
chez lui une espèce de gaieté irrespectueuse, comme
devant un prestidigitateur maladroit dont on devine
tous les trucs. La simplicité des moyens, depuis le
filtrage de la lumière par les vitraux jusqu'à la hauteur des voûtes, lui faisait hausser les épaules. Mais
cette fois par-dessus tout, l'absurdité de la présence
ici des drapeaux mêmes qui sont ceux des batailles
de rues, les drapeaux des ouvriers insurgés, des com-
munards, des fusilleurs de prêtres... Brunelli ricana,

la farce était un peu trop grosse. Ces curés tout de même... Son chapeau à la main, il aperçut soudain Jaurès, qui se promenait dans les bas-côtés.

Le soir même, Brunelli écrivait à M. Sauvebon : "... Je m'arrangerai donc, en sortant de la cathédrale, pour ne pas perdre de vue M. Jaurès. J'étais là, non loin de lui, à ruminer comment je pouvais lier conversation avec lui, quand le hasard me servit, et j'eus la chance — M. Jaurès étant fort occupé à regarder de vieilles maisons, sans prendre le soin de monter sur le trottoir — d'être à portée de la main quand une auto qui passait faillit le renverser. Je le saisis par le bras, et le tirai en arrière.

"Il me remercia, et je le saluai par son nom. J'étais Français, nous avions fait connaissance. De plus nous habitions au même hôtel. Je me donnai pour un millionnaire excentrique, et c'était gagner un peu sa confiance que de ne pas avoir honte de ma richesse en lui parlant. Je lui dis que je venais du Maroc, où on m'avait laissé circuler sans méfiance à cause de ma fortune, et je lui fis un tableau effrayant de ce qui se passe là-bas. Il fut très intéressé, me dit qu'il m'interrogerait là-dessus plus en détail, ou si je voulais lui donner des notes. Je n'avais pas à me forcer pour inventer des histoires sur la cruauté française au Maroc. Il me suffisait de répéter ce que j'ai entendu raconter par un aide de camp du général Lyautey, il y a seulement quelques semaines, sans embellir. Et vous savez que je suis une âme sensible.

"Nous avons été ensemble, le grand Tribun et moi, voir de la peinture. Il y a des trésors artistiques à Bâle. Pour mon compte je préfère Paul Chabas à

ces vieux peintres, mais Jaurès, ma parole, à force
d'éloquence, m'a fait trouver admirable presque n'importe quoi.

"Il m'a promis de me faire avoir une place au
Congrès avec les journalistes, et je l'en ai vivement
remercié. Cela nous a tout naturellement amené à
parler des dangers d'une guerre. A vrai dire, Jaurès
ne croit pas à la possibilité d'une guerre, à ce qu'il
m'a semblé. C'est-à-dire qu'il croit à la possibilité
d'une guerre, mais qu'il est fermement persuadé que
les ouvriers de tous les pays empêcheront ça. Il a
grande confiance dans les ouvriers allemands, et il
dit que c'est le principal, parce qu'il croit que la question essentielle est la question franco-allemande, et
que jamais les Français ne prendront l'offensive. Le
danger lui paraît venir de la caste militaire allemande.
Il m'a parlé longuement, et avec beaucoup d'enthousiasme, d'une manifestation qui a eu lieu aux environs
de Berlin, à Treptow si je me souviens bien, en septembre de l'autre année. Des centaines de milliers
d'ouvriers y étaient venus protester contre les événements d'Agadir et la possibilité d'une guerre qui
eût pour base les ambitions allemandes au Maroc.
Le lendemain, le kaiser prononçait un discours qui
témoignait d'un recul, et Jaurès affirme que c'est
bien plutôt cela que la ferme attitude du gouvernement français, et le vibrant discours de notre président à Toulon, qui a sauvé la paix pour cette fois.

"Il me semble en fait que ce soit en des manifestations de ce genre que réside le fin mot des projets
socialistes en cas d'alerte. Par ailleurs, M. Jaurès
m'a parlé de ses vues sur la réorganisation de l'armée,

et je dois dire que, pour paradoxales qu'elles soient, elles ne m'ont paru ni folles, ni impossibles, ni même dépourvues d'esprit patriotique. "

Brunelli notait en passant plusieurs propos tenus dans la salle à manger des *Trois Rois* et concluait :

" Vous avouerez que pour un début cela n'est pas trop mal. Du premier coup, je parle au principal acteur de la comédie et c'est lui qui me loge à l'avant-scène. A part cela, le petit appareil est excellent. J'en ai fait quelques essais et je pense que vous aurez tous les portraits que vous désirez. Parmi les Allemands, j'ai déjà pu approcher un instant d'une femme qu'on considère comme l'un des plus dangereux éléments qui soient venus ici. On l'appelle Zetkin, mais je ne suis pas sûr de l'orthographe : je vérifierai... "

II

Clara Zetkin à Bâle a déjà passé la cinquantaine. La longue vie, la longue histoire qu'elle a derrière elle, n'est rien au prix de celle qui s'ouvre à son avenir.

Elle n'est pas belle, mais il y en a en elle quelque chose de fort, qui dépasse la femme. Plutôt petite, elle surprend par la largeur des traits. Ses cheveux sont blonds encore, et de cette espèce de cheveux lourds que ni peigne ni épingles ne peuvent jamais retenir. Le squelette du visage est marqué, puissant. On ne peut pas dans une foule faire autrement que de la voir. Elle est assez négligemment habillée, mais ce ne sont pas ses corsages rayés, ou la fourrure mal assise sur ses épaules, qui retiennent l'attention, qui l'attirent sur elle. Ce qu'il y a d'insolite en elle, ce sont ses yeux.

L'auteur de ce livre a vu vingt ans plus tard Clara Zetkin presque mourante. Alors encore, à Moscou, épuisée par la maladie et l'âge, décharnée et ne retrouvant plus son souffle au bout de phrases qui semblaient chacune venir comme une flèche du passé vivant qu'elle incarnait, alors encore elle avait ces yeux démesurés et magnifiques, les yeux de toute l'Allemagne ouvrière, bleus et mobiles, comme des eaux profondes traversées par des courants. Cela tenait des mers phosphorescentes, et de l'aïeul légendaire, du vieux Rhin allemand.

Dans la nuit qui précéda le congrès de Bâle, à l'hôtel des *Trois Rois*, un espion, avec le zèle du débutant, développe dans sa chambre une photo de Clara Zetkin qu'il est arrivé à prendre l'après-midi dans la rue. Il se penche sur la cuve, il est terriblement intéressé, parce que c'est la première photo qu'il fait avec le petit appareil que lui a remis M. Sauvebon, de Genève, dissimulé dans le pommeau de sa canne. Le cliché est minuscule, mais net, et il est aisé de l'agrandir. L'homme se penche sur la cuve, et il voit apparaître l'image de Clara Zetkin, qui ira figurer dans un dossier de police, au Deuxième Bureau du ministère de la Guerre où l'on prépare secrètement la riposte à ce congrès de plein jour qui va se tenir le lendemain.

L'espion est un homme cynique, mais que la nouveauté de son métier sans doute rend nerveux. Car cet individu, habitué aux plus belles femmes de Paris, se prend tout à coup, oubliant qu'il a devant lui le portrait d'une vieille femme, à rêver devant ce regard étrange qu'il a surpris comme un voleur. Il ne remarque pas la mince bouche germanique aux coins tombants, la bouche de Gœthe et de Hegel, non : il ne voit que le regard, les yeux clairs de Clara.

Qu'y lit-il? Les prisons des années de la guerre ou cette heure éclatante où la vieille femme surgit, malgré toute la police française, en plein Congrès de Tours en 1921, et y porte la parole de feu d'où naît le parti communiste français? Il regarde probablement sans plus cette ennemie, comme une autre, avec l'idée de s'en graver les traits dans la mémoire. C'est un homme pour qui les femmes qui s'occupent de politique ont toujours quelque chose de ridicule, mais il vient un instant de l'oublier.

A cette même minute, dans une chambre d'hôtel à Bruxelles, Catherine Simonidzé déballe ses affaires. Assise au milieu de ses valises, elle a ouvert une boîte d'où s'échappent des instantanés jaunis, les quelques souvenirs qu'elle traîne de sa vie. Comme tout cela lui est étranger maintenant! Un portrait dédicacé d'Henry Bataille, un groupe à Viroflay avec Régis, Brigitte et Mercurot... Garry qu'elle déchire. Elle se souvient d'autres arrivées à l'hôtel, jadis avec sa mère, enfant, dans des palaces. L'image de Grigori sortie avant toutes choses. Pour la première fois, elle songe qu'elle ne possède aucune photo de Victor... Entre toutes les images du monde et ses yeux, s'interposent de récentes images, celles que sa mémoire

a gardées de la prison. Toute la déchéance et toute
la grandeur humaine. Elle a vu à Saint-Lazare des
prostituées et des ouvrières. Tout est un peu plus
affreux qu'on ne l'imagine : mais il en est resté dans
son cœur une certitude. Elle sait maintenant ce qu'est
le sort des femmes. Elle sait qu'à tout prendre, il y
a deux sortes de femmes. Elle est sortie du parasitisme
et de la prostitution. Le monde du travail s'ouvre
à elle. Il avait raison, Victor.

Il avait raison, Victor, mais je ne puis plus parler
de Catherine. Hésitante, vacillante Catherine, comme
elle s'approche lentement de la lumière! Nous sommes
pourtant déjà à la fin de l'année 12, et déjà toute une
humanité existe de laquelle les Catherine Simonidzé
ne font qu'entrevoir les ombres au travers d'un écran.
Clara Zetkin a dépassé la cinquantaine, voyons donc.
Je prends Clara Zetkin comme un exemple, mais
tout me ramènerait invinciblement à elle.

On dira que l'auteur s'égare, et qu'il est grand
temps qu'il achève par un roulement de tambour
un livre où c'est à désespérer de voir soudain surgir,
si tardivement, cette image de femme qui aurait pu
en être le centre, mais qui ne saurait venir y jouer
un rôle de comparse. On dira que l'auteur s'égare,
et l'auteur ne le contredira pas. Le monde, lecteur,
est mal construit à mon gré, comme à ton gré mon
livre. Oui, il faut refaire l'un et l'autre, avec pour
héroïne une Clara, et non point Diane, et non point
Catherine. Si je t'en donne un peu le goût, la simple
velléité, tu peux déchirer ce bouquin avec mépris,
que m'importe!

Mais en attendant, s'il me plaît, je te parlerai sans

fin des yeux de Clara... Quoi? tu croyais que j'en
avais tout dit? De ces yeux qui devaient un jour,
du haut de la tribune présidentielle du Reichstag,
à la veille même de la tourmente hitlérienne, parcourir posément les bancs bondés d'ennemis, mesurant
l'immense travail à faire... et c'est alors que la vieille
combattante annonça de sa voix calme l'avènement
à venir des Soviets d'Allemagne... tu croyais qu'avec
deux ou trois comparaisons j'avais épuisé ce que j'ai
à dire de ces yeux? Quand ce sont vraiment les yeux
de cette vieille femme, tous les yeux des femmes
de demain, la jeunesse des yeux de demain! Avant
que j'aie épuisé les images du ciel et les métaphores
marines, avant que dans les abîmes et dans les clartés
j'aie pris tout ce que je puis utiliser pour te donner
une petite idée de ce qui peut se dire de ces aurores
qui s'ouvrent sur le xxe siècle comme des fenêtres
dans l'ignorance et dans la nuit, tu devras te rendre,
lecteur. Mais j'ai pitié de ta patience, et puis il y a
grand besoin aussi de ta force, à toi, pour transformer le monde. A toi aussi.

III

Le 24 novembre à dix heures du matin, au Burgvogteilhalle, le Congrès fut ouvert par le Belge An-
seele qui remplaçait à la présidence Vandervelde,
malade. Deux Belges l'assistaient, Camille Huysmans
et Furnémont. Pablo Iglesias n'était pas arrivé pour

l'ouverture. Au bureau siégeaient Bebel, Vaillant, Kautsky, Adler, Jaurès, Keir Hardie, Branting, Rosa Luxembourg, Pernerstorfer, Greulich et Sakasoff. La chorale socialiste de Bâle y alla d'une cantate. Cinq cents délégués répondaient à l'appel.

Le premier discours fut celui du socialiste bâlois Wurschleger, parlant au nom de la section locale du parti, et au nom du gouvernement. Il apportait une affirmation singulièrement rassurante : le prolétariat n'était pas seul à vouloir engager la lutte contre la guerre : " Certains éléments éclairés de la bourgeoisie s'y associent du fond de leur cœur. C'est la raison pour laquelle nous avons pu avoir ici même pour la démonstration pacifique la cathédrale et que tout à l'heure on lira une adresse du gouvernement tout entier de Bâle au Congrès... "

Au-dehors le bourdon grave de la cathédrale commentait avec sa voix venue du fond des temps l'optimisme de Wurschleger. Par tous les bouts de la ville il arrivait de plus en plus de gens bigarrés, de délégations portant leurs drapeaux roulés, s'interpellant. Une petite bruine faisait hocher la tête au monde. Dommage... mais aussi qu'attendre d'une pareille saison? Les maisons se vidaient, des paysans entraient dans la ville. Les brasseries étaient pleines. Tous descendaient vers les casernes. Il y avait foule autour du bâtiment du congrès. Les délégués en sortirent vers midi au milieu d'une curiosité pressante, comme la voix de la cathédrale se faisait plus haute, plus impérieuse, interminable. On avait beau penser que la cathédrale était de la partie, que c'était dans la cathédrale qu'allait retentir la parole de la paix, le bruit

des cloches prenait irrémédiablement l'accent du toc-
sin. Elles sonnaient la guerre, le danger. Elles ne
pouvaient pas se déshabituer d'un rôle séculaire.
Elles gémissaient pesamment comme au temps de
Charles le Téméraire. N'était-ce pas encore du côté
du Saint-Empire qu'était la menace? C'était comme
un air qui ne va pas avec les mots de la chanson.
Les rues regorgeaient de costumes campagnards,
culottes courtes, chemises fraîches, bonnets verts.
Des flûtes s'essayaient dans des cours.

Près de la caserne, le cortège se formait.

Il s'ébranla vers deux heures.

La foule immense entourait ce serpent de trente
mille têtes. Des gens étaient venus du pays de Bade,
d'Alsace-Lorraine, de la Suisse entière. Le cortège
était compact, on s'y sentait les épaules. Des ban-
nières et des banderoles partout. Au rouge des drapeaux se mêlait tout un parterre de couleurs, ornements, costumes. Douze fanfares jouaient des airs
qui se chassaient l'un l'autre, du *Ranz des Vaches* à
l'*Internationale*. Là-dessus, sans arrêt déferlait le refrain
des cloches.

En tête du cortège cent cyclistes du parti socialiste
s'avançaient, déblayant le terrain. Ils marchaient avec
cette lenteur difficile qui faisait soudain que l'un
d'eux, incapable de se retenir, partait de côté. Les
rues s'ouvraient devant cet escadron pacifique. Puis
venaient les jeunesses socialistes de Bâle. Ici commençait l'idylle.

C'étaient des centaines de jeunes gens en costume
national; imaginez des Guillaume Tell de vingt ans
marchant en foule, avec le petit chapeau, la chemise

aux manches larges, les bretelles vertes, le genou nu
sortant de la culotte, l'arbalète au côté. Ils s'avançaient sous les cloches, archaïques, comme une première offrande au dieu de la guerre. Ces héros d'opéra
avaient l'air de marcher sous un tir de barrage d'artillerie. Ils s'avançaient au son perçant des fifres, jouant
et gambadant, malgré le sinistre novembre. Cette
noce villageoise n'avait pas l'air d'entendre le funèbre
glas qui maintenant s'était établi sur la ville comme
un maître incontesté.

Derrière le cortège des Guillaume Tell venaient
les jeunes filles. Vêtues de blanc, avec des robes à
l'antique, mêlant ainsi les époques et les mythologies.
Les unes à pied, les autres sur des chars. Elles portaient des emblèmes pacifiques, avec des colombes,
des gerbes, des outils de carton. Presque toutes avaient
leurs cheveux épars.

Des enfants en blanc avec de courtes tuniques agitaient des palmes sur lesquelles il était écrit en lettres
d'or qu'il est plus glorieux de sécher les larmes que
de répandre des torrents de sang. Et juste derrière
ce groupe marchaient, non pas le Christ entrant à
Jérusalem, mais dans leurs vêtements sombres Jaurès
et Kautsky. Les délégués s'avançaient au milieu des
drapeaux. Il y en avait une masse. La plupart n'étaient
pas de simples oriflammes rouges, mais portaient des
emblèmes corporatifs qui ramenaient le défilé en plein
Moyen Age.

Sur un char décoré comme pour une bataille de
fleurs, entièrement de fleurs blanches, une reine de
la Paix, entourée de ses dames d'honneur, soufflait
dans une trompette d'argent. Ainsi le cortège tou-

chait à l'opéra et au carnaval. Mais la volée des cloches
semblait répondre d'une façon lugubre à cette légè-
reté humaine, à cet étrange manque de sérieux où
s'étalaient les graves figures des chefs de la social-
démocratie.

Les groupes nationaux, séparés par un intervalle
marqué, se succédaient en chantant, les Allemands,
les Hongrois, les Croates, les Français, les Belges,
les Anglais, les Russes. Les chants n'étaient pas les
mêmes : chaque pays avait sa chanson. Les Français
ne savaient que *l'Internationale*. L'unité de tout cela,
qui était par moments d'une discordance affreuse,
était faite au bout du compte par la sonnerie des
cloches, qui s'affolait. Quatre ouvriers portaient dans
le cortège un énorme livre où étaient inscrits les
mots : BAS LES ARMES!

Quand le cortège atteignit la cathédrale, on vit
les drapeaux converger vers le grand portail, et ils
semblèrent former une immense rose rouge happée
par une gueule de géant. La marée humaine envahit
la cathédrale et l'emplit jusqu'aux derniers recoins.
Plus de deux fois ce qui put s'y caser resta au-dehors,
vingt mille personnes environ. Cela se distribua tout
autour de la cathédrale, notamment sur la terrasse
qui domine le Rhin, en quatre grands meetings où
Vaillant, entre autres, parla.

La cathédrale ayant mangé dix mille socialistes
lança encore quelques clameurs éperdues. Puis tout
d'un coup les cloches se turent, et ce fut comme
devant une maison où il y a un mourant, quand on
a répandu de la paille sur le trottoir.

Les cloches écoutaient les orateurs.

IV

Un jour les manuels d'histoire raconteront les
nobles discours et les grandes pensées qui retentirent
au congrès de Bâle. Ce n'est ici ni notre tâche ni
notre ambition. Quand on aura montré Blocker,
président socialiste du gouvernement de Bâle, s'in-
clinant devant la religion chrétienne, comme bon
nombre d'autres orateurs qui n'arrivaient pas à se
remettre de parler sous les voûtes d'une cathédrale;
quand on aura montré le vieux Bebel lui-même remer-
ciant l'évêque et affirmant que, si le Christ revenait,
il ne se joindrait pas aux chrétiens mais aux socialistes; quand on aura pourtant rapporté les mots du
vieux Bebel, affirmant d'autre part que ceux qui
disent *Paix sur la terre aux hommes de bonne volonté!*
auront plus grande joie encore à monter en chaire
pour pousser le peuple à la guerre meurtrière, à
l'anéantissement de l'humanité et à la destruction
de toutes choses; quand on aura montré Greulich et
Keir Hardie voyant dans les victoires électorales du
socialisme la garantie de la paix; Sakasoff plaidant
la lutte pacifique pour la paix; et tous les autres...
Haase, comme un homme déjà qui a mauvaise conscience, s'embrouille à parler des cloches et de la
guerre des Balkans; Adler cherche son inspiration
dans l'Évangile, qu'a dit le Polonais Dasinsky?
Quand on aura dans chaque discours recueilli le

ferment révolutionnaire noyé dans les phrases, l'appel à tous les moyens contre la guerre chez Vaillant, à l'action légale ou révolutionnaire chez Jaurès, nous n'aurons rien entendu du grand cœur qui battit ce jour-là dans Bâle.

Peut-être bien qu'il y avait plus de ridicule que d'efficacité à cette parade des Guillaume Tell et des Anges de la Paix. Peut-être que la bouffonnerie l'emportait sur le tragique. Peut-être que dans ce défilé de bonzes solennels, nous ne pouvons plus aujourd'hui qu'apercevoir les visages des traîtres qui devaient, dix-huit mois plus tard, livrer aux seigneurs de la guerre les prolétariats européens. Peut-être bien.

Pourtant, dans cette fête, où s'élève un double parfum d'encens et de pourriture, présager des terribles charniers du Masurenland ou de Verdun, je ne ris pas du geste des enfants qui sèment des fleurs. Que seront-ils un jour, ces jeunes coryphées de 1912? Leurs mains apprendront à tenir des fusils. Ils jetteront un jour des fleurs meurtrières, des grenades, avec ces mêmes mains.

Je ne ris pas de cet immense peuple rassemblé dans Bâle, de cet immense espoir qui sera frustré. Il n'y a pas parmi ces gens-là que des traîtres, il y a aussi des hommes marqués d'un doigt sanglant. Je jette les yeux sur cette terrasse qui surplombe le Rhin et où pour la minute parle Pressensé. J'y vois des milliers et des milliers d'hommes jeunes, vivants. Leur chair est chaude, palpitante. Le sang vient à leurs joues. Ils ont les mouvements aisés des corps qui travaillent. Leurs femmes sont avec eux, leurs promises, leurs enfants. Ils ont des mouvements

inattendus, ils touchent gaiement leurs voisins, leurs
yeux s'allument, se posent doucement sur des lèvres,
des seins. Ils ont des désirs d'hommes, ils ont faim,
soif, ils éprouvent de la langueur quand une fille
élève son bras nu. Ils suivent des yeux avec confiance
les gestes de l'orateur, les frémissements rouges
des drapeaux. Cet immense troupeau est venu ici
comme à une fête. J'ai peur de regarder en face
son destin.

C'est épouvantable comme un train de banlieue le
dimanche, si l'on savait d'avance à quelle catastrophe
il va. Par exemple, ce groupe de paysans badois...

... C'était un Badois, ce gosse de la classe 19 à côté
d'Oulchy-la-Ville, je crois bien, le 2 août 1918. Les
canons français avaient inondé le plateau de nouveaux gaz asphyxiants dont nous ignorions les effets,
et quand ce garçon de dix-neuf ans, perdu, aveuglé,
arriva sur nous qui étions à l'abri du talus de la route,
les mains lancées en avant, je vis qu'il avait quelque
chose d'anormal au visage. Un instant il hésita, puis
comme quelqu'un qui a très mal à la tête, il porta
sa paume gauche à son visage et le serra un peu dans
ses doigts. Quand sa main redescendit, elle tenait
une chose sanglante, innommable : son nez. Ce qu'il
était advenu de sa figure, pensez-y un peu longuement...

Je n'ai jamais depuis ce temps tout à fait perdu
l'odeur de la gangrène, qui n'est pas absolument la
même sur la charogne de l'homme et sur celle du
cheval. Je la ressens parfois en rêve. Cela me réveille.
Je suis dans un lit. Il n'y a pas de cadavre à côté.
Je souris dans la nuit avec une expression obtuse et

reposée. Allons, cela reviendra peut-être, mais on n'y est pas encore.

Nous étions à Bâle, je crois bien.

Nous autres, rien ne nous arrête : nous n'avons aucune peine à tracer notre chemin à travers la foule jusque dans la cathédrale pleine comme un œuf. Songez combien de ces bras, de ces jambes, qu'il nous faut écarter pour faire notre passage, tomberont de ces corps vigoureux dans les ans à venir. Nous traversons un meeting de mutilés et de cadavres. Jaurès parle dans la cathédrale.

Ah! l'observateur du Deuxième Bureau, si fier d'avoir roulé hier le grand Tribun, se tait maintenant, et écoute. Il écoute de toutes ses oreilles, il n'est plus si sûr du beau travail qu'il a fait. Avec tout ce que vous voudrez de défauts, d'erreurs, Jaurès, à cette minute où la parole encore une fois l'emporte au-delà de sa raison bourgeoise, où il sent, lui, battre ce cœur ouvrier qu'il exprime après tout, malgré tout, Jaurès incarne vraiment la lutte contre la guerre, et les mots qu'il prononce aujourd'hui retentiront jusqu'au fond d'une étude de l'école Stanislas, où le pion Villain en recueille déjà l'écho avec haine, et déjà à Bâle dans la tête de l'homme du Deuxième Bureau, ces mots éveillent comme une nécessité l'idée de l'assassinat.

Jamais dans cette église, où, à des heures périlleuses, les chefs de la chrétienté ont jadis réuni un concile, dont le congrès d'aujourd'hui semble la réplique moderne et fantastique, jamais dans cette église où s'est prosternée pendant des siècles une bourgeoisie orgueilleuse et encline aux arts, jamais dans cette église une si grande voix n'a retenti, une si grande poésie n'a atteint les cœurs.

Jaurès parle des cloches de Bâle : " ... les cloches dont le chant faisait appel à l'universelle conscience... ", et les cloches de Bâle se remettent à sonner dans sa voix. Tout ce qu'elles ont carillonné dans leur vie de cloches, ces cloches, repasse à présent sous ces voûtes avec la chantante emphase de Jaurès. Repasse avec le charme qu'il sait donner aux mots, le charme de cloches de ses mots. Ce sont tous les maux de l'humanité, faussement conjurés par les religions et leurs rites. C'est l'espoir de la révolution qui monte à travers le discours qui s'emballe. Bal des mots, balle des sons. Les idées sont comme des chansons dans la cathédrale de Bâle. L'inscription que Schiller, ce grand poète médiocre, a gravée sur la cloche symbolique de son plus célèbre poème, Jaurès ici la reprend d'une façon théâtrale : " J'appelle les vivants, je pleure les morts et je brise les foudres! "

Nous sommes à deux doigts de l'abîme, et celui qui sera tué le premier crie cette phrase magique. Les vivants et les morts l'écoutent debout, serrés dans l'abside et les chapelles. La nef s'étonne, jusqu'en haut des ogives, des paroles à faire jaillir les pavés des rues. Le chœur, plein de drapeaux, frissonne, couleur de sang : " J'appelle les vivants, je pleure les morts et je brise les foudres! "

A travers tout le ciel d'Europe, et là-bas dans l'Amérique lointaine, il s'amasse des nuages obscurs, chargés de l'électricité des guerres. Les peuples les voient s'amonceler, mais à la fois leur ombre cache leur origine. Les Wisner, les Rockefeller, les de Wen-

del, les Finlay, les Krupp, les Poutilov, les Morgan,
les Joseph Quesnel s'agitent dans un monde supérieur, fermé aux foules, où se joue le destin des foules.
Des chiffres s'inscrivent à des tableaux noirs. De
petits rubans perforés se déroulent dans des appareils
automatiques. La guerre. La guerre se prépare. Elle
est là. " J'appelle les vivants, je pleure les morts
et je brise les foudres ! "

Hélas ! la conjuration est vaine. Les foudres ne
seront pas brisées. Les vivants... mais qui peut encore
se parer de ce nom merveilleux à cette heure ? Quand
tout est si précaire et que, comme un rien, d'un vivant
l'on te fabrique un mort. " Les gouvernements
devraient se rappeler, dit Jaurès, quand ils évoquent
le danger de guerre, comme il serait facile pour les
peuples de faire le simple calcul que leur propre
révolution leur coûterait moins de sacrifices que la
guerre des autres. "

Il se tait. La cathédrale va-t-elle crouler sous les
acclamations et les hourras ? Le triomphe de Jaurès
est un triomphe sanglant. Les maîtres de la guerre
et de la paix ne le lui pardonneront jamais. Nous
qui l'applaudissons, nous votons son arrêt de mort.

V

Dans le numéro de *l'Humanité* qui rend compte
du congrès de Bâle, il est un discours dont pas une
phrase n'a été rapportée. La mention du fait que ce

discours a été prononcé y a même été omise. La présence au congrès de l'orateur n'est pas signalée dans ce journal. D'après *l'Humanité* du lendemain, impossible de soupçonner même la présence à Bâle de la militante allemande Clara Zetkin, qui y prit la parole au nom de toutes les femmes socialistes.

" Si nous, les mères, nous inspirions à nos enfants la haine la plus profonde de la guerre, si nous implantions en eux dès leur plus tendre jeunesse le sentiment, la conscience de la fraternité socialiste, alors le temps viendrait où à l'heure du danger le plus pressant il n'y aurait pas sur terre de pouvoir capable d'arracher cet idéal de leurs cœurs. Alors, dans les temps du danger et du conflit le plus terrible, ils penseraient d'abord à leur devoir d'homme et de prolétaire.

" Si nous, les femmes et les mères, nous nous élevons contre les massacres, ce n'est pas que, dans notre égoïsme et notre faiblesse, nous soyons incapables de grands sacrifices pour de grands objets, pour un grand idéal; nous avons passé par la dure école de la vie dans la société capitaliste, et à cette école nous sommes devenues des combattantes...

" Aussi pouvons-nous affronter notre propre combat et tomber s'il en est besoin pour la cause de la liberté... "

Elle parle. Elle parle non point comme une femme isolée, comme une femme qui a pris conscience pour elle-même d'une grande vérité, comme une femme à qui des circonstances exceptionnelles ont donné les connaissances et les facultés d'un homme, comme une femme de génie, née dans un laboratoire humain.

Elle parle au contraire comme une femme, pour les autres femmes, pour exprimer ce que pensent toutes les femmes d'une classe. Elle parle comme une femme dont l'esprit s'est formé dans les conditions de l'oppression, au milieu de sa classe opprimée. Elle n'est pas une exception. Ce qu'elle dit vaut parce que des milliers, des millions de femmes le disent avec elle. Elle s'est formée comme elles, non pas dans le calme de l'étude et de la richesse, mais dans les combats de la misère et de l'exploitation. Elle est simplement à un haut degré d'achèvement le nouveau type de femme qui n'a plus rien à voir avec cette poupée, dont l'asservissement, la prostitution et l'oisiveté ont fait la base des chansons et des poèmes à travers toutes les sociétés humaines, jusqu'aujourd'hui.

Elle est la femme de demain, ou mieux, osons le dire : elle est la femme d'aujourd'hui. L'égale. Celle vers qui tend tout ce livre, celle en qui le problème social de la femme est résolu et dépassé. Celle avec qui tout simplement ce problème ne se pose plus. Le problème social de la femme avec elle ne se pose plus différemment de celui de l'homme. " C'est précisément parce que la victoire future du socialisme se prépare dans le combat contre la guerre, s'écrie-t-elle, que nous autres femmes, nous renforçons ce combat. Moins encore que pour les ouvriers, les États nationaux peuvent être pour nous une patrie véritable. Nous devons nous-mêmes créer cette patrie dans la société socialiste qui seule garantit les conditions de la complète émancipation humaine. "

Maintenant, ici, commence la nouvelle romance.

Ici finit le roman de chevalerie. Ici pour la première fois dans le monde la place est faite au véritable amour. Celui qui n'est pas souillé par la hiérarchie de l'homme et de la femme, par la sordide histoire des robes et des baisers, par la domination d'argent de l'homme sur la femme ou de la femme sur l'homme. La femme des temps modernes est née, et c'est elle que je chante.

Et c'est elle que je chanterai.

TABLE DES MATIÈRES

BRODARD ET TAUPIN — IMPRIMEUR - RELIEUR
Paris-Coulommiers. — France.
05.162-VI-11-3288 - Dépôt légal n° 1538, 4e trimestre 1960
LE LIVRE DE POCHE - 4, rue de Galliéra, Paris.

LE LIVRE DE POCHE

VOLUMES PARUS

VOLUMES PARUS ET A PARAITRE
DANS LE 4e TRIMESTRE 1960

LE LIVRE DE POCHE
ENCYCLOPÉDIQUE

Cette série a pour objet d'éclairer et d'instruire ses lecteurs sur leur comportement devant les multiples exigences de la vie moderne.

Qu'il s'agisse de connaissances pratiques indispensables, ou de conseils psychologiques, les volumes qui la constituent apportent la solution simple et efficace aux problèmes, petits ou grands, qui se posent quotidiennement.

A la commodité du format, au peu d'encombrement de l'ouvrage, à son aspect plaisant, correspondent la clarté de l'exposition, la simplicité et la précision du texte, le souci constant de ne rien omettre d'essentiel.

VOLUMES PARUS

LA PÊCHE ET LES POISSONS DE RIVIÈRE (*)
par Michel DUBORGEL

LA CUISINE POUR TOUS (*)
par Ginette MATHIOT

LAROUSSE DE POCHE (*)

HISTOIRE DE LA MUSIQUE (*)
par Emile VUILLERMOZ

BEAUTÉ-SERVICE (*)
par Josette LYON

LES MAINS PARLENT
par le Professeur Josef RANALD

COMMENT SE FAIRE DES AMIS
par Dale CARNEGIE

COMMENT CONNAITRE VOTRE ENFANT
par Rose VINCENT
et Roger MUCCHIELLI

L'HOMME, CET INCONNU (*)
par Alexis CARREL

LA CHASSE ET LE GIBIER DE NOS RÉGIONS (*)
par Jérôme NADAUD

VOTRE CHIEN
par J. R. KINNEY
et A. HONEYCUTT

LA VIE DE VAN GOGH (*)
LA VIE DE CÉZANNE (*)
LA VIE DE TOULOUSE-LAUTREC (*)
par Henri PERRUCHOT

VOLUMES PARUS ET A PARAITRE DANS LE 4e TRIMESTRE 1960

J.-M. DUVERNAY et A. PERRICHON
Fleurs, fruits, légumes (**)

PIERRE ROUSSEAU
L'Astronomie pour tous (*)

GABRIEL POMERAND
Le petit Philosophe de Poche (*)

ANDRÉ MAUROIS
Les Trois Dumas (*)